Título do original: *Histoire du Tarot – Origines – Iconographie – Symbolisme*.

Copyright © 2018 Éditions TrajectoirE.

Copyright da edição brasileira © 2022 Editora Pensamento-Cultrix Ltda.

1ª edição 2022.

Todos os direitos reservados. Nenhuma parte deste livro pode ser reproduzida ou usada de qualquer forma ou por qualquer meio, eletrônico ou mecânico, inclusive fotocópias, gravações ou sistema de armazenamento em banco de dados, sem permissão por escrito, exceto nos casos de trechos curtos citados em resenhas críticas ou artigos de revista.

A Editora Pensamento não se responsabiliza por eventuais mudanças ocorridas nos endereços convencionais ou eletrônicos citados neste livro.

Editor: Adilson Silva Ramachandra
Gerente editorial: Roseli de S. Ferraz
Gerente de produção editorial: Indiara Faria Kayo
Editoração eletrônica: Join Bureau
Revisão: Luciana Soares da Silva

Dados Internacionais de Catalogação na Publicação (CIP)
(Câmara Brasileira do Livro, SP, Brasil)

Nadolny, Isabelle
História do tarô: um estudo completo sobre suas origens, iconografia e simbolismo / Isabelle Nadolny; tradução Luciana Soares da Silva. - 1. ed. – São Paulo: Editora Pensamento, 2022.

Título original: Histoire du Tarot: origines, iconographie, symbolisme
ISBN 978-85-315-2173-7

1. Tarô – História I. Título.

21-86797 CDD-133.32424

Índices para catálogo sistemático:
1. Tarô: Artes divinatórias 133.32424
Cibele Maria Dias - Bibliotecária - CRB-8/9427

Direitos de tradução para o Brasil adquiridos com exclusividade pela
EDITORA PENSAMENTO-CULTRIX LTDA., que se reserva a
propriedade literária desta tradução.
Rua Dr. Mário Vicente, 368 – 04270-000 – São Paulo – SP – Fone: (11) 2066-9000
http://www.editorapensamento.com.br
E-mail: atendimento@editorapensamento.com.br
Foi feito o depósito legal.

ISABELLE NADOLNY

HISTÓRIA DO TARÔ

Um Estudo Completo sobre suas
Origens, Iconografia e Simbolismo

Editora
Pensamento
SÃO PAULO

Sumário

Introdução 9

Capítulo I: A história do tarô se inscreve na história das cartas do baralho e do jogo... 15

1. Jogo e adivinhação desde a Antiguidade 16
   Entre mitos, jogos e símbolos 16
   Uma fronteira indistinta entre jogo e adivinhação 20
   Os dados, o acaso, a boa sorte, a fortuna... 21
   Na Idade Média se jogava muito, mesmo sendo uma ofensa a Deus 24

2. O surgimento e o desenvolvimento dos baralhos na Europa 27
   As primeiras menções aos jogos de cartas na Europa 27
   De onde vêm as cartas de jogo? 29
   Não há cartas sem papel e sem gravura! 33

3. História dos primeiros baralhos 36
   Os primeiros baralhos 36
   As cartas da corte 40
   Os quatro naipes 42
   Os quatro naipes do tarô 47

4. A simbologia dos quatro naipes 51
   Os símbolos dos quatro naipes segundo os autores antigos 51
   Os símbolos dos quatro naipes segundo os autores modernos 53
   As cartas espiritualizadas 56

Capítulo II. O surgimento do tarô na Itália.. 61

1. As primeiras referências de arquivos e os primeiros tarôs.................................. 62
   As primeiras referências de arquivos... 62
   Tarôs Visconti, os mais antigos do mundo.. 63
   Outros tarôs do século XV, decorados com iluminuras....................................... 65
   O que já é possível observar nesses primeiros baralhos?..................................... 66

2. Em que contexto surgiu o tarô?.. 76
   Há muito que dizer com base nos triunfos... 76
   O tarô surgiu em tempos conturbados 77
   O tarô e o Renascimento italiano 79

3. Primeiros elementos de interpretação e de simbologia..................................... 80
   Seria o tarô um jogo educativo? Exemplo de um baralho dos anos 1420...... 80
   O Tarô de Mantegna, ou o "jogo do governo do mundo".................................. 83
   Seria o tarô um modelo de ascensão a Deus?... 86
   Os Triunfos de Petrarca... 87
   Os carros triunfais e os carnavais italianos 89
   Quem teria criado o tarô?... 90

Capítulo III: O Tarô de Marselha, seus ancestrais e seus descendentes................... 95

1. A expansão do tarô na França 97
   De onde vem o termo "tarô"?.. 97
   Os mais antigos tarôs franceses de que se tem conhecimento 100
   A Itália, mais uma provável fonte de inspiração... 104

2. O século dos "Tarôs de Marselha" 108
   Os mais antigos "Tarôs de Marselha" de que se tem conhecimento 108
   A vida cotidiana dos fabricantes de cartas franceses sob o Antigo Regime 111
   Inúmeros Tarôs de Marselha... 113
   Os Tarôs de Marselha estão longe de ser os únicos tarôs antigos................... 117

3. A tradição do Tarô de Marselha.. 122
   As primeiras aparições da denominação "Tarô de Marselha"............................ 122
   A criação do "Antigo Tarô de Marselha" por Paul Marteau................................ 123

Capítulo IV: A história do tarô também se inscreve na história da adivinhação....... 129

1. Adivinhação e ocultismo no século XV.. 131
   As práticas divinatórias no final da Idade Média 131
   Astrologia e tarô... 134
   Alquimia, hermetismo e tarô 140

2. O nascimento do tarô divinatório.. 143
   A adivinhação pelas cartas antes do século XVIII.. 143
   Franco-maçonaria e egiptomania no século das Luzes...................................... 145
   Court de Gébelin e o *Mundo Primitivo* 148
   O conde de Mellet 154
   Tiragem de tarô segundo o método do conde de Mellet (1781)..................... 158

3. A era de ouro da cartomancia 160
    O inapreensível Alliette, vulgo Etteilla 160
    A fortuna das cartas 169
    Variedade e sucesso dos baralhos divinatórios 173
    Mademoiselle Lenormand, a sibila dos salões 174

4. Quando o tarô se torna ocultista 180
    Éliphas Lévi, o tarô e a cabala 180
    Oswald Wirth 184
    Papus 186
    A tradição anglo-saxã 191
    A profusão editorial francesa a partir dos anos 1980 192

Capítulo V: Pequena história dos arcanos maiores 197

    O Louco 200
    I. O Mago 203
    II. A Papisa 206
    III. A Imperatriz 209
    IIII. O Imperador 212
    V. O Papa 215
    VI. O Enamorado 218
    VII. O Carro 221
    VIII. A Justiça 224
    VIIII. O Eremita 227
    X. A Roda da Fortuna 230
    XI. A Força 233
    XII. O Pendurado 236
    XIII. A Morte 239
    XIIII. A Temperança 243
    XV. O Diabo 246
    XVI. A Casa de Deus 250
    XVII. A Estrela 253
    XVIII. A Lua 256
    XVIII. O Sol 259
    XX. O Julgamento 262
    XXI. O Mundo 265

Conclusão... 267

Mais informações 273

Apêndice A: O tarô de Etteilla segundo seu livro de 1783 274

Apêndice B: Referências dos principais tarôs 277

    Os antigos tarôs italianos 277
    Os primeiros tarôs impressos nos séculos XVI-XVII 279
    Os tarôs de Marselha do século XVIII 280
    Os tarôs e as cartas divinatórias dos séculos XIX e XX 281

Apêndice C: Bibliografia comentada e fontes 283
    História do tarô e das cartas de jogos... 283
    Outras obras consultadas... 285
    Dicionários 286
    Fontes sobre o tarô e a cartomancia 286
    Outras fontes consultadas 288

Apêndice D: *Sites, blogs* e bases de dados 289
    Bases de dados, fóruns.. 289
    Blogs e *sites* 290

Agradecimentos 292

Créditos iconográficos... 293

Introdução

*Tarô da coleção Rothschild, o Imperador,
norte da Itália, fim do século XV, Museu do Louvre.*

◆◆◆ *Um dia, alguém contou esta história...*

"Há muito tempo, todos os sábios hierofantes, depositários da tradição oculta do Egito, reuniram-se para debater um gravíssimo problema. Devido às suas faculdades proféticas, eles haviam adquirido a certeza de que sua civilização logo se desintegraria e, com ela, os templos dos deuses e as escolas iniciáticas, onde a Verdade era transmitida desde sempre de mestres a discípulos. Tratava-se, portanto, de encontrar um meio de preservar da destruição os pontos mais importantes dessa Verdade oculta, para que ela pudesse novamente ser revelada no momento oportuno. 'Gravemos os textos de nosso saber ancestral nos muros de pedra do templo mais venerável', propôs um dos membros da assembleia. Contudo, objetaram-lhe que mesmo o templo mais sólido não resistiria às devastações causadas pelo tempo nem aos ataques dos invasores. 'Vamos gravá-los nas placas do metal mais resistente', disse outro. Porém, retorquiram-lhe que, se fosse um metal nobre, estaria inevitavelmente sujeito à cobiça, e se fosse um metal vil, não resistiria à ferrugem. Outro membro arriscou: 'Confiemos nossos arcanos a um homem simples e virtuoso que, antes de morrer, os transmitirá a outro homem simples e virtuoso e assim por diante, até que novamente a Verdade possa ser professada e compreendida'. No entanto, responderam-lhe que mesmo as almas mais puras não escapariam à tentação. Então, o mais jovem dos adeptos disse: 'Vamos nos servir dos vícios, dos pecados, das paixões deletérias do homem para preservar o depósito de nossas doutrinas secretas. Vamos exprimi-las em um conjunto de figuras aparentemente inocentes que, multiplicadas ao infinito, servirão para aplacar uma das paixões mais intensas do homem: a paixão pelo jogo. Confiemos às energias do mal os germes de Verdade contidos na condição da salvação e da felicidade do mundo'. Essa proposta foi aceita. Os adeptos fixaram em imagens simbólicas os axiomas de suas doutrinas secretas, criando um jogo que puseram em circulação e que preservou, de maneira alegórica, as Verdades ocultas. Essa seria a origem do Baralho de tarô."

O autor Gérard Van Rijnberk relata que essa história sobre a origem do tarô lhe foi narrada por um certo M. V. Tomber, vice-cônsul da Estônia em Amsterdã, que, por sua vez, a teria ouvido em "uma poderosa sociedade ocultista da época anterior à Revolução Bolchevique".[1] Papus, o célebre ocultista sobre o qual ainda discorreremos, anuncia em sua obra *Tarot des Bohémiens* [O Tarô dos Boêmios] que a encontrou em "um velho manuscrito todo empoeirado, esquecido no canto de uma biblioteca".[2]

O mais misterioso nessa história, cujas fontes são mais que incertas, é o fato de ela ter se tornado um dos mitos fundadores do tarô. A ideia de que um baralho seja o receptáculo de sabedorias ocultas cativou um bom número de autores desde o século XVIII. Antoine Court de Gébelin foi o primeiro a desenvolver uma teoria sobre as origens egípcias do jogo no tomo VIII de seu *Monde primitif* [Mundo Primitivo], publicado em 1781:[3] "Se ouvíssemos alguém dizer que ainda hoje existe uma obra dos antigos egípcios, um de seus livros que teria escapado das chamas que devoraram suas magníficas bibliotecas e que contém sua doutrina mais pura sobre temas interessantes, certamente ficaríamos impacientes para conhecer um livro tão precioso e extraordinário. Se acrescentássemos que esse livro é muito

---

1 Gérard Van Rijnberk, *Le Tarot, histoire, iconographie, ésotérisme*, Paul Derain, Lyon, 1947, p. 14.
2 Papus, *Le Tarot des Bohémiens*, G. Carré, Paris, 1889, p. 348. [*O Tarô dos Boêmios*. São Paulo, WMF Martins Fontes, 2003.]
3 Antoine Court de Gébelin, *Monde primitif, analysé et comparé avec le monde moderne*, Paris, 1781, t. VIII, pp. 365-66.

difundido em grande parte da Europa e que há muitos séculos circula pelas mãos de todos, sem dúvida a surpresa aumentaria e chegaria ao ápice se assegurássemos que nunca se suspeitou de que ele fosse egípcio. [...] Esse livro é composto por LXXVII fólios ou quadros [...]; em poucas palavras, esse livro é o jogo de tarô". Parece que estamos diante do manuscrito empoeirado de Papus; em todo caso, nele a ideia é desenvolvida. Após Antoine Court de Gébelin, todo mundo começou a escrever sobre as origens e as sabedorias ocultas do tarô, que, além do Egito, teria origem nos mitos ocultos dos ciganos, dos Templários, dos cátaros, dos franco-maçons ou de qualquer outra sociedade iniciática, cujos segredos teriam sido herdados pelos mestres fabricantes de cartas. Ele revelaria os números de Pitágoras, os conteúdos da árvore da vida ou os ensinamentos de Hermes Trismegisto. Uma das teorias mais recentes faz dele o receptáculo do saber do Renascimento e, sobretudo, das tradições herméticas e neoplatônicas que teriam sido redescobertas nessa época. Fala-se muito em Marsílio Ficino (1433-1499), tradutor dos textos de Platão e do *Corpus Hermeticum*, como um dos prováveis autores do tarô – teoria mais apropriada, pois está historicamente comprovado que o tarô surgiu na Itália no século XV.

Isso significaria, então, que essas teorias têm um fundamento? Se forem comparadas com as fontes históricas, poderão se confirmar? Sabemos de fato de onde vem o tarô, como foi constituído e com que objetivo? E se ele é apenas um simples baralho, por que se tornou um dos pilares do ocultismo moderno e contemporâneo? É difícil escapar desse amplo questionamento quando observamos essas cartas, que parecem tão simples e, ao mesmo tempo, tão misteriosas. Esta obra se propõe a responder a essas perguntas descrevendo os conhecimentos atuais sobre o tarô e sua história e baseando-se nos documentos históricos e nos trabalhos de pesquisadores, que, por serem pouco divulgados ou às vezes de difícil leitura, não são muito conhecidos. Desse modo, abordaremos a história do tarô de acordo com o seguinte critério: "isso é certo" (por exemplo, qual o mais antigo tarô conhecido), "isso é provável", "isso é improvável" ou "isso não tem comprovação histórica" (por exemplo, "o tarô é uma das mais belas coisas legadas pela Antiguidade"[4]). Também recolocaremos o tarô em um contexto histórico mais amplo, muitas vezes desconhecido dos amadores, mas cujo conhecimento nos parece fundamental para abordar esse jogo com mais propriedade.

Com efeito, como analisar serenamente a teoria sobre as origens egípcias do tarô se ignoramos o quanto o Egito era considerado na França do Século das Luzes, pátria dos primeiros autores que escreveram sobre o tema? Desse modo, viajaremos à Paris do Iluminismo, onde personagens estranhos jogavam jogos estranhos. Em sentido mais amplo, retornando à Europa do final da Idade Média, veremos a que ponto as representações dessa época puderam impregnar as imagens representadas nas cartas. Veremos, portanto, que a história do tarô é indissociável daquela das cartas e dos jogos, assim como é indissociável da história da adivinhação e do ocultismo, embora muitas vezes estes também sejam desconhecidos. Costuma-se falar de vínculos entre tarô e hermetismo, cabala ou franco-maçonaria, às vezes sem saber o que tudo isso engloba. Portanto, pareceu-nos igualmente necessário fazer um breve balanço histórico sobre essas noções ou esses movimentos, seguindo sempre os critérios enunciados mais acima: o que é certo (por exemplo, o surgimento da franco-maçonaria na França no século XVIII) e o que não é (por exemplo, os mestres fabricantes de cartas eram iniciados).

Trataremos dos autores antigos que evocaram o tarô e, após termos um panorama de sua época, saberemos um pouco mais por que discorreram dessa maneira. Também conheceremos melhor os tarôs antigos ao observá-los: quisemos incluir uma paleta de tarôs diferentes, alguns importantes, outros desconhecidos e esquecidos, para mostrar e abordar o tarô em sua riqueza iconográfica e em sua diversidade. Um dos objetivos desta obra é colocar à disposição do leitor um conjunto de fontes que nutriram o tarô atual: tarôs antigos,

---

4 Escrito por Éliphas Lévi em *Dogme et rituel da la haute magie*, G. Baillière, Paris, 1856. [*Dogma e Ritual da Alta Magia*. São Paulo, Pensamento, 21ª ed., 2017. (N. da T.)]

textos e tiragens antigos... Alguns textos que propõem tiragens de cartas são publicados aqui pela primeira vez, assim como muitas reproduções de baralhos antigos. Queríamos que o leitor pudesse se confrontar diretamente com esses antigos baralhos, com as tiragens e interpretações de cartas e se deleitasse em reproduzi-los.

Um último e pequeno detalhe a ser dito sobre o estilo do texto: o uso do "nós" é um efeito de estilo um pouco antiquado, mas muito cômodo para que o autor possa partilhar seu pensamento sem incorrer no relato pessoal; por isso fizemos essa escolha.

Este livro não oferece uma abordagem exaustiva, nem é esse seu objetivo – seria muita pretensão! Não foi possível tratar de todas as teorias formuladas pelos autores que se ocuparam do tarô, de suas origens, sua história ou ainda da constituição detalhada das cartas e de seus inúmeros símbolos. Como forma de compensar essa lacuna, disponibilizamos alguns apêndices: uma relação de *sites*, *blogs* e bases de dados, bem como uma bibliografia com as referências necessárias para que o leitor possa informar-se e ir mais além, consultando os autores que consideraram essas questões, ainda que, em nossa opinião, um brilhante ensaísta não necessariamente procede do mesmo modo que um historiador. Nosso limite, mas também nossa perspectiva, era o de permanecer o mais próximo possível da história. Também tínhamos outro objetivo: enriquecer a reflexão e satisfazer a curiosidade dos amigos do tarô para seu maior deleite.

Capítulo I
A história do tarô se inscreve na história das cartas do baralho e do jogo...

Cópia de uma carta francesa do século XVI, 1906, BnF (detalhe).

1

Jogo e adivinhação desde a Antiguidade

◆◆◆ *Entre mitos, jogos e símbolos*

Era uma vez um rei e uma rainha irmãos, que reinavam no início dos tempos. Ele se chamava Geb e dominava a terra; ela se chamava Nut e governava o céu. Ambos tiveram um amor incestuoso. Rá, o deus Sol, criador soberano, descobriu o relacionamento de ambos e, indignado, proibiu Nut de dar à luz em qualquer mês do ano. Contudo, a rainha tinha outro amante, Thot, o escriba divino, erudito das letras e das artes e mestre dos jogos. Para tentar impedir a maldição do Sol, Thot apresentou-se à Lua e lhe propôs uma partida de "jogo de tabuleiro". Ele venceu a partida, e a Lua foi obrigada a lhe dar uma das 72 noites em que brilhava por ano. Com a soma de todas essas frações de luz reunidas, Thot formou cinco dias, que acrescentou aos outros 360. Como esses dias não faziam parte de nenhum mês do ano, Nut pôde dar à luz cinco filhos: Osíris, Hórus, Set, Ísis e Néftis.[5]

Essa lenda revela várias coisas. Em primeiro lugar, que os jogos têm suas raízes nas mitologias mais antigas e, sobretudo, que não são meros atos gratuitos, banais, fortuitos, realizados apenas para o entretenimento. Os deuses jogavam, nem mais nem menos, por desafios como a concepção do mundo ou de outros deuses. A mitologia grega também apresenta relatos de partidas célebres, como a ocorrida entre os pretendentes que disputaram a mão de Penélope no jogo de habilidade concebido pelo astuto Ulisses, ou Eros jogando ossinhos com Ganimedes, o mais belo dos mortais. Os textos cristãos evocam os romanos apostando a túnica de Cristo no jogo de dados, ou ainda Percival jogando contra um tabuleiro mágico. Os jogos são ações realizadas fora do tempo comum, com regras que são aceitas mesmo quando seu sentido nem sempre é entendido e por apostas que às vezes também ultrapassam a compreensão. Se considerarmos as cartas, como interpretar o ato de dispô-las diante de si, sobre uma mesa, e manipulá-las para conhecer o sentido oculto da própria existência, ou então o de arriscar arruinar a própria vida com as apostas caras e viciantes dos jogos a dinheiro?

No plano simbólico, a lenda do "jogo de tabuleiro" revela o nome de Thot, posteriormente citado por muitos ocultistas com o nome de Hermes Trismegisto, de resto sem que ainda se saiba exatamente a quem

---

5   História narrada por Jean-Marie Lhôte in *Histoire des jeux de société*, Flammarion, Paris, 1993, p. 12.

Jogo de *senet* egípcio, 1555-1295 a.C., Metropolitan Museum.

Nefertari jogando *senet* (cópia de um túmulo), Metropolitan Museum.

Jogo de *mehen* egípcio, primeira dinastia (3000-2950 a.C.), Metropolitan Museum.

faziam referência. Voltaremos à herança de Thot/Hermes. Por enquanto, é importante saber que Platão o mencionava como o inventor dos jogos. Diz ele em *Fedro*:[6] "'O que me contaram', diz Sócrates, 'é que na região de Náucratis, no Egito, viveu um dos antigos deuses do lugar, cujo emblema consagrado é o pássaro chamado de íbis, e que Theut era o nome dessa divindade. Segundo me disseram, ele foi o primeiro a inventar o número e o cálculo, a geometria e a astronomia, para não falar do jogo de tabuleiro e de dados e, por fim, justamente as letras e a escrita'".

Em um plano mais concreto, essa história mostra quais tipos de jogos eram praticados no Egito antigo: jogos de percurso em tabuleiros estruturados, com peões e dados. O *mehen*, que é jogado em um tabuleiro plano e redondo, imitando a forma de uma serpente enrolada em si mesma, é um dos mais antigos da história. Surgiu no IV milênio antes de Jesus Cristo. O Egito dos faraós também conheceu o *senet*, outro jogo de tabuleiro com peões e dados. Quanto à adivinhação, ela era praticada essencialmente por meio da consulta aos oráculos, sobretudo com o Novo Império (a partir de 1552 a.C.). As perguntas eram feitas por escrito aos deuses, redigidas em papiros ou em fragmentos de cerâmica, que eram submetidos a eles nos templos ou durante as procissões. Os oráculos eram respondidos tanto por sinais manifestados pelas estátuas dos deuses quanto pela palavra dos sacerdotes. De resto, as perguntas constituíam notáveis testemunhos da vida e das preocupações dos antigos egípcios. Perguntava-se ao oráculo quem havia cometido este ou aquele roubo, com qual mulher se casar, se era necessário consultar um médico para curar uma doença na vista, qual viagem caberia fazer, quando seria apropriado começar a semeadura etc.[7] Não parecem essas preocupações antigas bem próximas das nossas? Vale notar que nessa época já se praticava a onirologia, ou seja, a adivinhação pela interpretação dos sonhos. Os onirócritas, encontrados na Babilônia, em Roma e Atenas, eram consultados por quem queria conhecer o sentido dos sonhos. Em contrapartida, não havia nenhum vestígio de "lâminas douradas", que teriam constituído um "Livro de Thot" e servido para exprimir esses oráculos, tal como foram descritas por ocultistas dos séculos XVIII e XIX.

Por que escolher ir tão longe no tempo, a um momento bem anterior ao surgimento do tarô? Simplesmente para marcar a distância do discurso de Antoine Court de Gébelin em relação à história e, assim, começar esta obra com o mesmo período escolhido por ele. Gébelin e muitos autores que escreveram sobre o tarô depois dele falam do Egito. Veremos que antes dele também houve quem buscasse investigar os mistérios dessa civilização, e ele conhecia os textos desses pesquisadores. Portanto, seria difícil não tratar dessa época. O problema é que, se vasculharmos a iconografia ou a mitologia do Egito dos faraós, não encontraremos nada comparável ao tarô. Por certo, há símbolos em comum: o sol, a lua, o carro de guerra e a balança que serve para pesar a alma dos mortos, símbolo herdado pela alegoria da Justiça, descrita por Aristóteles e presente no tarô. Porém, devemos falar de símbolos em comum ou de símbolos universais? E, mesmo no primeiro caso, eles não são absolutamente representados da mesma maneira. Os autores que escrevem sobre o tarô, em geral muito sensíveis aos detalhes, não podem deixar de notar esse fato. Em seu conjunto, os 22 arcanos maiores apresentam imagens muito distantes da cultura faraônica: o Papa, o Diabo ou o Julgamento são figuras cristãs. A Justiça, a Força e a Temperança são alegorias surgidas sob o Império Romano. Vale lembrar também que Antoine Court de Gébelin evocou o tarô e o Egito em 1781, período egiptomaníaco por excelência, ao qual retornaremos. Embora ele tenha se referido ao tarô como um termo proveniente do egípcio antigo *tar* e *ro* ("caminho régio"), essa menção se deu numa época em que ninguém compreendia o significado dos hieróglifos.

---

6 Citado por Jean-Marie Lhôte, *op. cit.*, p. 15.

7 Ver o artigo "La divination en Égypte ancienne, rêves d'Égypte", Françoise Dunand, *Notre histoire*, nº 206, Paris, janeiro de 2003, pp. 25-8.

Ossinhos que serviam à adivinhação, época grega (fotografia particular).

Dados e peões da época romana, Museu Galo-Romano de Saint-Romain-en-Gal.

❖❖❖ *Uma fronteira indistinta entre jogo e adivinhação*

Avancemos no tempo. Na Antiguidade clássica, os gregos e os romanos jogavam dados e ossinhos (mas hoje se sabe que os ossinhos mais antigos de que se tem conhecimento foram descobertos em Varna, na Bulgária, e datam de cerca de 4200 a.C.). Por certo, ainda não se encontrou nenhum indício de que houvesse jogo de cartas nesse período. Em contrapartida, é possível levar em conta outro aspecto: com os egípcios, evocamos os vínculos originais entre os jogos e os mitos; entre os gregos, podemos considerar a fronteira indistinta entre jogo e adivinhação, sobretudo com os chamados "jogos de azar". Ao discorrer com grande pertinência sobre um homem que lança uma concha no ar, o historiador do jogo Jean-Marie Lhôte pergunta-se em que momento o homem fará um pedido, dizendo: "Se a concha cair do lado convexo, vou ter sorte; se cair do lado côncavo, não será um bom sinal". Em seguida, ele se pergunta em que momento um parceiro intervirá para lhe dizer: "Se cair do lado convexo, você ganha; se cair do lado côncavo, eu ganho".[8] Quem pode saber? Todo jogo tem como causa o desejo do homem de exercer suas faculdades físicas ou cerebrais, de mostrar sua força ou sua habilidade aos outros. E, quando o acaso intervém, joga-se para saber qual jogador será favorecido pelo... destino, pela sorte, pela fortuna, pela providência? Tão logo evocamos o destino, também podemos evocar a sina, a fatalidade, a magia... O que seria um bom ou mau destino senão também um ato mágico? Toda uma paleta de noções fundamentais entra em jogo assim que evocamos os jogos de azar.

Reconsideremos, por exemplo, um pouco os gregos que jogavam ossinhos. Sabemos que nomeavam as quatro faces maiores do ossinho (uma vez que as duas nas laterais eram pequenas demais para serem levadas em conta), assim como os principais lances.[9] Desse modo, o lado plano era chamado de "cão" ou "chios" e associado ao número 1; o lado sinuoso era nomeado "coos" e correspondia ao número 6. O lado "cão" era o mais nefasto e associado ao desprezo, enquanto o lado "coos" era associado à estima. Provavelmente esses nomes também configuravam uma alusão aos habitantes das ilhas de Chios e Cós, sendo os primeiros desprezados e os segundos, honrados. Também se sabe que o termo "cão" na boca de um grego era um insulto. As outras duas faces, de formas côncava e convexa, tinham como valor os números 3 e 4. As combinações possíveis (35) com quatro ossinhos também traziam nomes, muitas vezes emprestados de deuses, heróis, homens ilustres e acontecimentos: Afrodite, Midas, Alexandre, a velha senhora, o efebo, o arco, o belo lance, o lance sagrado... Assim, o lance de Afrodite, quando caem as quatro faces diferentes, é o melhor de todos. Ao contrário, o lance do Cão, quando caem as quatro planas, é o mais nefasto.

Mais uma vez, onde se situa a fronteira entre o lúdico e o divinatório? Entre lançar os ossinhos com um adversário para ganhar uma aposta ou para buscar uma resposta a uma pergunta? Louis Becq de Fouquière cita vários testemunhos antigos muito interessantes,[10] como o de Ovídio, que, ao falar dos tratados sobre os jogos, diz "por qual lance é possível ter o melhor resultado ou evitar os cães de mau agouro". Cita sobretudo Pausânias (*Acaia*, XV): "Próximo ao rio Buraico há uma caverna. Nessa caverna existe um oráculo que permite conhecer o futuro por intermédio de um quadro e de ossinhos. Quem quiser consultá-lo deverá primeiro dirigir orações à estátua; em seguida, deverá pegar alguns dos muitos ossinhos que se encontram diante dela, jogar quatro sobre a mesa e buscar a explicação do lance no quadro em que os diferentes lances são ilustrados com a explicação do que representam". Suetônio também fala de adivinhação por meio dos ossinhos (*Tibério*, XIV): "Tibério consultou perto de Pádua o oráculo de Gerião, que o aconselhou a lançar os ossinhos na

---

8   Em Jean-Marie Lhôte, *Le Symbolisme des jeux*, Berg international, Paris, 2010 (1976 para a 1ª edição).
9   Descritos por Louis Becq de Fouquière em *Les Jeux des anciens, leur description, leur origine, leurs rapports avec la religion, l'histoire et les mœurs*, C. Reinwald, Paris, 1869, pp. 329-44 (digitalizado por Gallica, ver https://gallica.bnf.fr/ark:/12148/bpt6k110685x).
10 *Ibid.*, pp. 350 e 354.

fonte de Apona para obter uma resposta à sua pergunta e logo teve como resultado o número mais elevado. Ainda hoje é possível ver esses ossinhos no fundo da água". De acordo com esse texto, a resposta seria melhor ou pior se o número fosse mais ou menos elevado. Encontramos um sistema semelhante com o jogo de dados.

❖❖❖ *Os dados, o acaso, a boa sorte, a fortuna...*

Ao contrário dos ossinhos, que são objetos oriundos da natureza (pequenos ossos de animais), os dados são criações humanas, talvez surgidas no vale do Indo, cerca de 2000 a.C. Utilizados pelos antigos egípcios, gregos e romanos, permaneceram um dos jogos favoritos na Idade Média. Ainda hoje, são o jogo de azar por excelência. De resto, de onde vem o termo "azar"? Do árabe *az-zahr*, que significa "o dado". *Hasart* e *chance* também são os nomes de um jogo de dados da Idade Média. Com efeito, nos dicionários de francês antigo essas duas palavras são definidas como "tipo de jogo de dados". O termo *cheance* é igualmente definido como "lance de dados, número de pontos obtidos ao se lançarem os dados", e *chancer* como "jogar o jogo de *chance*", ou seja, jogar o jogo de dados com esse nome.[11] Esses dois conceitos, azar e sorte, introduzem as noções de aleatório e improvável, em oposição à Providência. Talvez isso explique a aversão da Igreja pelos jogos de azar, mas preenche um vazio "metafísico", por assim dizer, ao reintroduzir no mundo cristão, onde um Deus onipotente decidiria tudo, o fortuito, o inesperado, a ideia de algo que poderia produzir-se ou não sem causa aparente ou explicável.

Encontramos uma ideia semelhante com a Fortuna: a Antiguidade, que não conhecia o termo "azar" no sentido de "acaso" (*hasard*), atribuíra à Fortuna cega a distribuição insensata dos acontecimentos, bons ou ruins, da vida humana. "A Fortuna conduz sem nenhuma ordem as coisas humanas", diz Sêneca em sua tragédia *Hipólito*.[12] É representada com sua célebre roda a partir da Idade Média. A Fortuna é, ao mesmo tempo, uma alegoria e uma divindade. Apesar de seu caráter cego e impessoal, costuma ser representada por uma figura feminina de olhos vendados e é invocada pelo povo como divindade desde a Antiguidade, consultada por intermédio dos dados e dos ossinhos, como se assim fosse possível incitar a sorte a se revelar. A sorte é consequência do acaso; pode ser definida como o que deve acontecer devido ao acaso, às circunstâncias. Também pode ser fruto do destino, mas essas duas ideias são menos associadas. A sorte também designa o que deve acontecer em virtude de um ato mágico, geralmente nefasto – em francês, tem-se a expressão *jeter un sort*, que significa "amaldiçoar". E objetos de azar são usados (no início, os dados; mais tarde, as cartas) para forçar a sorte a se revelar. Desse modo, conseguiu-se conciliar o acaso com a adivinhação, duas noções que *a priori* parecem pouco afins, mas que permanecem inseparáveis.

Com efeito, a adivinhação parece mais apropriada para evocar o destino. A maioria dos videntes ou oráculos, como a Pítia de Delfos ou ainda os profetas do Antigo Testamento, manifestavam os desígnios dos deuses ou de Deus, referentes ao destino de uma pessoa, de uma cidade ou de um povo. Dessa vez, o destino introduz a ideia de determinação. O termo vem do latim *destinare*, que significa "projetar, destinar". O destino é escrito: situamo-nos no extremo oposto da ideia de acaso. Os gregos antigos consideravam o destino uma instância superior aos deuses. Os cristãos o identificaram com a Providência divina. Por isso, algumas práticas de adivinhação eram proscritas pela Igreja, para a qual "o futuro pertence apenas a Deus". Uma verdadeira blasfêmia ousar interrogá-lo em vez de entregar-se à vontade divina! Eis por que a Igreja associou a maioria das práticas divinatórias ao diabo: tentar penetrar nos desígnios de

---

11 Para essas definições antigas, ver Kurt Baldinger, "Études autour de Rabelais", *Études rabelaisiennes*, tomo XXIII, Librairie Droz, Paris, 1990, p. 148.
12 *Hippolyte*, III. Citado por Jean-Marie Lhôte, *Histoire des jeux de société*, op. cit., p. 646.

Deus para melhor prevê-los e, assim, agir sobre eles significa afastar-se de Deus – tal como fez Lúcifer. Mais adiante, voltaremos a essas práticas divinatórias da Idade Média. Por enquanto, veremos aquilo que as mobiliza, ou seja, o acaso ou o destino, duas noções que, no entanto, parecem incompatíveis. O que colocamos em movimento quando utilizamos o tarô?

Atualmente, talvez fosse mais provável que tentássemos ver as consequências da "lei de causa e efeito", espécie de justo meio entre o acaso, que não obedece a nenhuma lei, e o destino, que é selado. Nós o faríamos com a ideia de contorná-la com a "lei da atração", pois somos criadores de nossa própria realidade. O debate continua aberto sobre as forças que confrontamos quando praticamos o tarô. Porém, não nos esqueçamos de que essa ideia de sermos os criadores de nossa realidade é contemporânea, distante das concepções de nossos antepassados sobre o destino, a sorte, a fortuna, a Providência ou a fatalidade. Hoje essa lei é definida como "universal", mas era desconhecida no passado. Pareceu-nos importante definir com mais precisão aqui todas essas noções essenciais quando o tema abordado é a história do jogo e/ou da adivinhação.

Retornemos um pouco aos dados que introduziram essas noções. Ao contrário dos ossinhos, eles trazem pontos nas seis faces, ou às vezes 12, quando são adicionadas. Vale notar que, para os dados de seis faces, os mais comuns, há 56 combinações possíveis com três dados, e 21 combinações possíveis com dois dados... Notemos também que um dos primeiros livros conhecidos a reunir um jogo e uma prática divinatória intitula-se *Le Livre de passe-temps de la Fortune des dez* [O Livro de Passatempo da Fortuna dos Dados]. Esse livro italiano, escrito por Lorenzo Gualtieri, também conhecido como Lorenzo Spirito ou Laurent l'Esprit (1430-1496), foi publicado pela primeira vez na França, talvez em Lyon, por volta de 1500. Fez muito sucesso em sua época e foi reeditado inúmeras vezes até o século XVII em italiano, francês e inglês. A obra propõe-se a responder a vinte perguntas sobre o futuro por meio do jogo de três dados. Um quadro com as combinações das tiragens conduz a sentenças enumeradas por vinte profetas, e cada uma delas oferece 56 respostas de três versos. Antes de chegar aos quadros, é preciso passar por vinte reis associados a planetas e signos do zodíaco.[13] Em sua introdução há essa fronteira tão indistinta e perturbadora entre jogo e adivinhação. Com efeito, o autor ratifica suas boas intenções em uma mensagem endereçada "ao benevolente leitor" e menciona que escreveu seu livro "para o deleite de damas e cavalheiros. Também declara que a obra foi realizada não para que as pessoas lhe deem fé, e sim a tomem como jogo". No entanto, o subtítulo da obra é menos ambíguo: trata-se de "respostas a vinte perguntas que costumam ser feitas por quem busca o conhecimento". Em resumo, ele se propõe a responder às perguntas mais comuns.

Encontramos essas mensagens ambíguas em outros livros e jogos do mesmo tipo. No Renascimento, o dodecaedro era um jogo apreciado, que se jogava com um dado de 12 faces ou dois dados de seis faces e

Lorenzo Spirito, *Le Livre de passe-temps de la Fortune des dez* [O Livro de Passatempo da Fortuna dos Dados], 1510, Biblioteca de Genebra. Página introdutória que conduz a diferentes reis, conforme as perguntas que se deseja fazer.

---

13 *Le livre de passe-temps de la fortune des dez*, Genebra, 1510 para a edição mostrada aqui. Para uma edição digitalizada na biblioteca de Genebra, ver www.e-rara.ch/doi/10.3931/e-rara-6995.

Lorenzo Spirito, *Le Livre de passe-temps de la Fortune des dez* [O Livro de Passatempo da Fortuna dos Dados], 1510, Biblioteca de Genebra. Os reis encaminham para as perguntas.

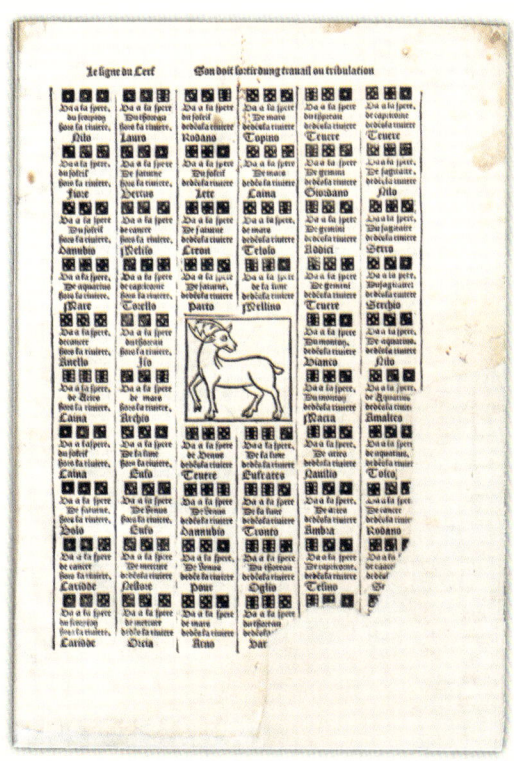

Lorenzo Spirito, *Le Livre de passe-temps de la Fortune des dez* [O Livro de Passatempo da Fortuna dos Dados], 1510, Biblioteca de Genebra. As tiragens dos dados encaminham para as respostas.

que misturava jogo e adivinhação. *Le Plaisant Jeu du dodechedron de fortune, non moins récréatif que subtil e ingénieux* [O Agradável Jogo do Dodecaedro da Fortuna, não Menos Recreativo do que Sutil e Engenhoso], em uma edição de 1577,[14] sugere que as técnicas divinatórias desse jogo podiam ter algum valor, obviamente antes de esclarecer que se trata apenas de um jogo "para oferecer deleite e passatempo"! Pode-se ver nessas declarações uma tentativa de escapar das condenações da Inquisição ou então considerar que, para esses autores, a adivinhação como jogo não era um problema. Com efeito, é bom evitar organizar as ideias e os fatos em compartimentos separados, pois essa seria uma atitude demasiado contemporânea e inapropriada para o fim da Idade Média ou para o Antigo Regime. Nessas épocas, não se jogava "por nada", ou então se podia praticar a adivinhação "à guisa de passatempo". Bem mais tarde, em 1770, quando Alliette publicou um dos primeiros livros de cartomancia conhecidos, o célebre *Etteilla, ou Manière de se récréer avec un jeu de cartes, par M.**** [Etteilla, ou Modo de se Entreter com um Jogo de Cartas, por M.***], ele não eliminou essa ambiguidade entre "recreação" e adivinhação. No entanto, nessa época, já não era preciso temer a fúria da Igreja.

❖❖❖ *Na Idade Média se jogava muito, mesmo sendo uma ofensa a Deus*

A fúria ou o temor da Igreja em relação ao jogo ou à adivinhação merece uma análise mais aprofundada. Eles marcam toda a época em que as cartas e o tarô surgiram e proliferaram. Na realidade, desde a Antiguidade, os filósofos, que seriam seguidos pelos Padres da Igreja, consideravam com perplexidade esse período do jogo, visto simultaneamente como um entretenimento necessário e uma perda de tempo, que desviava os homens do trabalho útil para a comunidade ou da busca pela virtude. Quando Aristóteles se pergunta se o jogo é fonte de felicidade, responde com uma negativa, mas admite que "é impossível para o homem estar em constante dificuldade" e, portanto, pode muito bem distrair-se. Contudo, o jogo deve conservar uma função subalterna.[15] A legislação romana considerava os jogos de azar e a dinheiro como um delito, e essa visão perdurou na sociedade cristã. Do ponto de vista legislativo, eram muitos os decretos que proibiam os jogos. Já no século VI, o Código Justiniano vetava nos locais públicos e privados todos os jogos que não fossem esportivos. Um célebre decreto de São Luís tentou uma nova interdição generalizada no século XIII, incluindo na mesma reprovação os jogos de azar e de reflexão, como o xadrez. Os pregadores não ficavam atrás: em 1424, um sermão de São Bernardino de Siena lembrava que o jogo era uma ofensa a Deus.[16] Seria um desrespeito a Deus, pois implicaria desperdício de tempo, o mais precioso dom divino, que no jogo não apenas é perdido, mas também vendido quando se trata de jogar a dinheiro. Seria também um desrespeito a si mesmo por constituir a ocasião de inúmeros pecados capitais, como a avareza, a inveja ou a cólera. Do mesmo modo, seria um desrespeito ao próximo, pois, por gerar inveja e cobiça, levaria a roubar e a espoliar. Vale notar que muitas vezes o diabo foi citado como inventor dos jogos.

Moral à parte, pode-se dizer que os pregadores não estavam totalmente errados. As crônicas judiciárias apresentam inúmeros relatos de roubos, casas de jogos infames e famílias arruinadas por jogadores profissionais. Assim, "certo Chatonnier, que deveria ir à Espanha a negócios, deixou-se enganar por um suposto capitão de navio, que lhe prometera transportá-lo gratuitamente; na manhã do dia 8 deste mês, o capitão o teria ludibriado em um jogo chamado 'o triunfo da França', tomando-lhe 192 libras, que em seguida teria parti-

---

14 Publicado pela primeira vez em 1556 com o título: *Le Dodechedron de fortune*. Em Gallica é possível encontrar uma edição de 1577 digitalizada: *Le Plaisant Jeu du dodechedron*, N. Bonfons, Paris, 1577: http://gallica.bnf.fr/ark:/12148/bpt6k1510950n.

15 Aristóteles, *Éthique à Nicomaque* [Ética a Nicômaco], livro V, citado em *Jeux de princes, jeux de vilains*, organizado por Ève Netchine, Biblioteca Nacional da França, Paris, 2009, p. 11.

16 *Jeux de princes, jeux de vilains*, op. cit., p. 23.

lhado com seus cúmplices em um cabaré da periferia". Esse exemplo foi encontrado em um artigo intitulado "La fureur du jeu, jeux de cartes au XVIIIe siècle à Marseille" [A Fúria do Jogo, os Jogos de Carta no Século XVIII em Marselha][17] e escolhido intencionalmente: o jogo não apenas é simbólico e iniciático, ele também mergulha em aspectos ignóbeis que um historiador do jogo não pode negligenciar. A nobreza, por sua vez, expande-se em prodigalidades e chega a gastar somas colossais, sendo denunciada por cronistas célebres, como La Bruyère, que descreve com tristeza esses esbanjadores que se arruínam, mas não conseguem deixar de jogar, como o jogador de gamão que, sedento, confunde o copo de água com o do jogo e acaba engolindo os dados![18] Assim, esse arsenal repressivo, desenvolvido durante toda a Idade Média, de nada serviu. O Ocidente cristão jogou muito: dados, cartas, xadrez, damas, loterias, jogo do ganso, bingo, jogos educativos... e essa lista leva em conta apenas alguns tipos de jogos. Só com os dados, há pelo menos 600 maneiras de jogar![19] Diante de tal onda lúdica, os discursos que condenam apenas os jogos de azar se abrandam. Passa-se a aplicar distinções entre os bons e os maus jogos. Em vez de proibi-los, os Estados os integram e taxam – mais adiante retornaremos a esse tema quando tratarmos das cartas. Em vez de serem fonte de desordem, muitos jogos podem tornar-se o símbolo de uma aspiração à ordem, como o xadrez, que marca a supremacia do rei: as outras peças nada são sem ele; quando o rei é tomado, a partida é interrompida.

É o que também ocorre nos jogos de cartas. No início do século XV, o surgimento dessas séries hierarquizadas causa uma revolução na história do jogo no Ocidente, que se estende até hoje.

---

17 Ingrid Sénépart, em *Cartes à jouer & tarots de Marseille, la donation Camoin*, Éditions Alors hors du temps, Marselha, 2004.
18 La Bruyère, *Les Caractères*, citado em *Jeux de princes, jeux de vilains, op. cit.*, p. 137.
19 Ver a entrada "Jeu" em *Dictionnaire raisonné de l'Occident médiéval*, Jacques Le Goff, Jean-Claude Schmitt, Hachette, Paris, 2015 (Fayard, 1999 para a 1ª edição).

Conjunto de cartas com inscrições francesas de Pierre Gayon, 1495, Biblioteca Beinecke.

2

O surgimento e o desenvolvimento dos baralhos na Europa

◆◆◆ *As primeiras menções aos jogos de cartas na Europa*

Até o final do século XIV, as cartas de jogo não são mencionadas em nenhum texto de escritor, trovador ou moralista que descrevesse a vida cotidiana nos castelos, nas casas de burgueses ou nas tabernas, tampouco são referidas por algum pregador que invectivasse contra os vícios dos jogos. Em 1369, as cartas ainda não são nomeadas em um decreto de Carlos V, no qual se proíbem os jogos de dados, tabuleiro, pela, boliche, malha, *boules** e bola de gude. Em contrapartida, em 30 de agosto de 1381, nas minutas do tabelião Laurent Aycardi, de Marselha, certo Jacques Jean, filho de comerciante, teria prometido, no momento de embarcar para Alexandria, que não jogaria nenhum jogo e cita entre outros: *taxilli* (dados), *scaqui* (xadrez), *paletum* (malha) e *nahipi* (cartas). As cartas chegaram à França provavelmente nesse período, entre 1369 e 1381. Por certo, pode-se dizer que sua ausência nada prova. Afinal, se Carlos V não as cita em seu decreto, isso não significa que não existissem em sua época.

Em todo caso, ainda não existiam em número suficiente para preocuparem o poder.

Certo é que na Europa os documentos que mencionam a existência de cartas de jogo surgem nos anos 1370 e se multiplicam a partir dessa data: fala-se em *naips* e *naibi*, no Sul, e em *chartae*, *karten* ("cartas"), no Norte. Há datas de surgimento que são contestáveis.[20] Por exemplo, o ano 1299, que marca a menção mais antiga que se conhece da história das cartas de jogo. Com efeito, o *Trattato del governo della famiglia* [Tratado sobre o Governo da Família], manuscrito italiano que teria sido escrito nessa data por Pipozzo di Sandro, menciona o jogo de cartas: "Se ele jogar a dinheiro dessa maneira ou com cartas [*o alle carte*, no texto original], você deverá facilitar-lhe o meio de fazê-lo". Por que não considerar essa data? Porque não há provas de que o manuscrito foi, de fato, redigido em 1299. A cópia de que se tem conhecimento data do século XV. Por outro lado, há datas que são incontestáveis. Um decreto de Florença, assinado em 23 de maio de 1376, proíbe um jogo chamado de *naibbe*, que

---

* Jogo com esferas de metal, semelhante à bocha, e que na França tem a petanca (*pétanque*) como sua modalidade mais difundida. (N. da T.)

20 Stuart R. Kaplan, em *La Grande Encyclopédie du tarot*, Tchou, Paris, 1978, pp. 38-48, faz a lista detalhada de todas as referências mais antigas às cartas de jogo, certas e incertas. Para a data de 1299, ver p. 45.

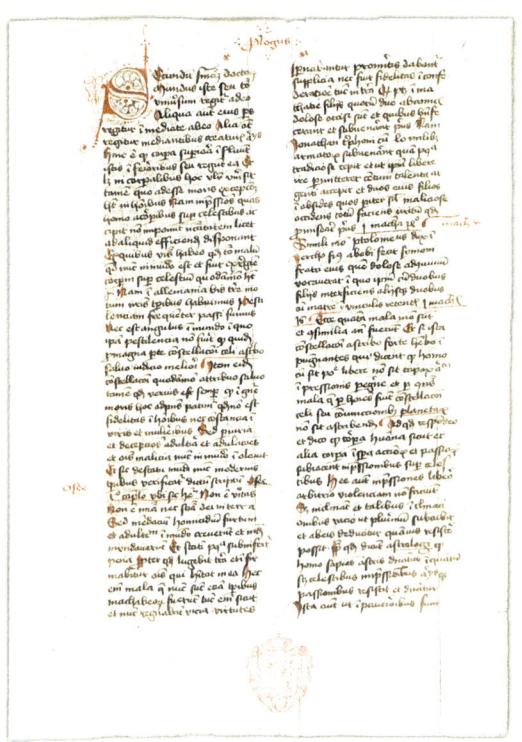

Tractatus de moribus et disciplina humanae conversacionis (manuscrito), 1377, British Library. Nele vemos que o acesso às fontes está longe de ser evidente!

teria chegado recentemente à cidade: "Nós, os priores, que queremos combater os maus princípios, ouvimos que certo jogo, conhecido como *naibbe*, estabeleceu-se nesta região...".[21] Essa citação nos informa, de maneira muito interessante, que o jogo de cartas aparecera pouco tempo antes na região (portanto, o período que atribuímos a seu surgimento), que *chegou* (portanto, não foi fabricado no local) e que trazia o nome de *naibbe*. Outro ano é quase sempre mencionado: 1377. Nessa data, um frade dominicano, chamado Johannes, de Rheinfelden (próximo à Basileia, na Suíça), escreveu um tratado intitulado *Tractatus de moribus et disciplina humanae conversacionis*.

Em seu tratado, Johannes fala de um *ludus cartarum* ("jogo de cartas"): "Eis que certo jogo, chamado de jogo de cartas, chegou a nós neste ano, ou seja, no ano do Senhor de 1377. Nele, o estado do mundo nos tempos atuais e modernos é descrito e representado de maneira perfeita".[22] Esse tratado é interessante em mais de um aspecto porque é o mais antigo texto conhecido a descrever jogos de cartas. Desse modo, evoca jogos com quatro reis, cada um deles trazendo o signo de seu naipe, seguidos de dois marechais, o primeiro com seu emblema voltado para cima, e o segundo, para baixo. Estes são seguidos por dez cartas numeradas, que trazem os mesmos naipes. A obra também evoca jogos com quatro rainhas ou ainda dois reis e duas rainhas, sempre seguidos por seus dois marechais e dez cartas numeradas. Infelizmente, esse autor, levado por suas considerações morais, esquece-se de nos descrever os emblemas referentes às cartas e como elas são jogadas. Sabemos apenas que há "bons" e "maus" emblemas. Essa informação, embora sucinta, por si só é muito interessante, pois já introduz a ideia de imagens consideradas positivas ou negativas nas cartas.

---

21 Detlef Hoffmann, *Le Monde de la carte à jouer*, Éditions Leipzig, Leipzig, 1972, p. 12.

22 Citado por um autor indispensável em matéria de cartas: Henry René d'Allemagne, em sua obra monumental *Les Cartes à jouer du XIVᵉ au XXᵉ siècle*, Hachette, Paris, 1906, vol. 1, p. 27.

Outras duas datas devem ser citadas. A primeira, por ser célebre: em 1392, em um livro contábil de Carlos VI, encontra-se uma menção a um pagamento devido a certo Jacquemin Gringonneur por um baralho – um fato singular, pois por muito tempo se acreditou que se referisse ao mais antigo tarô da história, conhecido ainda hoje como "tarô de Carlos VI", conforme veremos mais adiante. No entanto, trata-se aqui de um jogo de cartas desconhecido, que no século XIX seria confundido por um autor demasiado meticuloso com o belo tarô conservado na Biblioteca Nacional da França. Outra data é interessante, pois evoca uma origem possível dos jogos de cartas: em 1379, uma crônica da história de Viterbo, na Itália, refere-se a um jogo levado à região pelos sarracenos. Nessa época, havia uma guerra entre o papa Urbano VI e o antipapa Clemente VII,[23] na qual as duas partes se serviam de mercenários, entre os quais provavelmente se incluíam muçulmanos. Entre os fatos do cotidiano, a crônica relata: "No ano de 1379, foi levado a Viterbo por um sarraceno de nome Hayl o jogo de cartas originário do país dos sarracenos e por eles chamado de *naib*". Seria esse, portanto, o documento que nos explica a origem das cartas de jogo?

◆◆◆ *De onde vêm as cartas de jogo?*

Atualmente, a hipótese mais difundida entre os autores contemporâneos, e que parece atestada por esse testemunho, é a de que as cartas sejam originárias do Oriente. Para confirmá-la, com frequência é citado um magnífico baralho, decorado com iluminuras do século XV, proveniente do Egito dos mamelucos e conservado no Museu Topkapi de Istambul. Esse baralho é composto por quatro sequências, nas quais sem dúvida se reconhecem os naipes de copas, espadas, bastões e denários. Essas sequências são conduzidas por três reis (lê-se *malik* nas cartas), subgovernadores e governadores, sendo um governador nomeado *naib*... Sabe-se que os mamelucos reinaram de 1250 a 1517 no Egito, na Síria e na Arábia, de onde foram expulsos pelos otomanos. Entre 1345 e 1365, foram bem-sucedidos ao retomarem as relações comerciais com o Ocidente, que haviam sido brutalmente interrompidas após o saque de Alexandria, em 1365. A data da chegada do baralho ao Ocidente se situa provavelmente pouco antes. Teria sido introduzido na Europa pela Itália, talvez por Veneza, cidade que na época era muito voltada ao Oriente.[24]

Contudo, os mamelucos não são os inventores das cartas. Supõe-se que elas tenham vindo da Pérsia, trazidas pelos tártaros desde a China, não se sabe exatamente de que maneira. Quanto à China, a única certeza é de que pequenas folhas ou fichas de papel, marfim ou metal, revestidas de imagens e símbolos, foram utilizadas em época muito antiga, quando se ignorava por completo esse uso na Europa. Esses jogos são citados já no século X. Podem ter sido uma imitação plana dos dominós, que foram inventados na China, ou dos dados, originários "dos bárbaros do Oeste", segundo Lao-Tsé. Também podem ter sido inspirados no papel-moeda, conhecido na China desde o século XI. Com efeito, em três séries numeradas de nove cartas, a primeira representa moedas (*tsin* ou *ping*), a segunda (cartas *sok*), rolos de cem *ping* cada uma, e a terceira (cartas *man*), um múltiplo de *sok*. O baralho é completado por três sequências de três cartas sem números: cartas *fa* (flor vermelha), *pak fa* (flor branca) e *lao tsin* (antigo mil).[25] O problema é que a mais antiga carta conservada desse baralho não é anterior a cerca de 1400. Além disso, não se tem nenhuma prova de que Marco Polo ou outros mercadores venezianos depois dele a tenham trazido da China a partir do século XIII.

---

23 Pessoa que usou o título e exerceu as funções pontifícias, mas cujo acesso a esse cargo nunca foi reconhecido pela Igreja Católica Romana.

24 Essa é a teoria sustentada por Thierry Depaulis em *Le Tarot révélé, une histoire du tarot d'après les documents*, Museu Suíço dos Jogos, La Tour-de-Peilz, 2013, p. 10.

25 Descrição de Van Rijnberk em *Le Tarot, histoire, iconographie, ésotérisme, op. cit.*, p. 58.

Cartas dos mamelucos, Egito, século XV (fac-símiles). Seis de Bastões, Quatro de Espadas e Seis de Copas.

Outra problemática a ser analisada refere-se à origem oriental das cartas de baralho: em *As Mil e Uma noites*, esse tipo de jogo não é mencionado nem uma única vez, assim como em outras fontes da literatura árabe ou mourisca. Também se sabe que o Alcorão proscreve os jogos de azar e a dinheiro, bem como as imagens de seres vivos. Embora se tenha constatado a ineficácia das proibições relativas aos jogos, não se pode deixar de levá-las em conta. Sobretudo, há que se indagar como um jogo composto quase exclusivamente de imagens figurativas poderia ser proveniente de uma civilização que proscrevia em grande parte as imagens. Não se tem nenhuma prova da utilização das cartas pelos árabes na Idade Média. Portanto, é inútil perguntar-se se tarôs misteriosos foram transportados durante as Cruzadas pelos Templários ou outros iniciados. Essas considerações não têm nenhum fundamento; em todo caso, nenhum fundamento histórico. Os poucos relatos de viajantes ocidentais no Oriente são muito recentes para constituírem provas, e poderíamos até mesmo dizer que indicam a exportação das cartas ocidentais para o Oriente, e não o inverso. Desse modo, o alemão Niebuhr (europeu que fez longas viagens pelos países árabes) escreveu em 1761: "Entre os gregos do Cairo e da Cônia, via cartas de jogo europeias, mas não entre os maometanos. Em árabe, esse jogo se chama *Lab el Kamar*." *La'eb el Kamar* significa simplesmente "jogo de azar". Também existe o *La'eb el Ouerec*, que significa "jogo de folhas de papel".[26] E o que dizer da crônica de Viterbo? Ela é plausível, mas não prova, necessariamente, que os

---

26 Van Rijnberk, *Le Tarot, histoire, iconographie, ésotérisme, op. cit.*, p. 50.

muçulmanos tenham utilizado cartas antes dos ocidentais. Eles podem ter criado cartas inspirando-se em jogos europeus... Poderíamos até sugerir que o jogo dos mamelucos é uma cópia de um jogo italiano. De fato, várias vezes ele foi comparado com as sequências dos primeiros tarôs dos Visconti para marcar sua semelhança. Isso poderia incluir a ideia de um parentesco tanto em um sentido quanto no outro. "Haveria em Constantinopla alguns exemplares de um jogo muito antigo, entre os quais uma carta com valor de 'comandante', *naib*, em árabe, mas esses exemplares [...] datariam de cerca de 1500 e seriam cópias transpostas de um jogo italiano", escreve Jean-Pierre Seguin.[27]

De volta à Europa, poderíamos, então, considerar que as cartas simplesmente foram inventadas nesse continente? Sim, não deixa de ser uma opção.

Segundo Henry René d'Allemagne,[28] as cartas foram inventadas na Alemanha. Sem nos determos no nome desse grande historiador da matéria, examinemos seu argumento. Como outros autores da mesma opinião,[29] inicialmente ele ressalta que há menções de norte a sul na Europa indicando a existência das cartas de jogo no continente durante o mesmo período. Assim, se retomarmos a crônica de Viterbo, que data de 1379, podemos constatar que na mesma época as cartas são citadas em Borgonha, Flandres e na Alemanha. Não nos esqueçamos do frade Johannes, que falou a respeito em Rheinfelden, em 1377. Isso significa que Viterbo não é absolutamente uma das primeiras cidades citadas a ter conhecido as cartas. De fato, já nas primeiras menções conhecidas às cartas de jogo nos anos 1370, constata-se que elas eram difundidas em toda a Europa. Não é possível provar se vieram do Oriente *via* Itália. Portanto, as cartas podem muito bem ter surgido na Alemanha, pátria dos mais antigos jogos de cartas, sendo o chamado "baralho de Stuttgart", pintado entre 1427 e 1431 e ainda hoje conservado nessa cidade, o mais antigo de que se tem conhecimento. Por sua vez, o mais antigo jogo gravado é conhecido como o jogo do mestre de cartas de baralho, um mestre gravador renano, que as produziu por volta de 1435-1440. Da Alemanha, as cartas teriam ido para a Espanha, passando por Flandres. Nesse caso, o termo *naibi* viria do flamengo *knaep*, que significaria "papel". Da Espanha, as cartas numeradas teriam ido para a Itália com o nome de *naypes*, e foram elas que os italianos viram surgir, tomando-as por cartas árabes. A confusão pode ser explicada pelo fato de que parte da Espanha ainda era mourisca nessa época...

Se desconsiderarmos os jogos chineses ou árabes, o que poderia ter inspirado a criação dos primeiros baralhos? Uma teoria atraente evoca o parentesco entre as cartas e o xadrez. O rei dos jogos da Idade Média, que chegou ao Ocidente por volta do ano 1000 (mencionado pela primeira vez em 1008), tem como origem um jogo de guerra indiano, surgido em torno do século VI, o *chaturanga*, ou "jogo das quatro partes", muitas vezes traduzido com o nome de "jogo dos quatro reis". Ele retoma a composição típica dos exércitos da Índia antiga, com "quatro corpos": carros de combate, cavalaria, corpo de elefantes e infantaria, cada qual sob as ordens de um rajá.

Na Idade Média, o uso dos tabuleiros para quatro jogadores era frequente, sobretudo na Alemanha e na Escandinávia, o que explica a ideia da formação das quatro séries do jogo de cartas. Como as peças dos jogos de xadrez eram raras e caras (algumas fazem parte de verdadeiros tesouros principescos, como o tabuleiro que teria pertencido a Carlos Magno), pode-se imaginar que os jogadores optassem por pintar as diferentes figuras em pequenas superfícies planas de papel, mais fáceis de utilizar e

Carta de jogo da dinastia Ming, cerca de 1400 (reprodução pessoal).

---

27 É a teoria considerada em *Le Jeu de carte*, Hermann, Paris, 1968, p. 19. O autor se apoia especialmente em E. Pinder, diretor do Deutsches Spielkartenmuseum [Museu Alemão das Cartas de Baralho], que lançou essa teoria em 1961.

28 *Op. cit.*, p. 22.

29 Essa também é a tese de Romain Merlin, outro historiador de referência na história das cartas de jogo. Ver: *Origine des cartes à jouer, recherches nouvelles sur les naïbis, les tarots et sur les autres espèces de cartes*, Paris, 1869. Digitalizado em Gallica, ver http://gallica.bnf.fr/ark:/12148/bpt6k1231440.

Peça de jogo de xadrez, um rei, Colônia, Alemanha, 1350-1400, Metropolitan Museum.

Peça de jogo de xadrez, um bispo e dois orantes, Escandinávia, 1150-1200, Metropolitan Museum.

Peça de jogo de xadrez, um cavaleiro, cerca de 1500, Metropolitan Museum.

menos dispendiosas. Além disso, se tirarmos as torres e os bobos da corte (que também aparecem no tarô), encontramos nas peças restantes a composição de alguns jogos de cartas que incluíam um rei, uma rainha, dois cavaleiros e os peões. Contudo, com as seguintes reservas: uma sequência de cartas é composta de dez cartas numeradas, enquanto no xadrez há oito peões por cor; além do mais, o número de personagens não é idêntico. Por outro lado, durante as partidas, as peças de xadrez são inteiramente expostas e avançam de acordo com estratégias, enquanto as cartas permanecem ocultas dos outros jogadores, e sua distribuição e seu uso dependem muito do acaso. No entanto, não se deve descartar a ideia de colocar em superfície plana algumas peças bastante similares do jogo...

E os boêmios? Eles costumam ser citados como povo depositário do tarô iniciático e responsável por tê-lo levado à Europa... De fato, chegam ao continente no século XV, fugindo da invasão do Império Bizantino pelos otomanos. Não vêm do Egito, mas do "Pequeno Egito", província grega do Épiro, no antigo Império Bizantino. São notados pela primeira vez em Paris, em 1427, ou seja, chegaram quando as cartas já estavam presentes na cidade. No que se refere aos tarôs, se considerarmos os primeiros baralhos luxuosos, podemos nos perguntar como esses povos errantes teriam tido acesso a baralhos principescos, cujos conteúdos evocam claramente estilos de vida aristocráticos ocidentais. Na realidade, a suposição de que os boêmios teriam utilizado os tarôs desde o princípio vem de Jean-Alexandre Vaillant, que em 1851 publicou *Bible de la Science bohémienne* [Bíblia da Ciência Boêmia] e em 1857 *Les Rômes, histoire vraie des vrais Bohémiens* [Os Roma, História Verdadeira dos Verdadeiros Boêmios], tema retomado em seguida pelo influente ocultista Papus em *Tarot des Bohémiens* [O Tarô dos Boêmios], em 1889. Papus os descreveu como um "povo encarregado de transmitir desde a mais remota Antiguidade o ensinamento oculto" e detentor da "bíblia das bíblias", o tarô, "o Livro de Thot, Hermes Trismegisto, o Livro de Adão, o Livro da Revelação primitiva das antigas civilizações". Uma herança de peso! Como a origem egípcia do tarô já era um dogma nos círculos ocultistas da época, o termo "Egito" poderia designar indistintamente o Egito faraônico ou a pequena província boêmia, em detrimento da exatidão. Gérard Van Rijnberk, que também era um fervoroso ocultista, menciona que ele próprio "abordou ciganos muito autênticos" e lhes mostrou um maço de tarôs de Marselha, mas que "eles nem sabiam o que era". O autor narra em seguida que consultou uma literatura bastante extensa sobre os ciganos, mas não encontrou nenhum vestígio de tarôs, e que as raras vezes em que cartas são mencionadas, para jogar ou ler a sorte, trata-se de cartas comuns. Ele conclui dizendo que, de todo modo, o termo "tarô" nem sequer existe na língua deles. Nela encontramos apenas *pelski*, "as cartas".[30]

Restam duas observações a serem feitas. Sejam quais forem as origens das cartas de jogo, orientais ou europeias, apenas teorias poderão ser lançadas. O essencial foi relatado aqui, do mais sólido ao mais lendário, uma exposição que será útil a quem se questionar sobre as raízes do tarô. Porém, nenhuma teoria jamais poderá ser demonstrada por completo. As cartas são objetos muito frágeis e fugazes; não é possível seguir seus traços de modo suficiente para encontrar todos os caminhos percorridos. Por outro lado, ainda que um dia se demonstre que elas são mesmo orientais, constata-se que, de todo modo, tanto para as cartas tradicionais quanto para o tarô, elas já não carregam os traços dessas origens. Toda a iconografia das cartas e dos tarôs, quer se trate de sequências, quer de trunfos, é nitidamente inspirada na Idade Média ocidental[31] – em sua arte, mas também em sua técnica.

◆◆◆ *Não há cartas sem papel e sem gravura!*

O termo "carta" vem do latim *charta*, que significa "papel no qual se escreve". Não se pode falar da história das cartas e do tarô sem mencionar o papel e a gravura, pois sem eles as cartas jamais teriam existido. Por certo, as cartas mais antigas eram desenhadas à mão, algumas em pergaminho, o que, de resto, tornava os baralhos muito caros. Contudo, a explosão dos baralhos na Europa é explicada por uma coincidência notável: por volta de 1400, o surgimento da gravura em madeira encontra o papel, que circula em quantidade cada vez maior. Inventado na China por volta do século II de nossa era e difundido entre os árabes, depois na Espanha mourisca, o papel chegou ao Ocidente no século XII, inicialmente na Espanha. Cita-se 1276 como data do surgimento dos primeiros moinhos de papel na Itália. Por volta de 1250, os cruzados franceses teriam construído moinhos em Auvergne.

No que se refere à gravura, ela surgiu na Europa Central: se as mais antigas gravuras em madeira conservadas são alemãs e francesas (da França oriental), a gravura em cobre é originária da Alemanha. Imprimiam-se santos populares e imagens de devoção provenientes da iconografia religiosa tradicional: a Anunciação, a Natividade, a Crucificação. Uma das mais antigas gravuras conhecidas e conservadas atualmente é uma Crucificação, realizada por um mestre alemão e que data dos anos 1390-1410.[32] Essas imagens eram adquiridas para a devoção pessoal; as pessoas as prendiam em móveis ou as carregavam consigo... Essas folhas de devoção constituem uma forma de arte nova, revolucionária: uma arte em folhas únicas e ilustradas, e uma arte barata. No início, "talhadores de imagens" fabricavam tanto estampas religiosas quanto cartas de jogo. Podemos nos perguntar a respeito de seu parentesco ao observarmos algumas gravuras antigas: as mais antigas cartas criadas puderam ser diretamente inspiradas em gravuras e iluminuras da época.

Alguns artesãos se especializaram como "talhadores de moldes de cartas". Thierry Depaulis[33] situa os primeiros gravadores de cartas em Veneza, Nuremberg e Lyon, por volta de 1430-1440. Posteriormente, outra profissão surgiu: a de impressor de cartas de jogo, também chamado de "fabricante de cartas". As primeiras corporações de fabricantes

---

30 Gérard Van Rijnberk, *Le Tarot, histoire, iconographie, ésotérisme, op. cit.*, p. 56.

31 E as espadas com lâminas curvas em alguns baralhos? Podem ter vindo do Egito, mas também da Espanha, ainda amplamente mourisca. Talvez fossem curvadas para serem mais facilmente diferenciadas dos bastões, outra teoria igualmente admitida entre os pesquisadores.

32 As mais antigas gravuras conservadas na BnF foram digitalizadas em Gallica: para contemplar esse admirável conjunto de 16 incunábulos, basta abrir o catálogo da BnF e inserir o número 40346561, que dá acesso direto a ele.

33 *Le Tarot révélé, op. cit.*, p. 10.

Calendário dos pastores, Dois Pastores, Paris, 1499, BnF.

Gravura do Mestre E. S., o Bufão e a Dama com Escudo, 1450-1470, BnF.

Baralho de Jean de Dale, Um Valete, Lyon, 1480, BnF.

Baralho do Mestre E. S., Dama e Unicórnio, 1450-1470, Metropolitan Museum.

de cartas se formaram em Barcelona, em 1465, e em Toulouse, em 1466. Os primeiros grandes centros de fabricação de cartas de jogo surgiram em Rouen, Lyon, Barcelona, Florença, Veneza, Ulm, Munique, Augsburgo e Basileia. Essa nova "indústria" logo integrou a gravura em cobre. De resto, entre as cartas de jogo encontram-se os primeiros exemplos conhecidos de gravura em cobre,[34] provenientes de artistas como o "Mestre E. S.", gravador da região do Lago de Constança, que atuou entre 1450 e 1467 e criou um dos mais antigos baralhos conhecidos, além de ter gravado letras ornadas com personagens e cenas do cotidiano.

No século XV, a paixão pelas cartas invadiu a Europa. Em 1450, o padre João de Capistrano prega com eloquência contra o vício do jogo e, por conseguinte, manda queimar milhares de cartas no mercado. Essa grande quantidade leva a supor uma indústria florescente...

---

34 Para a gravura, ver Jan Bialostocki, *L'Art du XVᵉ siècle: des Parler à Dürer*, Librairie générale française, Paris, 1993, pp. 195-225.

História dos primeiros baralhos

◆◆◆ *Os primeiros baralhos*

Ornados com iluminuras ou gravados, os mais antigos baralhos conhecidos e conservados atualmente são alemães. Trata-se de baralhos de luxo e de grandes dimensões, que compreendem, em sua maioria, quatro sequências com três figuras e dez cartas numeradas. Portanto, desde sua chegada ou seu aparecimento na Europa, encontram-se baralhos de 52 ou 32 cartas, fixadas em um modelo. O essencial é formulado desde a origem: sempre quatro sequências, três figuras e cartas numeradas. Essas três figuras se diferenciam conforme o país: um rei, uma rainha e um valete na França; um rei, um cavaleiro e um valete na Itália e na Espanha, enquanto a Alemanha modifica suas figuras dependendo do jogo. Posteriormente, uma quarta figura se impõe para constituir o tarô: a rainha é acrescentada na Itália, e o cavaleiro, na França. Mencionamos o monge Johannes, de Rheinfelden, que foi o primeiro a descrevê-los em seu tratado, em 1377. Vale a pena retomá-lo por um breve instante, pois, apesar de suas lacunas (por exemplo, não sabemos quais são os naipes das cartas), ele oferece um esclarecimento interessante sobre o baralho, seu significado e seu uso na época: "Eis que certo jogo, chamado de jogo de cartas, chegou a nós neste ano, ou seja, no ano do Senhor de 1377. Nele, o estado do mundo nos tempos atuais e modernos é descrito e representado de maneira perfeita".

De que estado do mundo estaria ele falando? O religioso evoca jogos compostos por quatro reis, "cada um deles com uma insígnia na mão; algumas dessas insígnias são consideradas boas, mas outras são ruins". Os reis são acompanhados por dois *marschalli*, um "superior", que mantém sua insígnia voltada para cima, e outro "inferior", que a mantém voltada para baixo. O monge nos informa que os jogos também podem ser compostos por rainhas: elas substituem os reis ou se acrescentam a eles com sua "serviçal", o que resulta em jogos com sessenta cartas. Também encontramos baralhos com dois reis e duas rainhas, como o mais antigo de que se tem conhecimento atualmente, o já mencionado "baralho de Stuttgart", decorado com iluminuras que datam de 1427-1431. Esse baralho representa dois reis e seu cavaleiro e valete, bem como duas rainhas e sua dama e serviçal.³⁵ De resto, o bom monge dá a entender que o baralho composto dessa forma, com damas, lhe agrada mais por três razões: "Porque indica maior autoridade, porque trata de conveniências régias, porque provém de maior cortesia". Com efeito, esses baralhos evocam o modo de vida aristocrático e cortês. Pois, se observarmos as sequências e os emblemas que acompanham essas figuras nos primeiros baralhos, eles parecem inspirados na caça, atividade nobre por excelência. Tomemos o Baralho de Stuttgart, por exemplo: nele encontramos quatro sequências com cães e falcões (talvez os caçadores fossem as insígnias "consideradas boas"?) e quatro com cervos e patos (talvez as caças fossem as insígnias "consideradas ruins"?). Em outros baralhos, há mais animais: cervos, corças, coelhos, leões, ursos, dragões, galgos; ou ainda motivos como flores e seres humanos. Encontram-se, por exemplo, a "Rainha de Flores" no baralho do mestre de cartas, o mais antigo de que se tem conhecimento, gravado por volta de 1435-1440, ou ainda o "valete de homem" no baralho do Mestre E. S., segundo mais antigo de que se tem conhecimento, gravado por volta de 1460.

Outros baralhos evocam a caça e a sociedade da época em imagens repletas de vida e imaginação. É o caso do esplêndido baralho nomeado "cartas do claustro", composto por volta de 1475-1480, cujas sequências são formadas por nó, correia, trompa e colar, ou do baralho chamado de "cartas da corte das casas de Ambras", um pouco atípico, composto por volta de 1450 e que oferece nada menos do que uma esplêndida e viva evocação da vida senhorial da época. Cada sequência é composta por um rei e uma rainha, seguidos por sua corte em dez cartas, desde o bufão até o anfitrião, acompanhados por muitos personagens que evocam as profissões e os ofícios da época: o mensageiro, o barbeiro, o cavaleiro... Além de admiráveis, essas cartas podem nos ensinar duas coisas: como as cartas do tarô, surgidas na mesma época, elas refletem, de um lado, a sociedade de seu tempo e, de outro, são cartas principescas. Não remetem aos boêmios nem aos iniciados de catedrais. Tampouco são cartas de mestres maçons... São cartas da corte.

Baralho de Stuttgart, Cavaleiro de Falcões e Rainha de Cervos (cópias do livro de Romain Merlin, *Origine des cartes à jouer*), Paris, 1869, BnF.

---

35 A integralidade dessa maravilha decorada com iluminuras (imprimimos aqui uma cópia gravada) pode ser admirada no *site* http://cards.old.no/1430-stuttgart.

Mestre das cartas de baralho, Rainha de Flores, cerca de 1435-1440, Metropolitan Museum.

Mestre das cartas de baralho, Rei de Cervos, cerca de 1435-1440, BnF.

Cartas do claustro, Valete de Nós, Metropolitan Museum.

Cartas do claustro, Rei de Correias, Metropolitan Museum.

Cartas da corte de Ambras, Rei da França, Alemanha, cerca de 1450 (fac-símile).

Cartas da corte de Ambras, Rainha da França, Alemanha, cerca de 1450 (fac-símile).

Cartas da corte de Ambras, Oleira da Boêmia, Alemanha, cerca de 1450 (fac-símile).

Cartas da corte de Ambras, Bufão da Germânia, Alemanha, cerca de 1450 (fac-símile).

◆◆◆ *As cartas da corte*

Na França, os mais antigos baralhos conhecidos são obra de um homem chamado Jacques, que teria trabalhado em Lyon, em 1472, como "talhador de moldes", e de certo Jean de Dale, que deixou um jogo criado em Lyon, por volta de 1480. Ao contrário dos baralhos alemães, estes não contêm insígnias, apenas personagens. No entanto, tal como os baralhos alemães, eles mostram personagens aristocráticos, nitidamente inspirados na sociedade e em obras da época. Isso é ainda mais evidente em relação aos baralhos franceses. Assim, um jogo do final do século XV de certo Jean Personne (ver ilustração na p. 43) representa para os reis oito pares da França (os duques de Borgonha, Guiena, Normandia, Reims, Laon etc.) e para os valetes o conde de Flandres ou o conde de Paris, sendo este último reconhecível graças ao brasão da capital francesa. Entre as damas, Jeanne la Pucelle acompanha personagens mitológicas, como Palas, Vênus, Juno e Melusina. Outro baralho, desta vez do início do século XVI, traz o brasão de Luís XII, e seus valetes seguram os brasões da Bretanha. Os baralhos também podem trazer divisas; desse modo, um baralho do final do século XV, de um homem conhecido como Jacques Vise, mostra personagens sentados, com a seguinte divisa: "Honra ao rei, reverência à rainha". Encontramos esse tipo de mensagem em outros jogos da mesma época, como no chamado "*jeu de piquet** de Carlos VII" (na realidade, gravado sob Luís XII): "Lealdade devida" e "Confia em ti".[36]

Desse modo, se buscamos a origem das cartas da corte do tarô, devemos também ver as de outros jogos, nos quais não será difícil encontrar a cultura cortês e principesca da época. Posteriormente, na França, os personagens passam a exibir inúmeros nomes inspiradores, provenientes dos heróis da história ou da mitologia: Clóvis, Salomão, Constantino, Mercúrio, Clotilde, Elizabeth, Diana... Esses nomes perduram desde o século XVII até hoje. Para os reis: Carlos (Carlos Magno), César (Júlio César), Alexandre (o Grande), Davi (rei Davi). Para as damas, a origem é um pouco mais incerta: Judite (heroína bíblica), Raquel (outra heroína

Baralho de Jean de Dale, Lyon, 1480, BnF (detalhe).　　　Cópia do *jeu de piquet* de Carlos VII, 1906, BnF (detalhe).

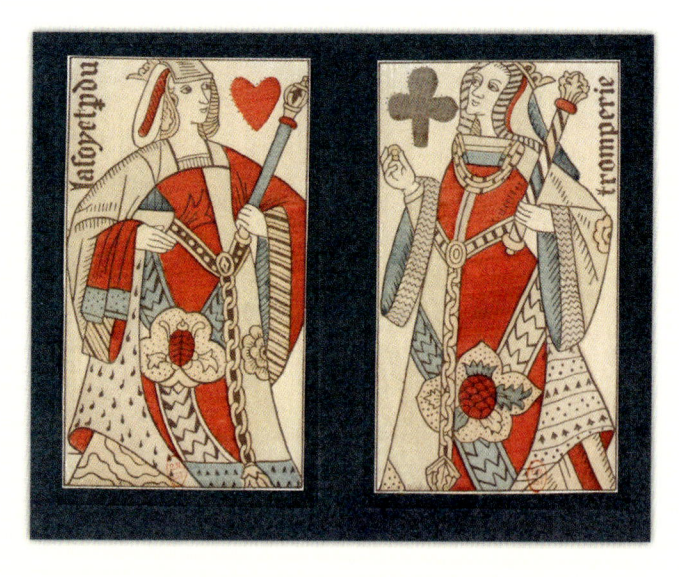

---

* Em português, conhecido como "jogo dos centos". (N. da T.)
36 *Le jeu de carte, op. cit.*, pp. 51 e 59.

Cartas alemãs, Valete de Glandes e Oito de Glandes, século XV, National Gallery of Art.

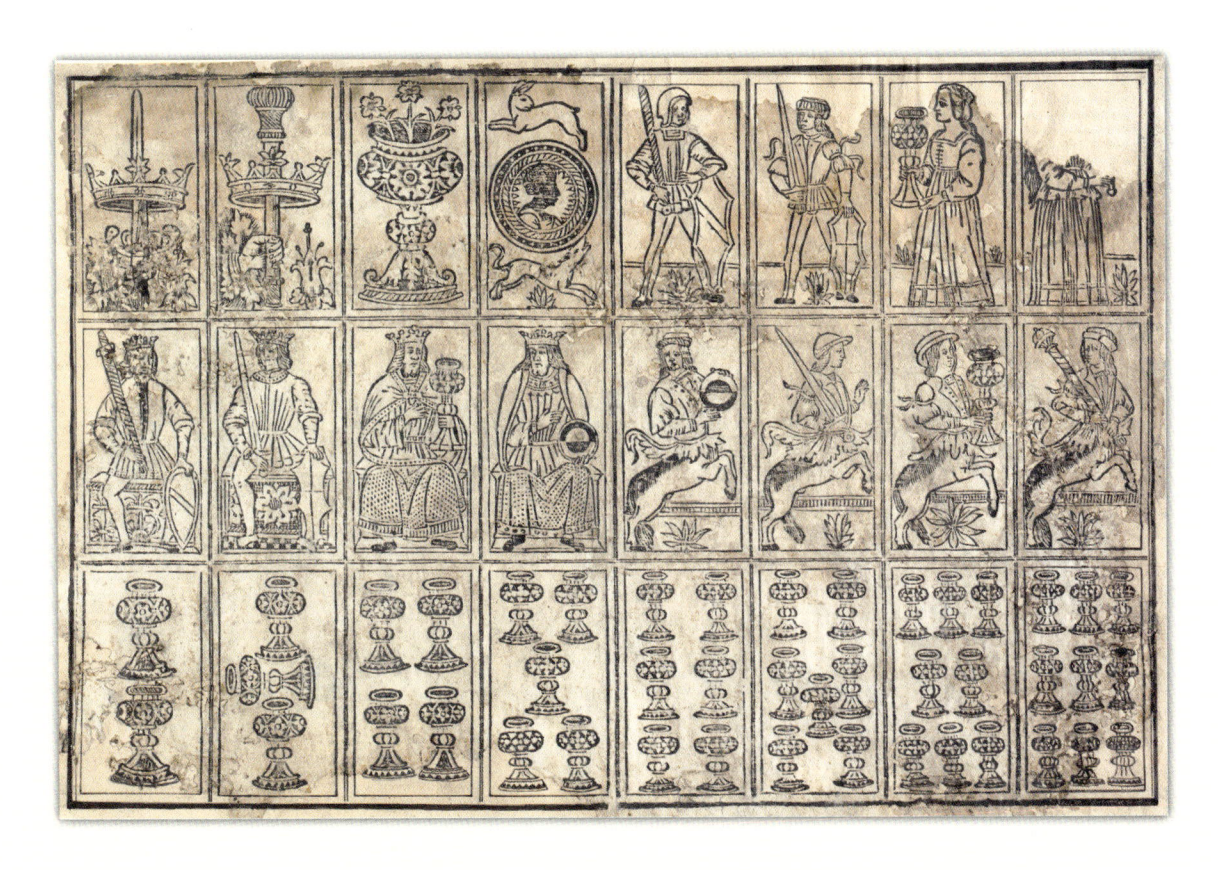

Cartas italianas, século XV, National Gallery of Art.

bíblica), Palas (outro nome de Atena) e Argine (anagrama de Regina, que significa "rainha"?). Para os valetes: Lahire (apelido de um companheiro de Joana d'Arc?), Heitor (herói da guerra de Troia ou outro companheiro de Joana D'arc, Hector de Galard?), Lancelote (do Lago), Ogier (Ogier, o Dinamarquês, companheiro de Carlos Magno?). Em relação aos nomes dos reis, é bastante certo que provenham dos *Neuf Preux* [Nove Valentes], heróis de um poema muito célebre, escrito em Arras no século XIV, que, por meio de suas virtudes e de sua coragem, deveriam exaltar o ideal cavaleiresco.

Pode-se notar que três heróis são de origem pagã (entre eles, César e Alexandre), três de origem judaica (entre eles, Davi) e três de origem cristã (entre eles, Carlos Magno). No que se refere às damas, muito se discorreu sobre suas origens; autores tentaram aproximar essas figuras de mulheres históricas, mas não foram muito convincentes. Desse modo, viram Joana d'Arc atrás de Palas e Agnès Sorel* sob os traços de Raquel. Embora sejam menos "encarnadas" que os reis (pois não fazem referência a nenhum personagem histórico), não deixam de ser inspiradoras. O padre Claude-François Ménestrier viu nelas "os quatro caminhos pelos quais as mulheres podem reinar: pela beleza, como Raquel; pela piedade, como Judite; pela sabedoria, como Palas; e pelos direitos de nascimento, como Argine, que era anagrama de Regina".[37] Quanto aos valetes, eles representam "heroicos companheiros", que brilharam por sua coragem e sua fidelidade, como Lancelote, o valoroso companheiro do rei Artur.

Ao observarmos essas cartas francesas, seus nomes ou suas divisas, podemos dizer que elas esclarecem o possível sentido a ser atribuído às cartas da corte. Teriam sido elaboradas para servir de modelos – de coragem com os heróis, de honra, dedicação, beleza, piedade com as damas ou os valetes? É difícil determinar com mais precisão quais qualidades elas deveriam inspirar nos jogadores, mas certamente havia um modelo. O monge de 1377 também dizia em seu tratado que o jogo de cartas "é a moral em ação das virtudes e dos vícios". Se os personagens das cartas da corte francesa são inspirados em heróis históricos, bíblicos ou mitológicos que podem representar modelos inspiradores, por que não também os personagens de cartas da corte italiana, que encontramos no tarô? A esse respeito, nota-se que essas cartas também são chamadas de "honras".

❖❖❖ *Os quatro naipes*

Com as cartas numeradas, as da corte constituem sequências organizadas sob insígnias também chamadas de naipes. Como vimos, os primeiros baralhos alemães eram compostos por sequências bastante fantasiosas e variadas. As cartas eram pintadas à mão ou produzidas para ricos compradores, que podiam mandar inscrever nelas símbolos que correspondessem a seus gostos pessoais. Mais tarde, estabeleceram-se as sequências: na medida em que os moldes de cartas evoluíram, foi preciso normatizar os símbolos para a gravação de uma grande quantidade de baralhos. Na Alemanha, isso resultou nos naipes ou nas insígnias conhecidas como "germânicas": folha, glande, guizo e coração. No sul da Europa, na Itália e na Espanha, encontram-se as cartas com naipes ou insígnias chamadas de latinas ou italianas: espada, bastão, denário, copa. Na França, as insígnias francesas: lança, trevo, losango, coração.** Sejam elas alemãs, francesas ou italianas, ainda hoje são usadas, embora se saiba que atualmente os baralhos com insígnias francesas predominem amplamente em relação aos outros. Quanto aos baralhos com insígnias italianas, eles também são o que mais tarde se chamou de arcanos menores do tarô.

---

*   Agnès Sorel (1422-1450) foi amante do rei Carlos VII da França. (N. da T.)
37   *Bibliothèque curieuse et instructive de divers ourvrages anciens et modernes de littérature et des arts*, Paris, 1704. Citado por Jean-Pierre Seguin, *Le Jeu de carte, op. cit.*, p. 73.
**   Em português, correspondem respectivamente aos naipes de espadas, paus, ouros e copas. (N. da T.)

Fac-símile de cartas lionesas do século XV
(Coleção Lucien Wiener, Nancy).

Cópias de cartas do baralho de Jean Personne, 1906, BnF (detalhe).

De quando datam esses diferentes naipes? Todas as fontes indicam o século XV, sem darem mais detalhes. Não se sabe quais naipes surgiram primeiro. Segundo Thierry Depaulis,[38] é bem provável que os naipes italianos tenham sido os primeiros. Já os germânicos constituem uma transição para os franceses, cujos símbolos são mais abstratos e mais simples. Na França, o mais antigo baralho com naipes de que se tem conhecimento é uma coleção de cartas lionesas de François Clerc, que data de 1485. Na Alemanha, uma gravura de 1472 de um *goldene Spiel* ("baralho de ouro"), produzido em Augsburgo, mostra-nos um quatro de folhas.[39] Na Itália, podemos citar apenas o tarô, sendo o mais antigo ainda conservado o de Visconti di Modrone, que provavelmente data de 1441. De acordo com um autor, o baralho com insígnias italianas provém do tarô, do qual se teriam tirado os trunfos,[40] enquanto outro autor estima, ao contrário, que teriam acrescentado trunfos às cartas italianas para constituir o tarô.[41]

Isso abre as perspectivas de uma ampla indagação quando abordarmos a questão da invenção do tarô. Quanto à Espanha, como se sabe, existem as mesmas insígnias – espada, bastão, denário, copa – e as mesmas hesitações por parte dos pesquisadores: é impossível saber se as cartas espanholas influenciaram as italianas ou o inverso. O que podemos considerar como certo? Que os primeiros baralhos conhecidos são alemães, com naipes inven-

---

38 *Le Tarot révélé, op. cit.*, p. 12.
39 Referências citadas em *Le Jeu de carte, op. cit.*, p. 41.
40 Romain Merlin, *op. cit.*, p. 62.
41 Michael Dummett, *The Game of Tarot: from Ferrara to Salt Lake City*, G. Duckworth, Londres, 1980, p. 65.

Armorial do Tosão de Ouro, Armas de Henrique, o Jovem, duque de Brunswick, século XV, BnF.

Armorial do Tosão de Ouro, Armas de Jorge, duque da Saxônia, século XV, BnF.

Armorial do Tosão de Ouro, Armas de Dom Pedro Fernandez de Córdoba, século XV, BnF.

Armorial do Tosão de Ouro, Armas de Roberto, conde de Vernenburg, século XV, BnF.

tados e normatizados ao longo do século XV, sem que se possa afirmar qual provém de qual. Desse modo, seria muito redutor asseverar que as cartas de jogo "tradicionais" (coração, losango, lança e trevo), ou seja, com insígnias francesas, provêm do tarô.

De onde poderiam ter vindo os naipes? Antes de tudo, cabe indagar qual a definição de naipe ou insígnia. Talvez isso possa nos orientar quanto às prováveis inspirações. "Insígnia" provém do latim *insignia*, plural de *insigne*, "marca, sinal distintivo", e originariamente designa um símbolo de comando que serve de sinal de identificação para as tropas. Fala-se em insígnias das legiões romanas. Essa tradição foi amplamente conservada na Idade Média e se tornou ainda mais necessária para reconhecer aliados ou adversários nos campos de batalha, pois, a partir do século XII, os combatentes cobriam o corpo com armaduras de ferro e a cabeça com elmos. Por extensão, "insígnia" pode significar "bandeira". A insígnia é flagrante, por exemplo, no baralho de Ambras, no qual se reconhecem os brasões da França, da Boêmia, da Hungria, da Germânia (vale notar que, para a Germânia, trata-se do mesmo brasão que o do Imperador do tarô).

Desse modo, poderíamos nos perguntar se as insígnias italianas ou francesas das cartas não derivariam desses símbolos militares de reconhecimento, que, por extensão, se tornaram bandeiras e, antes disso, emblemas heráldicos, ou seja, armas. Elas têm uma função de identificação e de proclamação: "Eis quem sou!".

Apresentam "a identidade e o estatuto social do possuidor, mas também, pela escolha de um ou outro tipo, de uma ou outra lenda, sua personalidade, suas aspirações, suas reivindicações".[42] Nesse sentido, elas são, ao mesmo tempo, "emblema e símbolo", uma vez que o emblema é o signo que apresenta a identidade de um indivíduo ou grupo, e o símbolo, o signo que designa uma ideia, uma noção, uma coisa abstrata. Desse modo, para designar a si mesmo e exprimir sua força, um senhor pode adotar como emblema um leão vermelho sobre fundo amarelo. Desde a origem, as armas se compõem de dois elementos que ocupam um espaço em um escudo delimitado: as cores (sempre as mesmas: branco (prata), amarelo (ouro), vermelho, preto, azul e verde) e as figuras. Como nas cartas, essas figuras se inspiram em imagens extraídas da natureza – animais (sendo o leão o mais frequente), vegetais (folhas, frutos) –, em objetos usuais (armas, ferramentas) e formas geométricas. Entre as últimas, encontram-se corações, losangos, lanças e trevos. Entre os objetos, aparecem bastões, espadas etc. Esse parentesco merece ser observado.

Em contrapartida, mais uma vez, não podemos ir muito longe. Isso significa que não sabemos se os brasões realmente inspiraram as cartas ou se ambos buscaram seus símbolos no mundo que os cercava. Por fim, não sabemos se o significado dos corações, dos losangos, das lanças e dos trevos é comum ou não às duas artes, a heráldica e o jogo – de resto, um significado que os historiadores das cartas ainda desconhecem, sobretudo no que se refere a esses quatro símbolos.[43] Em relação a eles, podemos acrescentar que sua criação pode ter ocorrido por comodidade: trata-se de símbolos simples, fáceis de reproduzir a baixo custo em baralhos populares.

De resto, sabemos por que esses símbolos são vermelhos e pretos? Duas ideias podem ajudar a compreensão. Por um lado, sabemos que as cores mais importantes da Idade Média são as que foram citadas acima para os brasões: branco, vermelho e preto, cores "básicas" da Antiguidade e da Alta Idade Média, às quais mais tarde se acrescentaram o azul, o amarelo e o verde, outras cores "básicas", tanto na criação artística dessa época quanto para as representações sociais. Desse modo, não é possível encontrar cartas com insígnias nos tons malva, marrom ou rosa. Poucas são também as possibilidades de encontrar verde e amarelo nessas insígnias: essas são cores malvistas, associadas à loucura e às maquinações do diabo. Sua

---

42 Michel Pastoureau, *Une histoire symbolique du Moyen Âge occidental*, Seuil, Paris, 2014, p. 251 (2004 para a 1ª edição).
43 Valeria a pena consultar um heraldista.

Tarô parisiense anônimo, Ás de Denários, primeira metade do século XVII, BnF.

Tarô parisiense anônimo, Cinco de Denários, primeira metade do século XVII, BnF.

Tarô parisiense anônimo, Ás de Espadas, primeira metade do século XVII, BnF.

Tarô parisiense anônimo, Valete de Bastões, primeira metade do século XVII, BnF.

associação é a mais brutal que existe para um homem da Idade Média: são utilizadas para vestir os loucos.[44] Além disso, é difícil fabricar o verde. Restam, portanto, o azul, o vermelho, o preto e o branco. Como o último serve de fundo para a carta em papel, sobram as três outras cores. Por que desconsiderar o azul, uma cor bem-vista na Idade Média, e manter o preto e o vermelho? É possível encontrar uma ligação com o xadrez: com efeito, os jogos da Idade Média para quatro jogadores eram compostos por peões vermelhos, pretos, verdes e amarelos (ou brancos). Para as cartas, como vimos, não se levaram em conta o verde nem o amarelo; além disso, sabemos que nesses tabuleiros o vermelho e o preto eram opostos.[45] E se voltarmos aos brasões, também sabemos que essas duas cores não podem ser associadas.

Não há como ir mais longe nas hipóteses sobre o vermelho e o preto das cartas com insígnias francesas, mas essa reflexão sobre sua origem também poderá servir como suporte para quem quiser refletir sobre as cores do tarô. Porém, cuidado com o anacronismo! Como dissemos anteriormente, o amarelo, que hoje costumamos associar ao sol, ao divino e à luz, na Idade Média era a cor de Judas, dos loucos e do diabo. O azul, que para nós é uma cor fria, para as pessoas da época era a cor quente por excelência, associada ao ar quente e ao azul puro de um céu de verão. Cor marial e principesca, suplanta o vermelho, preferido pelo Ocidente desde o Império Romano (que considerava o azul uma cor "bárbara"). O vermelho é menos a cor da paixão e da cólera do que a que intervém com violência, tanto no bem quanto no mal. O verde, embora atualmente seja associado à cura, é a cor da desordem, da enganação, do desequilíbrio. Refletindo sobre as cores, os historiadores têm uma bela mensagem a transmitir, que poderíamos traduzir da seguinte forma: "Não pensem que suas concepções são universais". Essa mensagem poderia nutrir toda a nossa reflexão sobre o tarô.

❖❖❖ *Os quatro naipes do tarô*

O que dizer então das copas, dos denários, das espadas e dos bastões? De onde vêm? Que significados poderiam ter para os que elaboraram esses baralhos? Mais uma vez, só podemos levantar hipóteses. Evocamos a heráldica e a encontramos aqui. Há brasões com bastões e espadas, e é ainda mais interessante descobrir que dois deles associam bastões e trevos, espadas e lanças. E nas cartas encontram-se insígnias (o que definimos como sinais militares de reconhecimento) e brasões.

Por certo, é difícil dissociar as espadas, os bastões e o combate. No que se refere aos bastões, vemos que, assim como a espada, são associados à violência da guerra, mas sobretudo à violência brutal, por assim dizer, aquela dos loucos, dos mendigos e dos selvagens. O Louco do tarô de Visconti é armado com um bastão, tal como as figuras de homens selvagens que a Idade Média gostava de representar cobertos de pelos. O grande historiador do tarô Michael Dummett via nelas representações dos bastões de polo, mas podemos dizer que os bastões das cartas exprimem mais do que esses atributos de jogos equestres. Também encontramos cenas de batalha, nas quais os cavaleiros são associados a grandes bastões, não para jogar polo, e sim para derrubar o adversário do cavalo – a menos que se trate do bastão de comando, com simbologia próxima daquela do cetro.

E as espadas, as copas e os denários? É difícil encontrar o meio-termo entre a história desses objetos e sua simbologia, tão forte e ampla. Desse modo, a copa pode, de fato, simbolizar o Graal, tanto para o historiador das representações quanto para o ocultista... Sobre esses símbolos, pode-se dizer que são encontrados nas cartas de jogo simplesmente porque impregnam o cotidiano da época e até mesmo da humanidade desde o nascimento

---

44 Michel Pastoureau, "Voir les couleurs du Moyen Âge" em *Une histoire symbolique du Moyen Âge occidental, op. cit.*, pp. 127-50.
45 Jean-Marie Lhôte, *Histoire des jeux de société, op. cit.*, p. 205.

das civilizações. Eles representam funções essenciais: lutar (espada, bastão), comercializar (denário), saciar a sede (copa). Na Idade Média, são encontrados por toda parte da vida cotidiana. Quer dizer, quase por toda parte: de fato, os denários provêm das cidades. O dinheiro é muito pouco usado nas áreas rurais medievais. É um instrumento essencial dos ricos mercadores da burguesia das cidades, uma categoria social em plena expansão a partir do século XIII – outro meio de associar os baralhos às elites, pelo menos no momento

Livro de Horas de Louis de Laval, a Sibila Europeia, cerca de 1430-1435, BnF.

Livro de horas de Louis de Laval, a Sibila de Cumas, cerca de 1430-1435, BnF.

Livro de horas de Louis de Laval, a Sibila da Líbia, cerca de 1430-1435, BnF.

Livro de horas de Louis de Laval, a Sibila Cimeriana, cerca de 1430-1435, BnF.

Tarô de Jean Noblet, Ás de Espadas,
Paris, cerca de 1650, BnF.

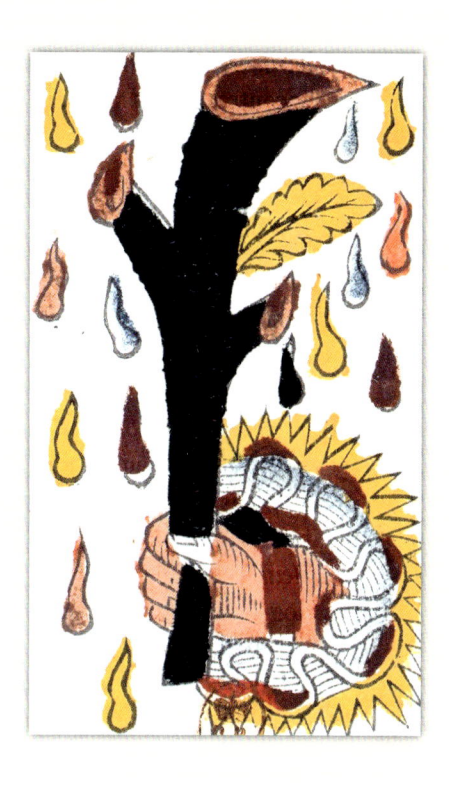

Tarô de Jean Noblet, Ás de Bastões,
Paris, cerca de 1650, BnF.

Tarô de Jean Noblet, Ás de Copas,
Paris, cerca de 1650, BnF.

Tarô de Jean Noblet, Ás de Denários,
Paris, cerca de 1650, BnF.

de sua criação. As espadas são armas nobres por excelência, atributos do rei ou do cavaleiro. Os vilões* não usam espadas. Apenas as copas e os bastões poderiam realmente ser encontrados por toda parte.

Em contrapartida, quando entramos no campo das representações, encontramos esses quatro emblemas, sejam eles nobres ou vilões, representados em toda parte, em pinturas, estátuas, iluminuras e gravuras. Veem-se muitos personagens da Idade Média munidos de atributos que simbolizam sua função, emblemas (entre eles, os evocados aqui) que abrem infinitas perspectivas de significados. Um exemplo? Ao buscar informações sobre as damas das cartas de jogo, descobrimos que uma delas seria uma sibila, mulher que praticava a adivinhação na Antiguidade. Uma dúzia de livros conhecidos pelo título de "Oráculos sibilinos" circulavam no Império Romano, compreendendo oráculos antigos, mas também judaicos e textos cristãos. Os escritores cristãos acreditavam que as sibilas tinham anunciado a vinda do Messias; por isso, foram representadas nas obras cristãs. Sobre as 12 sibilas que costumam ser representadas, selecionamos algumas, que apresentamos na página 48, a partir do manuscrito francês do século XV, comumente intitulado *Heures de Louis de Laval* [Livro de Horas de Louis de Laval].[46] A seleção foi feita com base nos atributos que as acompanham.

A Sibila Europeia, associada ao gládio (e ao profeta Zacarias), anuncia o massacre dos inocentes e a fuga para o Egito. Não há dúvida de que, nesse caso, a espada é um símbolo masculino, associado à guerra, à violência. A Sibila de Cumas evoca o nascimento do Messias; ela é representada tendo por atributos uma maçã, uma copa ou uma concha, a vulva da Virgem (associada ao profeta Daniel). A associação da copa ao feminino, ao recipiente e à água tampouco deixa dúvidas aqui. Já a Sibila da Líbia, com seu bastão inflamado, anuncia a vinda do Messias. Por fim, a Sibila Cimeriana, com a cornucópia, indica que a Virgem amamenta seu filho. Por certo, com esse último atributo, entramos no campo das associações: podemos associá-lo aqui ao denário. Assim, quatro sibilas, em uma obra que *a priori* nada tem a ver com os baralhos, encontram-se representadas com atributos encontrados nas insígnias italianas – atributos diretos ou deduzidos por uma associação simbólica.

De fato, é o que fazem todos os autores, antigos, contemporâneos e futuros, ao evocarem o menor objeto ou sinal presente em uma carta: associações simbólicas. Evitemos, portanto, perdermo-nos em um inventário infinito para nos perguntarmos, por exemplo, de quando data a primeira representação de uma espada e o que ela simboliza. Poderíamos, então, encontrar-nos no Egito antigo ou até antes e, no que se refere aos significados associados, daria para fazer um livro por naipe! Melhor deixar que falem os autores antigos, que tentam evocar os significados dos quatro naipes em relação às cartas.

---

* Homens livres que trabalhavam para um senhor feudal. (N. da T.)

46 Manuscrito *Horae ad usum romanum*, conhecido como *Heures de Louis de Laval*, cujas iluminuras provavelmente foram feitas por Jean Colombe, por volta de 1430-1435. Ver em Gallica: http://gallica.bnf.fr/ark:/12148/btv1b52501620s/f48.image.

A SIMBOLOGIA DOS QUATRO NAIPES

◆◆◆ *Os símbolos dos quatro naipes segundo os autores antigos*

Quando partimos da ideia de que os símbolos das cartas poderiam ser associados à arte da guerra, encontramos autores que comparam as espadas e os bastões a armas úteis ao combate, os denários e as copas a objetos indispensáveis ao abastecimento. Uma associação simples, mas não desprovida de fundamento, quando consideramos que as cartas poderiam provir de um jogo de guerra indiano. Em seu livro *Le carte parlanti* [As Cartas Falantes], escrito em Veneza por volta de 1545, Pietro Aretino trata as cartas como um jogo de azar e associa os naipes a seu efeito nefasto: "As espadas lembram a morte dos que se desesperam no jogo; os bastões indicam o castigo merecido por aqueles que enganam; os denários mostram o alimento do jogo; as copas, a bebida com a qual se apaziguam as querelas dos jogadores". Em 1720, o jesuíta Gabriel Daniel também associava os naipes à guerra. Assim, para retornar às insígnias francesas: as lanças seriam as munições utilizadas na batalha; os trevos, a forragem que alimenta os cavalos; os corações, a coragem necessária ao comando dos oficiais; e os losangos, os tiros dos besteiros.

Seguindo a mesma ideia, no início do século XVII, um certo Covarrubias pensa que os quatro naipes representam os perigos mais nocivos e mortais da humanidade: as espadas servem para atrair os homens à luta; os bastões sucederam aos punhos para finalmente serem superados pelas espadas; e as copas, que parecem ter sido inventadas para sustentar o vício, ou seja, a embriaguez, tornaram-se fontes de inúmeras rixas e querelas. Os denários, por fim, incitam os homens ao roubo e ao assassinato. Assim, os naipes são, respectivamente, símbolos de violência, embriaguez, desordem (estamos longe do Graal!), cupidez e crime.[47] Outro autor, Mazzio Galeotti, encontra uma solução intermediária, por assim dizer. Com efeito, ele associa as espadas e os bastões à ideia de guerra, mas os denários seriam pães redondos e dourados que, associados às copas ou aos cálices, evocariam a transubstanciação, a transformação em corpo e sangue de Cristo durante o sacramento da Eucaristia.

---

47 Referências citadas por Stuart L. Kaplan, *La Grande Encyclopédie du tarot, op. cit.*, p. 21.

Chegamos, então, ao sistema simbólico inverso: os quatro emblemas se tornam símbolos de virtudes. A espada representa a justiça; o bastão, a força (duas virtudes cardeais); a copa, a fé; e o denário, a caridade (duas virtudes teologais).

Em 1551, um homem chamado Innocenzo Ringhieri, por sua vez, estabeleceu em sua coletânea de jogos[48] uma correspondência entre as insígnias das cartas e as virtudes cardeais: copa/temperança; bastão/força; espada/justiça; denário/prudência. Em 1553, outro autor, o impressor Charles Estienne, reuniu duas interpretações e as opôs no mesmo símbolo: "O inventor das cartas italianas, com as quais as pessoas se divertem no jogo chamado de 'tarô', foi muito engenhoso (em minha opinião) ao colocar denários e bastões em confronto, em oposição à força e à justiça".[49]

Quando ampliamos a interpretação, vemos, por sugestão de Claude-François Ménestrier, em 1704, uma representação dos quatro corpos da sociedade ocidental, com a ideia de que o jogo de cartas seria um estado pacífico, "composto por reis, rainhas, vassalos e quatro corpos. Os eclesiásticos seriam representados pelos corações (*cœurs*) em forma de rébus, pois os eclesiásticos são homens do coro (*gens de chœur*) [...]; a nobreza militar, pelas lanças, que são as armas dos oficiais [...]; os burgueses, pelos losangos, que são os ladrilhos das casas que habitam; e as pessoas do campo, pelos trevos. O que permite ver que essa foi a intenção dos inventores desse jogo é o fato de os espanhóis terem exprimido a mesma coisa, embora com símbolos diferentes: os eclesiásticos por cálices ou *copas*; a nobreza por *espadas*; os burgueses e comerciantes pelos denários (*dineros*); e os trabalhadores e pessoas do campo por bastões (*bastos*)".[50] Seguindo a leitura, podemos analisar com o autor a repartição das sociedades indo-europeias em quatro classes (clero, guerreiros, comerciantes e agricultores) e nos questionar mais amplamente sobre o caráter recorrente no Ocidente da divisão em quatro quando se trata de ordenar o mundo...

Os quatro elementos, as quatro estações, os quatro pontos cardeais... Desde Court de Gébelin, não há autor que não tenha associado os quatro naipes do tarô aos quatro elementos. E, antes dele, a partir do século XVI, em 1582, certo Jean Gosselin, bibliotecário do rei, astrônomo e matemático, já havia estabelecido essas correspondências entre os elementos e as insígnias francesas das cartas:[51] "[...] losangos, trevos, corações e lanças, que representam os quatro elementos dos quais todas as coisas naturais são compostas [...] Os losangos significam a Terra, pois, assim como a terra sustenta todas as coisas pesadas, os losangos* também são apropriados para que se coloquem coisas pesadas sobre eles. Os trevos representam a Água, pois se trata de uma erva que cresce em local úmido e se nutre da água que o irriga. Os corações significam o Ar, pois sem ele não podem viver. As lanças representam o Fogo, pois assim como o fogo é o mais penetrante dos quatro elementos, as lanças são instrumentos de guerra muito penetrantes".

As explicações dessas comparações (o trevo associado à água por crescer em ambiente úmido) poderiam suscitar sorrisos; no entanto, a maioria dos ocultistas e dos autores modernos que tratam do tarô fazem comparações semelhantes, aproximando as insígnias do tarô tanto daquelas das cartas de jogo quanto dos quatro elementos.

---

48 Innocenzo Ringhieri, *Cento giuochi liberali et d'ingenio*, Bolonha, 1551. Citado por Jean-Marie Lhôte, *Histoire des jeux de société*, op. cit., p. 652.
49 Citado por Jean-Pierre Seguin, *Le Jeu de carte*, op. cit., p. 43.
50 *Bibliothèque curieuse et instructive de divers ourvrages anciens et modernes de littérature et des arts*, Paris, 1704. Citado por Jean-Pierre Seguin, *Le Jeud de carte*, op. cit., p. 43.
51 *La Signification de l'ancien jeu des chartes pythagorique*, Paris, 1582. Citado por Jean-Marie Lhôte, *Histoire des jeux de société*, op. cit., p. 652.
* Em francês, o termo *carreau* designa tanto a figura geométrica quadrangular quanto o ladrilho ou a laje de um pavimento. (N. da T.)

◆◆◆ *Os símbolos dos quatro naipes segundo os autores modernos*

Pareceu-nos interessante reunir em uma tabela os principais autores que escreveram sobre o tarô e as correspondências que estabeleceram entre as insígnias do tarô, as das cartas de jogo e os quatro elementos. A título de informação, começamos por citar Stuart R. Kaplan e Thierry Depaulis, que, como historiadores, lembram a comparação mais aceita entre os naipes italianos e franceses; em seguida, Jean-Marie Lhôte, outro historiador do jogo, que propõe outra correspondência, às vezes também adotada. Por fim, citamos autores tradicionais, que marcaram a história do tarô e as correspondências que fizeram.[52] A maioria deles também mencionou os quatro símbolos presentes no arcano XXI, o Mundo, colocando-os em correspondência com os quatro elementos e os naipes. Portanto, também aparecem nessa tabela.

Bastão	Espada	Copa	Denário	
Trevo	Lança	Coração	Losango	Kaplan/Depaulis
Losango	Lança	Coração	Trevo	Jean-Marie Lhôte
	Lança Ar	Coração Água	Losango Trevo	Alliette
Leão	Águia	Homem	Boi	
Trevo	Lança	Coração	Losango	Court de Gébelin
Losango	Lança	Coração	Trevo	Conde de Mellet
Trevo Fogo Águia	Lança Terra Boi	Coração Água Leão	Losango Ar Homem	Papus
Trevo Fogo Leão	Lança Ar Águia	Coração Água Anjo	Losango Terra Boi	Oswald Wirth
Fogo	Ar	Água	Terra	Paul Marteau
Leão Fogo	Touro Terra	Homem Água	Águia Ar	Éliphas Lévi
Leão Fogo	Águia Ar	Anjo Água	Boi Terra	Alejandro Jodorowsky

O que dizer sobre essa tabela? Que se por um lado os autores são unânimes na correspondência entre a copa, o coração e a água, por outro, discordam em relação ao restante. Encontramos certa concordância em aproximar a espada e a lança, mas no que se refere aos elementos, dois autores associam a elas a Terra, e quatro, o Ar. Quanto ao denário, a maioria o associa ao losango, e dois autores, ao trevo (essa associação é menos comum, mas bastante corrente); no que se refere aos elementos, encontramos tanto a Terra quanto o Ar. Para o bastão, há unanimidade em associá-lo ao Fogo, mas nem um pouco ao trevo. Quanto às quatro figuras simbólicas do Mundo, cada um tem sua própria interpretação. Encontramos o leão, o boi, o anjo (ou o homem) e a águia mais ou menos distribuídos em cada emblema. O que poderia motivar um autor a associar a espada e a Terra, e outro, a espada e o Ar?

Éliphas Lévi explica suas associações da seguinte forma: "O quaternário simbólico, representado nos mistérios de Mênfis e Tebas pelas quatro formas da esfinge – o homem, a águia, o leão e o touro –, correspondia aos quatro elementos do mundo antigo: a Água, representada pela copa na mão do homem ou pelo Aquário; o Ar, pelo círculo ou nimbo que circunda a cabeça da águia celeste; o Fogo, pela madeira que o alimenta, pela árvore que o

---

52 Todas as informações sobre esses autores e suas contribuições para a história do tarô são encontradas no Capítulo IV, partes 2 e 4.

calor da terra e do sol fazem frutificar e, por fim, pelo cetro de realeza, do qual o leão é emblema; a Terra, pelo gládio de Mitra, que todos os anos sacrifica o touro sagrado e com seu sangue faz correr a seiva que infla todos os frutos da terra".[53] Papus, por sua vez, faz suas correspondências sem dar muitas explicações. Ele afirma que "os quatro pacotes representam, respectivamente, bastões que correspondem aos nossos trevos, copas que correspondem aos nossos corações, espadas que correspondem às nossas lanças, e denários que correspondem aos nossos losangos".[54] Em seguida, compara-os com os quatro elementos da mesma maneira que Éliphas Lévi, ou seja, é um dos únicos a comparar o denário com o Ar e a espada com a Terra. Porém, como não esconde seu parentesco com o pensamento de Lévi, pode-se supor que siga em parte o mesmo raciocínio. Por fim, associa os quatro naipes às quatro letras hebraicas da palavra "Deus": respectivamente, *yod*, *he*, *vav* e *he*, associadas ao bastão, à copa, à espada e ao denário. Depois, parte para os aspectos femininos ou masculinos desses símbolos: "O bastão representa o masculino ou o ativo; a copa é a imagem do passivo ou da feminilidade; a espada representa a união de ambos em sua forma crucial; por fim, o denário representa o segundo *he*".[55]

Poderíamos sorrir ao ler esse velho bibliotecário parisiense, que no século XVI evoca ladrilhos como símbolos para a Terra, pois eles sustentam coisas pesadas. Entretanto, seriam as comparações dos ocultistas mais pertinentes? Conforme diz Jean-Marie Lhôte, "cada um pode dar a explicação que bem entender", e concordamos plenamente com seu ponto de vista. Como dissemos, é difícil estabelecer hierarquias no tempo ou na importância dos significados. Consideramos a análise seguinte, que nos pareceu pertinente: "Inicialmente, vale lembrar que essas insígnias são sexuadas. Isso é visível no primeiro grau de leitura dos desenhos: feminino, denários e copas; masculino, espadas e bastões. Essa divisão se encontra nos naipes das cartas francesas correspondentes: femininas e vermelhas, os losangos e os corações; masculinas e pretas, as lanças e os trevos. A mesma coisa se pode dizer dos quatro elementos, pelo menos em língua latina: a Terra e a Água são termos femininos; o Ar e o Fogo, masculinos. Se aceitarmos a relação entre as insígnias das cartas e os elementos, o denário, a moeda, pode ser facilmente vinculado à Terra, assim como a copa à Água, a espada ao Ar e o bastão ao Fogo".[56]

Podemos igualmente relacionar o significado desses emblemas nas antigas obras de cartomancia, que são interessantes por retraçarem a história das cartas: muitas vezes, os corações e os trevos eram considerados benéficos, enquanto os losangos e as lanças eram vistos como maléficos. Assim, em *Les Sciences mystérieuses* [As Ciências Misteriosas],[57] os corações "geralmente anunciam a felicidade e o amor; é o naipe mais propício"; os trevos "anunciam o sucesso, a fortuna, as dignidades, as honras"; os losangos "são mensageiros de querelas, desentendimentos, rupturas, aborrecimentos". Por fim, as lanças "sempre preveem a ruína, a doença, a morte. É a carta preta, a ser sempre temida, inevitável em qualquer jogo, tal como o infortúnio em qualquer vida humana".

O que dizer dessas múltiplas interpretações? Podemos lembrar que a etimologia da palavra "símbolo" é a seguinte (vale a pena redefinir essa noção antes de abordar o tarô propriamente dito): vem do termo grego *sumbolon*, que evoca um objeto compartilhado entre duas pessoas para servir como sinal de reconhecimento entre elas. Em latim clássico, isso deu origem ao termo *symbolus*, que significa "sinal de reconhecimento". Um símbolo é

---

53 Éliphas Lévi, *Dogme et rituel de la haute magie*, op. cit.; trecho extraído de uma edição de 1982, Bussière, p. 337. [*Dogma e Ritual da Alta Magia*, São Paulo, Editora Pensamento, 21ª ed., 2017, p. 316.]
54 Papus, *Le Tarot des Bohémiens*, Paris, 1889, p. 42.
55 *Ibid.*, p. 50.
56 *Histoire des jeux de société*, op. cit., p. 209.
57 *Les Sciences mystérieuses: les lignes de la main, l'écriture, la physionomie, l'étude de la tête, les secrets des cartes, étude nouvelle illustrée de plus de cinq cents documents (figures et autographes)*, Deslinières, Paris, 1899, pp. 248-49.

uma imagem, um objeto, um sinal, uma palavra que representa outra coisa em virtude de uma correspondência. A alegoria também é uma representação que exibe outra coisa: assim, a ideia abstrata da justiça é representada por uma mulher segurando uma balança e uma espada. Porém, o símbolo pode deixar entrever por correspondência múltiplas representações para um único objeto; ao contrário da alegoria, não é definido. Assim, a mulher que segura a espada e a balança representaria quase exclusivamente a Justiça, enquanto a espada que ela segura, por exemplo, pode simbolizar a guerra, a morte, a violência, mas também a nobreza, a justiça, a cavalaria, o pensamento ou ainda o elemento Ar, se nos referirmos às obras recentes do tarô.

Para tentarmos, então, retraçar a história dos símbolos do tarô, é absolutamente necessário aproximar-nos das épocas nas quais esses símbolos são apresentados nas cartas. Para encontrar os naipes das cartas no final da Idade Média, tentamos, por exemplo, procurá-los entre os brasões. Consultando Papus ou Éliphas Lévi, estamos entre os ocultistas do século XIX: ao tratarem dos símbolos do tarô, fazem-no de acordo com sua época, ou seja, um tempo bem distante daquele em que o tarô surgiu. Também podemos ressaltar que, para as pessoas no final da Idade Média, o símbolo não é irrelevante, ele faz parte da mentalidade da época; afinal, não há representação sem significado. Tudo na terra tem, necessariamente, uma correspondência no céu, e a dificuldade é encontrar qual correspondência existia para eles. Se o pedaço é dividido em dois para servir de sinal de reconhecimento, no que se refere ao tarô, muitas vezes esquecemos a segunda metade... e substituímos o termo "ignorância" pelo termo "mistério".

Por exemplo, para concluir a análise a respeito das copas, das espadas, dos bastões e dos denários, o que poderia nos aproximar mais do autor ou dos autores do tarô? Em qual universo estavam imersos no século XV? Por certo, menos no culto de Mitra, evocado por Éliphas Lévi, do que simplesmente no cristianismo. Se partirmos desse ponto, teremos menos chances de nos perder. Assim, a espada, que de fato podemos considerar sem grandes riscos como um símbolo militar, designa, ao mesmo tempo, a arma destruidora ou a arma da justiça dos heróis e cavaleiros cristãos (ver Excalibur ou Durindana). Encontramos essa ambivalência na Bíblia. Com efeito, a espada é associada aos três flagelos, a guerra, a peste e a fome: "[...] e quantos desta cidade restarem da pestilência, da espada e da fome na mão de Nabucodonosor [...]; feri-los-á a fio de espada; não os poupará, não se compadecerá, nem terá misericórdia" (Jeremias, XXI, 7); mas também é associada à justiça divina. Quando Deus expulsou Adão e Eva do Paraíso, "(Ele) colocou querubins ao oriente do Jardim do Éden e o refulgir de uma espada que se revolvia, para guardar o caminho da árvore da vida" (Gênesis, III, 24).[58]

Incontestavelmente, a copa está relacionada ao cristianismo e a seus mitos, seja o Santo Graal, seja, nas referências bíblicas, a Última Ceia de Cristo. Porém, no Antigo Testamento, também encontramos inúmeras referências com uma simbologia da copa que se aproxima do destino humano. O homem recebe seu destino de Deus como uma copa repleta de bênçãos ou maldições: "Fará chover sobre os perversos brasas de fogo e enxofre, e vento abrasador será a parte do seu cálice" (Salmos, XI, 6). O bastão, por sua vez, pode evocar o dos peregrinos, o bastão de comando dos chefes guerreiros, que se tornou o cetro dos reis, ou o bastão dos mágicos (tanto a varinha de condão das fadas quanto a vassoura das bruxas); é associado à Bíblia de Moisés, que dele se serve para guiar o povo de Israel ou realizar milagres: "[...] ferirás a rocha, e dela sairá água, e o povo beberá" (Êxodo, XVII, 1-6).[59] De maneira mais modesta, ele pode representar o porrete, arma dos mendigos. Desse modo, vemos o Louco do tarô de Visconti com uma aparência pobre e armado com um porrete.

---

58 Jean Chevalier, Alain Gheerbrant, *Dictionnaire des symboles*, Robert Laffont, Paris, 1991, edição revista e ampliada, p. 408 (1969 para a 1ª edição).
59 *Dictionnaire des symboles, op. cit.*, p. 112.

Por fim, se o denário simboliza o dinheiro e, por extensão, os bens materiais, não é à toa que é citado com esse nome: antiga moeda romana igualmente mencionada na Bíblia (os trinta denários de Judas), tornou-se uma moeda francesa que valia a 240ª parte da libra (uma libra equivalia a quinhentos gramas de prata), e quase sinônimo de dinheiro ("o denário do culto, paguei com meus denários"). Não se associou esse emblema ao *sol*[*] nem à libra, unidades monetárias que, no entanto, também eram utilizadas no final da Idade Média. Por serem muito citados nos textos, esses símbolos também se encontram nas imagens, que inevitavelmente acabam por influenciar as cartas.

Até onde podemos ir, então, nas interpretações simbólicas das cartas? Mais uma vez, concordamos com a ideia de Jean-Marie Lhôte quando ele afirma: "No início, nenhuma hipótese é absurda, desde que leve em conta dados confirmados ou verossímeis. Um pouco de humor não causa estragos – infelizmente, uma qualidade bastante rara tanto entre os defensores quanto entre os detratores do simbolismo".[60] Aparentemente, também concordavam com ele os antigos autores, que misturaram a simbologia dos números e dos baralhos no conto inglês do século XVIII, apresentado a seguir – um soldado astuto engana seus superiores com comentários suntuosos e falaciosos, convencendo-os de que um baralho, dada sua riqueza simbólica, pode muito bem substituir o breviário na missa.

♦♦♦ *As cartas espiritualizadas*[61]

Em um domingo, um soldado chamado Richard Middleton entrou com o restante de seu regimento em uma igreja para ouvir o serviço divino. Em vez de pegar uma Bíblia como seus colegas, para nela procurar o texto do sermão, tirou do bolso um baralho, que dispôs à sua frente com a mesma seriedade como se tivesse em mãos um livro de orações. Os assistentes e sobretudo o sargento de sua companhia, que estava ao lado dele, não tardaram em notar uma singularidade tão flagrante. O sargento lhe ordenou que guardasse as cartas no bolso, advertindo-o da indecência e do escândalo de semelhante comportamento. Impassível, Richard ouviu as reprimendas de seu sargento, deixou que terminasse tranquilamente sua admoestação e, sem lhe responder uma única palavra, com a mesma seriedade manteve os olhos fixos em seu baralho, em uma atitude devota e contemplativa. Terminada a missa, o sargento ordenou a Richard que o seguisse e o conduziu ao prefeito, ao qual prestou queixa formal contra o soldado, em razão do escândalo por ele ocasionado na igreja.

— Muito bem — disse o prefeito a Richard —, se nada tem a alegar como justificativa, espere para ser punido severamente.

— Não me faltam boas razões — replicou o soldado —, se Vossa Dignidade quiser ouvi-las.

— De acordo — acrescentou o prefeito. — Vejamos quais são suas explicações.

— Terei a honra de dizer a Vossa Dignidade que sou um pobre diabo que recebe apenas cinco vinténs por dia, o que, o senhor há de convir, mal dá para as necessidades prementes da vida. Assim, não o surpreenderá o fato de eu não ter

---

[*] Antiga unidade monetária que na França valia 1/20 da antiga libra, ou seja, 12 denários. O termo, também conhecido como *sou*, deriva do latim *solidus*, moeda de ouro criada pelo imperador Constantino para substituir o *aureus*. (N. da T.)

60 *Histoire des jeux de société*, op. cit., p. 208.

61 História publicada em 1776 em *Courrier du Bas-Rhin* nº 69, com o título "Les cartes spiritualisées". De acordo com os autores do jornal, trata-se de uma "historieta inserida nos cotidianos ingleses e que nos pareceu divertida o suficiente para merecer ser traduzida". Tentei preservar o estilo antigo da história, porém modernizando a ortografia e enriquecendo-a com a versão encontrada em Stuart Kaplan, *La Grande Encyclopédie du tarot*, op. cit., p. 25.

recursos para comprar uma Bíblia nem um livro de orações. Contudo, para mim não faz diferença se leio a missa na Bíblia ou nas cartas, pois estas me lembram a grandeza de Deus.

Nesse momento, Richard tirou o baralho do bolso e, mostrando um ás ao prefeito, continuou nos seguintes termos:

— Quando vejo um desses ases, lembro-me de que há um único Deus, criador e mantenedor de todas as coisas, e de que, no primeiro dia, Ele criou o céu e a terra. O um é a medida comum de todas as coisas; é indivisível, não pode ser multiplicado. O dois me lembra o segundo dia da criação, quando Deus disse "faça-se a luz"; o dois também representa o Antigo e o Novo Testamentos, bem como o sacramento do matrimônio. Quando os animais da terra entraram na Arca de Noé, fizeram-no de dois em dois, macho e fêmea. Quando vejo o três, lembro-me de que há três pessoas em Deus, o Pai, o Filho e o Espírito Santo; no terceiro dia, Deus separou a terra das águas. O três também tem um valor misterioso, que se manifesta na trindade do tempo pelo passado, pelo presente e pelo futuro. No homem se encontram o cérebro, sede da inteligência, o coração, sede das coisas celestes, e o corpo, sede dos elementos. O espaço é formado por comprimento, largura e espessura. O quatro me lembra os quatro Evangelistas, São Mateus, São Marcos, São Lucas e São João; no quarto dia, Deus fez o Sol, a Lua e as estrelas que regem os anos, os meses e os dias. O quatro também significa a solidez e o fundamento; há quatro elementos, quatro pontos cardeais e quatro estações. O cinco desperta em mim a ideia das cinco virgens, às quais se ordenou que mantivessem suas lâmpadas acesas. É verdade que eram dez, mas as outras cinco eram néscias, como Vossa Dignidade bem sabe. No quinto dia, Deus criou os peixes e as aves. São cinco os sentidos, e o pentagrama é composto de cinco letras; o cinco é a metade de dez, soma de todos os números. Quando considero um seis, logo penso que Deus criou o mundo em seis dias, que no sexto dia Ele criou os animais que vivem na terra e o homem à Sua imagem e semelhança. Seis é também o número perfeito, pois é o único igual à soma de sua metade, de seu terço e de seu sexto. Representa igualmente a servidão, em razão da injunção divina: "Seis dias trabalharás, mas no sétimo dia não farás nenhum trabalho". No sétimo dia, Deus repousou, e sete também me lembra as Sete Maravilhas do mundo. Sete representa a vida, pois compreende o corpo com seus quatro elementos, que são a mente, a carne, os ossos e os humores, e a alma com seus três elementos, que são as paixões, os desejos e a razão. Se meus olhos pousam no oito, minha mente imagina as oito pessoas que escaparam por pouco do Dilúvio Universal, ou seja, Noé e sua esposa, com seus três filhos e suas respectivas mulheres. O oito também representa a justiça e a plenitude. Dividido uma primeira vez, suas metades são iguais; dividido uma segunda continua par. O nove me lembra a cura dos nove leprosos: sei muito bem que eram dez, mas apenas um agradeceu a Jesus Cristo por tê-lo curado. Nove é também o número das Musas que comandavam as artes e as ciências. O dez me faz pensar nos dez mandamentos que Deus deu a Moisés no Monte Sinai. O dez também representa a perfeição, pois, além dele, só se pode contar com combinações formadas por outros números.

Depois de percorrer todas as cartas baixas, Richard pegou um valete [knave, *em inglês, significa valete nas cartas e, ao mesmo tempo, patife, trapaceiro, desonesto etc.*][62] e o colocou de lado. Logo passou à rainha, dizendo:

---

62 Comentário em itálico inserido no texto pelos tradutores do conto em 1776, deixado em razão de seu interesse por considerar o valete...

— Esta dama me lembra Eva, bem como a humilde Virgem que pôs Jesus no mundo. E a rainha de Sabá, que veio das extremidades da terra para admirar a sabedoria de Salomão. O rei me lembra Salomão e o fato de eu ter de adorar o rei do céu e da terra e servir a meu soberano Jorge III, rei da Inglaterra.

— Muito bem — disse o prefeito —, mas por que você não disse nada sobre o valete?

— Também posso lhe responder a respeito dessa carta se o senhor me prometer que não irá se zangar.

— Prometo. Continue.

— O valete (*ou patife, ou o maior dos patifes*) que conheço é esse sargento que me trouxe à sua frente.

— Vamos deixar isso de lado. Não tem mais nada a dizer?

— Somando os algarismos que se encontram em um baralho, o resultado dá 365, ou seja, o mesmo número de dias do ano. Também se descobre que há 52 cartas em um baralho e a mesma quantidade de semanas no ano. Entre elas, há 12 figuras que também me lembram os 12 signos do zodíaco, os 12 apóstolos, as 12 tribos de Israel e as 12 portas de Jerusalém. As quarenta cartas numeradas me lembram os quarenta dias e as quarenta noites que Moisés passou no Monte Sinai antes de receber de Deus a lei e os mandamentos sagrados para o povo de Israel, ou os quarenta dias passados por Jesus Cristo no deserto. Desse modo, o baralho me serve, ao mesmo tempo, como Bíblia, almanaque, livro de orações e para jogar.

O prefeito, encantado com o modo como Richard apresentou as cartas e com sua engenhosa desculpa, colocou uma moeda de ouro em sua mão e lhe disse que ele era o sujeito mais divertido e esperto que já vira. Em seguida, ordenou a seus serviçais que lhe oferecessem uma boa refeição na cozinha.

Quantos autômatos importantes, que passaram a metade da vida folheando um baralho, não ficariam desconcertados ao encontrar nele um sentido tão engenhoso quanto o do soldado inglês!

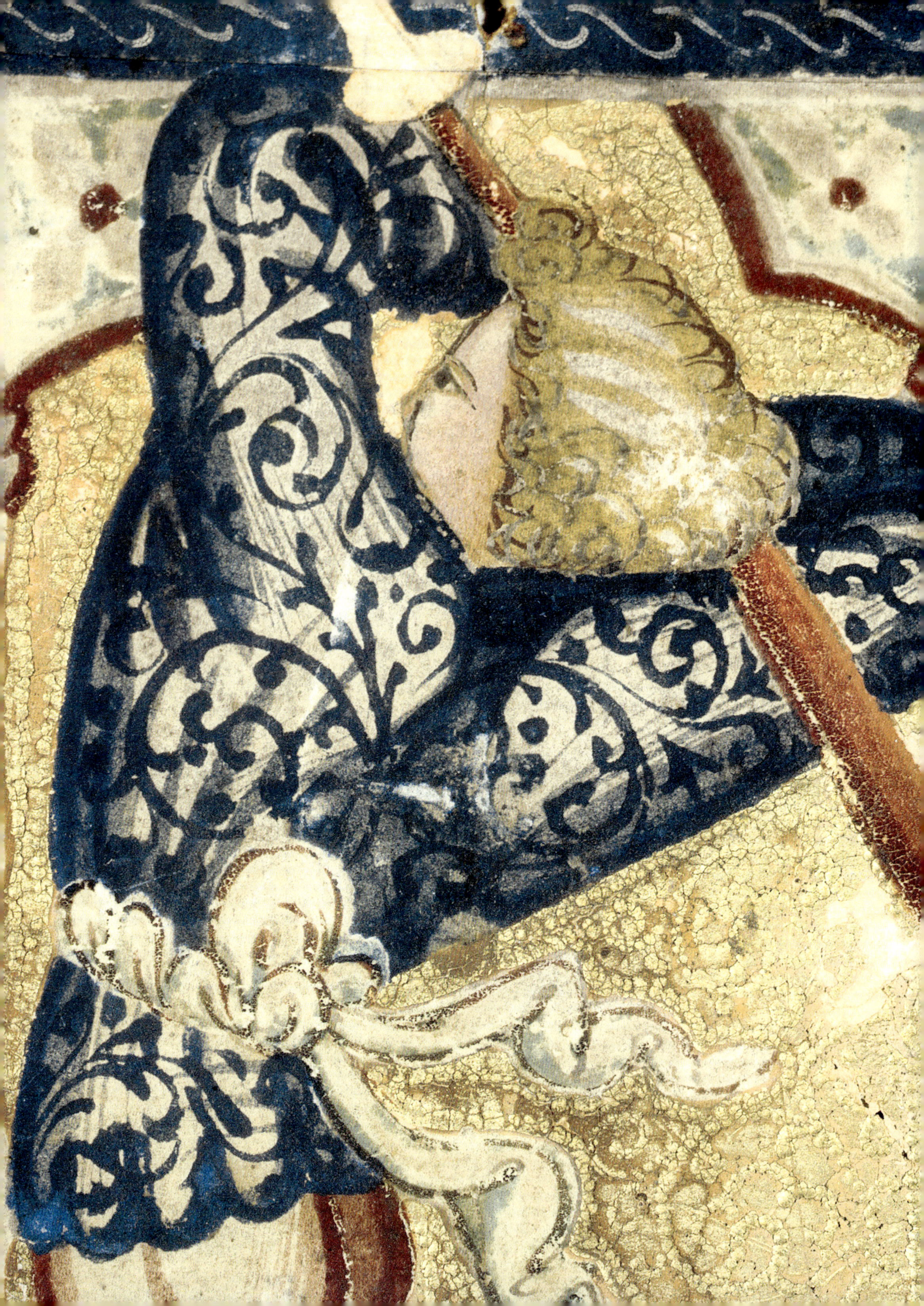

Capítulo II
O surgimento do tarô na Itália

Tarô da coleção Rothschild, Valete de Bastões, norte
da Itália, fim do século XV, Museu do Louvre.

A primeiras referências de arquivos e os primeiros tarôs

◆◆◆ *As primeiras referências de arquivos*

Em 16 de setembro de 1440, Giusto Giusti, tabelião dos Médici, escreveu em seu diário: "Na sexta-feira, 16 de setembro, dei ao magnífico senhor Gismondo um jogo de *naibi* de triunfos que eu havia encomendado em Florença com suas maravilhosas armas, o que me custou quatro ducados e meio". Essa referência, encontrada recentemente por Thierry Depaulis,[63] é a mais antiga a citar um baralho de tarô, com o nome que lhe era atribuído na época, ou seja, *"naibi de triunfos"*. Essa primeira referência mostra Florença, cidade dos Médici, como o local de produção. Posteriormente, os documentos mencionam outros dois lugares: Ferrara, cidade onde reina a família d'Este, e Milão, feudo da família Visconti.

O tarô aparece no norte da Itália na primeira metade do século XV, provavelmente em uma dessas três cidades. Por muito tempo, 1442 foi a data mais antiga mencionada: nessa época, em Ferrara, o pintor Giacomo Sagramoro foi incumbido de produzir quatro jogos de triunfos.

Os quatro baralhos encomendados deveriam incluir copas, espadas, denários, bastões e todas as figuras. Outras referências se seguem, entre 1445 e 1460, a Milão, Florença e Siena, designando os tarôs ainda com os nomes de "cartas de triunfos" ou "jogos de triunfos": *charte da trionfi, triomphi da giocare, ludus triumphorum*. Elas mencionam vários artistas pouco conhecidos como os produtores desses baralhos: Filippo di Marco, Giovanni di Domenico, Antonio di Dino, Matteo Ballerini... Em 11 de dezembro de 1450, o duque Francesco Sforza pediu a seu tesoureiro Antonio Trecchi, em Cremona, que "encomendasse dois jogos de cartas de triunfos, dos mais belos que puderes encontrar". Em outubro de 1452, Sigismondo Malesta, *condottiere* a serviço dos Visconti e grande apreciador de tarô, pediu a Bianca Maria Visconti que lhe arranjasse um "jogo de cartas de triunfos para jogar", e o marido de Bianca, Francesco Sforza, pediu ao mesmo Antonio que mandasse ornar as cartas com suas armas. É dessa família Visconti que provêm os mais antigos tarôs conhecidos e conservados atualmente.

---

[63] *Le Tarot révélé, op. cit.*, pp. 17-8.

❖❖❖ *Tarôs Visconti, os mais antigos do mundo*

Foram conservadas 239 cartas que pertenceram à família Visconti, provenientes de onze conjuntos diferentes, mais ou menos incompletos.[64] Essas cartas foram mais bem conservadas do que os tarôs impressos, pois são de ótima qualidade. Trata-se de cartas pintadas à mão, com pigmentos preciosos sobre fundo de ouro. Esses conjuntos são designados com um ou diversos nomes, em geral o dos antigos proprietários dos baralhos. Os três conjuntos mais importantes são:

✦ O tarô chamado de "**Visconti di Modrone**" ou "de Cary-Yale" (do nome de seu primeiro proprietário particular). Foi **criado em 1441** para o duque Filippo Maria Visconti e destinado a Bianca Maria, por ocasião de seu casamento com Francesco Sforza. É o mais antigo tarô conhecido e preservado. Como a carta do Enamorado traz as armas dos Visconti e dos duques de Saboia, acreditava-se que esse baralho remontasse a 1428, data do casamento do duque Filippo com Maria de Saboia. No entanto, atualmente essa teoria é refutada, uma vez que os bastões e as espadas trazem os emblemas dos Sforza, e as copas e os denários, os emblemas dos Visconti. Talvez as armas de Saboia presentes na carta sejam um meio de "legitimar" Bianca Maria, filha bastarda do duque, associando a esse casamento os naipes de sua legítima esposa... Foram preservadas 67 cartas desse tarô atípico, que compreendia ao menos 89: 64 naipes e cartas da corte e 25 trunfos. Para os trunfos, as três virtudes teologais, Fé, Esperança e Caridade, foram acrescentadas às três virtudes cardeais: Justiça, Força e Temperança. Para as figuras, servas foram acrescentadas aos valetes, e cavaleiras aos cavaleiros, o que também leva a supor que esse baralho foi desenhado para uma mulher: para Bianca Maria, a adorada filha do duque, e certamente não para Maria de Saboia, sua rejeitada esposa, com a qual o casamento nunca foi consumado – outro argumento em favor da data de 1441.

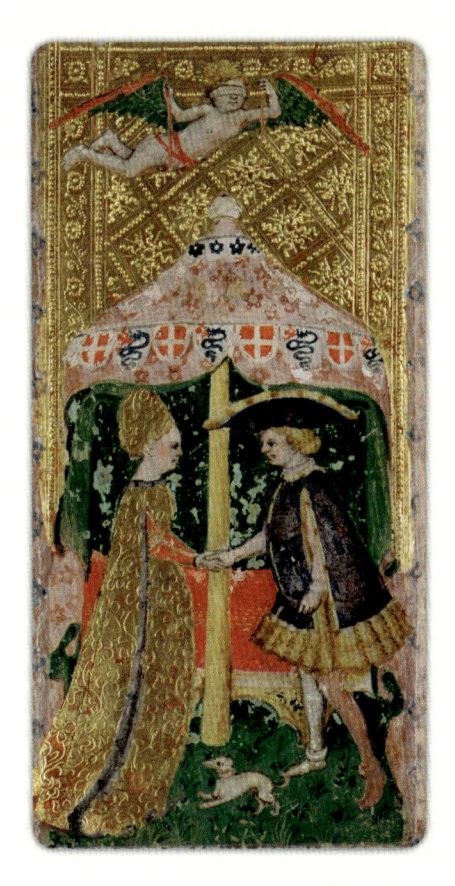

Tarô Visconti di Modrone, o Enamorado, Milão, 1441, Biblioteca Beinecke.

Tarô Visconti di Modrone, a Esperança, Milão, 1441, Biblioteca Beinecke.

---

[64] Ver a descrição detalhada de todos os Tarôs Visconti em *La Grande Encyclopédie du tarot, op. cit.*, pp. 77-121.

Tarô de Visconti-Sforza, o Louco, Milão, cerca de 1452 (fac-símile).

Tarô de Visconti-Sforza, a Lua, Milão, cerca de 1452 (fac-símile).

✦ O Tarô "Brambilla" ou "de Brera-Brambilla" (do nome do último proprietário) também foi pintado para o duque Filippo Maria Visconti, portanto, **antes de 1447**. Infelizmente, desse maravilhoso baralho foram mantidos apenas dois trunfos, o Imperador e a Roda da Fortuna, e sete figuras, mas as cartas numeradas estão quase completas (falta o Quatro de Denários), para um total de 48 cartas.

✦ O Tarô "Visconti-Sforza" ou de "Pierpont Morgan-Bergamo" foi pintado para Francesco Sforza, que se tornou duque de Milão em 1450. A divisa "A bon droyt" [legitimamente], que é a dos Sforza, presente em algumas cartas, permitiu identificar o baralho, datado de **cerca de 1452**. É célebre por ser o mais completo dos baralhos antigos de que se tem conhecimento: dele restam 72 cartas, conservadas em vários lugares diferentes. Faltam apenas o Diabo, a Casa de Deus, o Três de Espadas e o Cavaleiro de Denários. Por muito tempo, atribuiu-se a criação desses três tarôs ao artista Bonifacio Bembo. Atualmente, o nome de Francesco Zavattari surgiu nos textos dos pesquisadores: quando se comparam os afrescos desse artista milanês[65] com os tarôs de Visconti, isso parece mais plausível. Hoje esse tarô é o mais reconstituído ou reimpresso em fac-símile, podendo ser encontrado no comércio com o nome de "tarô de Visconti".

---

65 Desse artista, ver sobretudo os afrescos da capela de Teodolinda, em Monza (Itália).

✦✦✦ *Outros tarôs do século XV, decorados com iluminuras*

Outro tarô antigo e célebre é **o chamado Tarô de Carlos VI**, também conhecido como **Tarô de Gringonneur**, que tem 16 trunfos e um Valete de Espadas conservados na Biblioteca Nacional da França. Esse nome foi mantido por convenção, embora se saiba que é errôneo. Na realidade, o baralho foi oferecido a Luís XIV em 1711 por François Roger de Gaignières, colecionador e erudito, tutor dos netos do rei. Já no século XVIII, as cartas atraíam atenção em Paris. Foi um autor, Constant Leber (1780-1859), que as comparou às cartas mencionadas em 1392 em um livro contábil de Carlos VI, em referência a um pagamento devido a Jacquemin Gringonneur por um baralho. Entretanto, não há divisas nem armas que permitam identificar esse tarô. Sabe-se apenas que se trata de um baralho italiano do **século XV**. Uma análise em laboratório permitiu datar os pigmentos usados nessa época, e estudos aprofundados de comparação com outros baralhos determinaram essa origem italiana: Veneza foi citada como provável local de origem, depois Bolonha. Atualmente, Florença é a hipótese considerada pelos pesquisadores. Quinze cartas de um baralho semelhante são conservadas no Museo Civico Castello Ursino, em Catânia, na Sicília.

✦ **Florença** também é citada como local de origem de outro tarô um pouco menos conhecido, mas igualmente suntuoso: **o Tarô Rothschild**, com nove cartas preservadas. O colecionador e banqueiro Edmond de Rothschild ofereceu oito cartas ao Estado francês; elas são conservadas no Louvre.

✦ **Ferrara**, embora seja citada como um dos locais de origem do tarô, deixou poucas cartas: um precioso Carro que data de 1455 é conservado no Museu Francês das Cartas de Jogo, em Issy-les-Moulineaux; outras duas cartas do mesmo baralho são conservadas em Varsóvia.

✦ **O Tarô d'Este** ou "Este-Aragão", datado de 1473, ano em que Hércules I d'Este se casou com Leonor de Aragão, filha do rei Fernando I de Nápoles, talvez seja de Ferrara ou de Nápoles. Restam 16 cartas, conservadas na Biblioteca Beinecke, na Universidade de Yale.

Tarô conhecido como de Carlos VI, a Justiça, norte da Itália, século XV, BnF.

Tarô conhecido como de Carlos VI, Valete de Espadas, norte da Itália, século XV, BnF.

Tarô d'Este, o Mago, norte da Itália, século XV, Biblioteca Beinecke.

Tarô d'Este, Rainha de Copas, norte da Itália, século XV, Biblioteca Beinecke.

◆ Não pode faltar à lista **o Tarô Goldschmidt** (do nome de seu antigo proprietário, Victor Goldschmidt): nove cartas de um estranho baralho, pintado em pergaminho, suporte muito raro, são conservadas no Deutsches Spielkartenmuseum [Museu Alemão das Cartas de Baralho], na Alemanha. Nesse baralho encontramos um estranho monstro marinho coroado e um Ás de Espadas com uma caveira. Como todos os outros baralhos aqui citados, este também é italiano e data de meados do século XV, sem que se tenha mais informações a respeito.

◆ Quatro cartas de outro estranho tarô do mesmo tipo, chamado de **Tarô Colleoni**, são conservadas no Victoria and Albert Museum, em Londres. A Estrela, representada por uma mulher segurando um astro e um papagaio, e a Morte, em traje de cardeal e disposta sobre um solo de losangos pretos e brancos, são únicas em seu gênero. O Ás de Copas mostra um brasão ornado com as armas dos Colleoni, o que justifica o nome.

◆◆◆ *O que já é possível observar nesses primeiros baralhos?*

Já se pode dizer que todos os elementos estão presentes desde o princípio, mas que os trunfos não são nomeados nem numerados.

Todos os elementos estão presentes, pois, desde os primeiros tarôs italianos decorados com iluminuras[66] até hoje, em cada baralho se encontram 22 trunfos (que mais tarde serão chamados de "arcanos maiores") e 56 cartas (que mais tarde serão chamadas de "arcanos menores"): quatro sequências de 14 cartas de quatro naipes diferentes – copas, espadas, bastões e denários. Os 22 trunfos permaneceram os mesmos até hoje, do Mago ao Louco. De resto, é possível notar a perenidade desse conjunto ao longo de seis séculos – porém, com a reserva de que as representações desses trunfos variaram consideravelmente ao sabor do tempo, assim como seus nomes, quando eles começaram a ser nomeados. Em todos os casos, essa base nunca mudou e serviu de fundamento para a definição do tarô: quer ele sirva ao jogo ou à adivinhação, o tarô é sempre um conjunto de 56 cartas e 22 trunfos, somando 78 cartas no total.

---

66 Exceção feita ao Tarô Visconti di Modrone, que, como vimos, possui três trunfos e oito cartas a mais, compondo um baralho de 89 cartas, conservado de maneira incompleta, pois restam apenas 67. Não obstante, ainda é considerado como um "tarô" pelos pesquisadores, talvez uma elaboração de tarô ou um baralho de transição para o que se tornaria o *minchiate* (baralho composto por 56 cartas e quarenta trunfos, mais o Louco).

Baralho de Minchiate, o Sol,
Florença, século XVII, BnF.

Baralho de Minchiate, o Ar,
Florença, século XVII, BnF.

Baralho de Minchiate, a Força,
Bolonha, 1763, BnF.

Baralho de Minchiate, a Terra,
Bolonha, 1763, BnF.

Muitos outros baralhos, surgidos com cartas semelhantes, mas que não correspondem a esse conjunto preciso, nunca trarão o nome de "tarô": assim, na arte divinatória, serão o que costuma ser chamado de "oráculos"; ou então, se permanecermos nos antigos jogos italianos, podemos evocar os baralhos de *minchiate* ou o *tarocchino*. O *minchiate* surgiu em Florença no início do século XVI e é composto por 41 trunfos e 56 cartas. Nos 22 trunfos tradicionais, tirou-se a Papisa e acrescentaram-se, entre a Casa de Deus e a Estrela, vinte trunfos complementares: a Prudência (para completar as virtudes cardeais ou talvez para substituir a Papisa), as três virtudes teologais (Fé, Esperança e Caridade), os quatro elementos e os 12 signos do zodíaco. O *tarocchino*, por sua vez, surgiu em Bolonha e é composto por apenas 62 cartas, por isso seu nome, que significa "pequeno tarô". Comporta os 22 trunfos, mas na sequência não são encontradas as cartas 2, 3, 4 e 5. Quanto ao baralho que inapropriadamente é chamado de "Tarô de Mantegna", ele não é um tarô nem um jogo composto pelo pintor Mantegna. Voltaremos a discorrer a respeito mais adiante. Contudo, vale notar desde já que o tarô não foi o único jogo inventado nessa época a trazer esse tipo de imagem alegórica ou simbólica. De resto, deixamos de dizer que o *minchiate* fez um sucesso fulgurante na Itália até o final do século XIX, a tal ponto que nos dicionários italianos o tarô era definido como um jogo semelhante ao *minchiate*, e não o inverso.

Vale notar também que as cartas do tarô não são nomeadas nem numeradas. O único meio de saber qual ordem lhes era atribuída e qual nome lhes era dado é a consulta às fontes da época: fontes literárias, manuscritos, poemas ou as estampas de cartas gravadas e não recortadas. O que mostram esses documentos? Que as ordens dos trunfos e seus nomes variavam ao sabor dos jogos e dos lugares.

Tarocchino de Mitelli, o Raio,
Roma, século XVII, BnF.

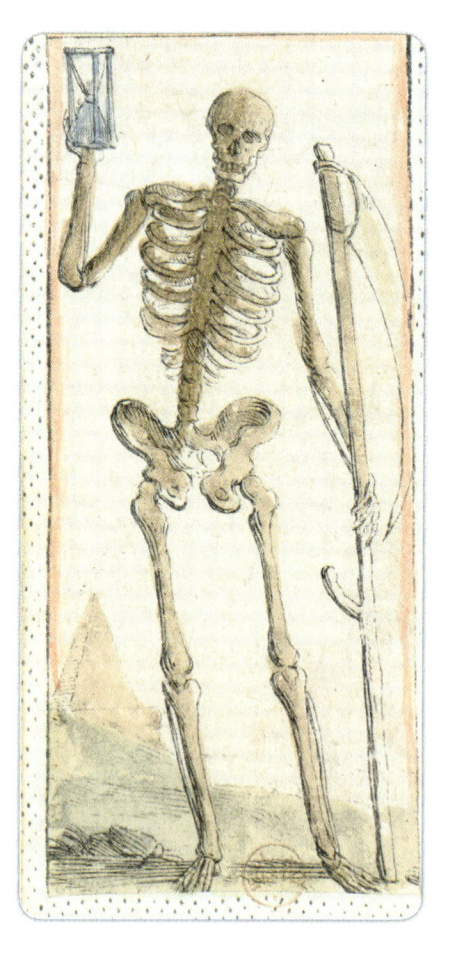

Tarocchino de Mitelli, a Morte,
Roma, século XVII, BnF.

O mais antigo documento conhecido a descrever uma lista dos trunfos do tarô é um sermão manuscrito e anônimo dos anos 1470-1500 contra os jogos a dinheiro: *Sermones de ludo cum aliis* [Sermões sobre o Jogo de Dados].[67] O autor, um padre, descreve e condena o uso dos dados e das cartas comuns, nomeadas com os naipes italianos: copas, espadas, bastões e denários. Em seguida, ele cita os *triumphi* (triunfos), numerando-os e ordenando-os segundo a lista e com os seguintes comentários:

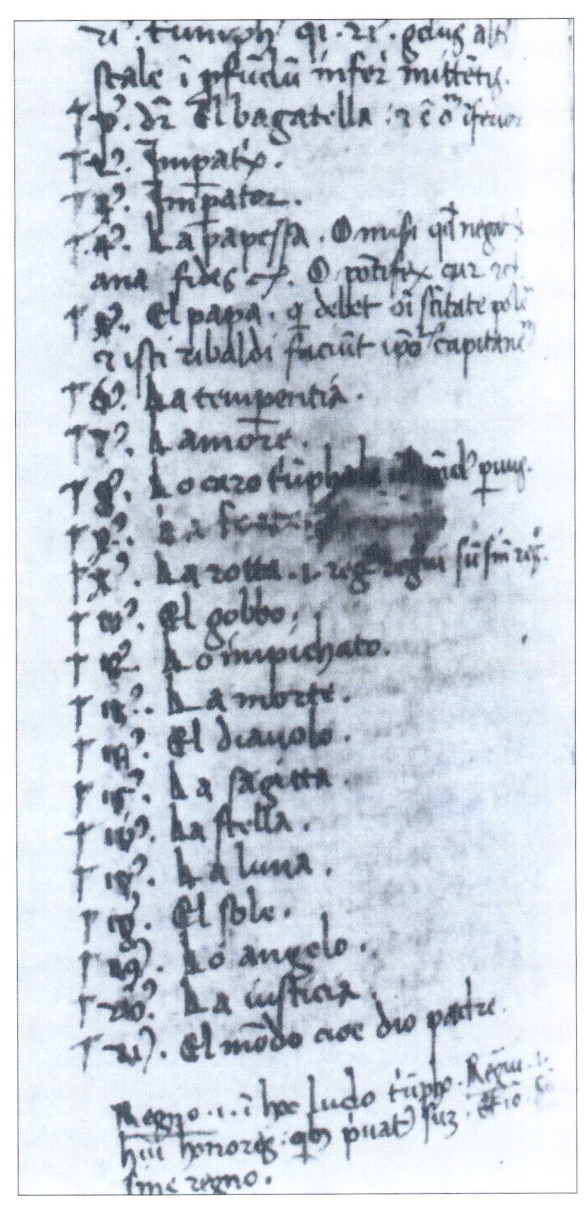

Lista dos trunfos mais antiga de que se tem conhecimento (reprodução pessoal).

01. *Primus dicitur el bagatella (et est omnium inferior)*: o primeiro é chamado de Mago e é o mais baixo de todos.
02. *Imperatrix*: a Imperatriz.
03. *Imperator*: o Imperador.
04. *La papessa (O miseri quod negat Christiana fides)*: a Papisa (ó miserável que nega a fé cristã).
05. *El papa (O pontifex cur, etc. qui debet omni sanctitate polere, et istii ribaldi faciunt ipsorum capitaneum)*: o Papa (por quê, ó papa, que deve reinar na santidade completa, esses criminosos fazem de vós seu chefe?).
06. *La temperentia*: a Temperança.
07. *L'amore*: o Amor.
08. *Lo caro triumphale (vel mundus parvus)*: o Carro Triunfal (ou um pequeno mundo).
09. *La fortezza*: a Força.[68]
10. *La rotta (id est regno, regnavi, sum sine regno)*: a Roda (aqui eu reino, reinei, estou sem reino).
11. *El gobbo*: o Corcunda.
12. *Lo impichato*: o Pendurado.
13. *La morte*: a Morte.
14. *El diavolo*: o Diabo.
15. *La sagitta*: a Flecha.
16. *La stella*: a Estrela.
17. *La luna*: a Lua.
18. *El sole*: o Sol.
19. *Lo angelo*: o Anjo.
20. *La justicia*: a Justiça.
21. *El mondo (cioe Dio Padre)*: o Mundo (ou seja, Deus Pai).
22. *El matto sine nulla (nisi velint)*: o Louco sem Nada (a menos que o queiram).

---

67 Também conhecido pelo nome de "Steele sermon", pois foi publicado e comentado por Robert Steele no artigo "A Notice of the *Ludus triumphorum* and Some Early Italian Card Games with Some Remarks on the Origin of the Game of Cards", em *Archeologia* nº 57, 2ª série, nº 7, pp. 185-200.

68 *Fortezza*, a Força, designada por esse termo, evoca uma ambivalência com a resistência.

De imediato, podemos constatar que a ordem dos trunfos ou arcanos é diferente daquela conhecida no Tarô de Marselha atual e que algumas cartas não trazem o mesmo nome. Desse modo, *el gobbo* designa a figura que mais tarde será chamada de Eremita; *la sagitta*, a Flecha, evoca o traço de raio que fulmina a Torre, mais tarde nomeada Casa de Deus; o Julgamento é simplesmente designado pelo *angelo*, o Anjo. Quanto à ordem dos trunfos, ela pode nos surpreender: sem contar o Mago, o Papa, a Roda da Fortuna (aqui chamada apenas de *la rotta*), o Pendurado, a Morte e o Mundo, todas as outras cartas ocupam lugares diferentes daqueles que conhecemos.

Com efeito, os trunfos nomeados e numerados sempre do mesmo modo aparecerão bem mais tarde. Conforme veremos mais adiante, datam da França do século XVII. Porém, não há ordem predominante nos primeiros tarôs italianos. Como dissemos, ou não são indicados números nem nomes, ou, quando as cartas são numeradas, as ordens variam do mesmo modo. Assim, há duas estampas de cartas antigas italianas, datadas de cerca de 1500, nas quais alguns números são visíveis em algumas cartas. Ambas são conservadas nos Estados Unidos: a primeira, conhecida pelo nome de "Folha Rosenwald", encontra-se na National Gallery of Art, em Washington; a outra, às vezes chamada de "Dick sheets", é preservada no Metropolitan Museum, em Nova York. Elas são interessantes em mais de um aspecto. Inicialmente, permitem ver como era a aparência dos mais antigos tarôs "populares" e gravados: a folha do Metropolitan Museum representa hoje o mais antigo tarô gravado e colorido de que se tem conhecimento. A tabela abaixo representa a ordem dos trunfos dessas folhas (deixamos os nomes italianos do sermão, uma vez que as cartas não têm nomes). Além disso, acrescentamos os trunfos dos mais antigos tarôs franceses conhecidos e os nomes que lhes eram atribuídos.

Rosenwald Ordem A	Metropolitan Ordem B	Tarô parisiense Ordem C	Jacques Viéville Ordem C modificada	Jean Noblet Ordem C
	Il Matto	.... LEFOUS	.... MA	.... LEFOU
1 Bagatto	? Il Bagatella	1 LEBATELEUR	1 BAGA	1 LLBATELEUR
2 Papessa	2 ? Imperatrice	2 LAPAPESSE	2 LAPAPESSE	2 LAPAPESSE
3 Imperatrice	3 Papessa	3 LINPERATRICE	3 LINPERATRYCE	3 LEMPERATRISE
4 Imperatore	4 ? Imperatore	4 LANPEREUT	4 L'ANPEREUR	4 LEMPEREUR
5 Papa	5 ? Papa	5 LEPAPE	5 LEPAPE	5 LEPAPE
6 Amore	6 La Temperanza	6 LAMOUREUS	6 AMOUREUX	6 LAMOUREUX
7 Temperanza	? Il Carro	7 LECHARIOT	7 YUSTICE	7 LECHARIOT
8 Giustizia	8 Amore	8 IUSTICE	8 Le Chariot	8 IUSTICE
9 Fortezza	? La Fortezza	9 LER MITE	9 FORCE	9 LERMITE
10 Carro	10 La Ruota	10 LAROUEDEFORTUNE	10 Roue de Fortune	10 LAROUEDEFORTUNE
11 ? Fortuna	11 Il Vecchio	11 FORCE	11 VIELART	11 FORCE
12 Vecchio	12 L'impiccato	12 LEPANDUT	12 PENDUE	12 LE PENDU
.... Traditore	13 La Morte	13 LAMORT	13 La Mort	13 LAMORT
.... Morte	14 Il Diavolo	14 ATREMPANCE	14 Température	14 LEMPERANCE
.... Diavolo	15 Il Fuoco	15 LE DIABLE	15 DYABLE	15 LEDIABLE
.... Saetta	16 ? La Stella	16 LAFOULDRE	16 LA FOUDRE	16 LAMAISONDIEU
.... Stella	17 ? La Luna	17 LESTOILLE	17 LES ETOILES	17 LESTOILLE
.... Luna	18 Il Sole	18 LA LUNE	18 LA LUNE	18 LALUNE
.... Sole	19 L'Angelo	19 LE SOLEIL	19 LE SOLEIL	19 LESOLEIL
.... Mondo	20 La Giustizia	20 LE IUGEMENT	20 Le Jugement	20 LEIUGEMENT
.... Angelo	21 Il Mondo	21 LE MONDE	21 Le Monde	21 LEMONDE

Folha Rosenwald, norte da Itália, Florença (?), cerca de 1500, National Gallery of Art.

Folha do Metropolitan, norte da Itália, Veneza ou Ferrara, cerca de 1500, Metropolitan Museum.

Michael Dummett havia notado que, se incluirmos as listas de trunfos encontradas nos textos literários, chegaremos a onze ordens diferentes.[69] Ele as reduziu a três grandes tipos, cada um deles correspondente a uma região de origem na Itália. A ordem A, representada pela "folha Rosenwald", foi identificada pelos pesquisadores como proveniente de um centro entre Florença e Bolonha; a ordem B, da folha do Metropolitan, viria de Ferrara, e a ordem C, do futuro Tarô de Marselha (com variantes para o Tarô de Jacques Viéville), teria como origem a região de Milão. Duas coisas essenciais variam principalmente nessas três ordens. Em primeiro lugar, a colocação das virtudes: agrupadas acima do Enamorado na ordem A, são distribuídas de maneira mais aleatória na ordem B (a Justiça se encontra em posição 20, logo após o Julgamento, aqui chamado de Angelo) e na ordem C. Em segundo lugar, as três cartas mais altas: Sol, Mundo, Julgamento (ordem A), Julgamento, Justiça, Mundo (ordem B), Sol, Julgamento, Mundo (ordem C). Se por um lado foi demonstrado que o tarô provavelmente surgiu em uma das quatro cidades mencionadas acima, por outro, os pesquisadores ainda não sabem como ele circulou entre esses quatro centros principais e por que a ordem dos trunfos variou. Ao que parece, a partir de uma ordem inicial (talvez a A), ele pôde ser modificado nos outros lugares. É interessante notar que apenas a ordem C, a do Tarô de Marselha, sobreviveu por mais tempo. A ordem A se tornou a mais importante na Itália antes de desaparecer progressivamente ao longo do século XIX. A ordem B, por sua vez, desapareceu por volta de 1600.[70]

Eis uma forma curiosa de jogar. Qual o meio claro e definitivo nesse caso para encontrar a carta vencedora? Seria possível dispor essas imagens em qualquer ordem, tal como nos tarôs modernos de jogo, nos quais 21 trunfos numerados contêm qualquer figuração, paisagem, personagem etc.? Nos tarôs modernos, os elementos representados nos são familiares. Alguns autores evocam o fato de que, nos tarôs antigos, ocorre a mesma coisa: as figuras gravadas nos trunfos também são familiares. Todo mundo podia reconhecê-las facilmente. Uma autora que muito escreveu sobre a Roda da Fortuna chegou a assinalar em sua introdução que descreveria "a história de uma banalidade", no sentido de que a Roda era um símbolo mais do que comum para as pessoas do final da Idade Média.[71]

Mas esses símbolos não seriam classificados em uma ordem "natural". Desse modo, não haveria razão particular para a Força ser *a priori* superior à Roda da Fortuna; são apenas símbolos diferentes. Portanto, em seguida, seria preciso atribuir-lhes uma ordem, por convenção, para dar sentido ao jogo ou à reflexão, se assim preferirmos. Isso pode explicar o fato de haver diferentes ordens segundo as regiões. Porém, ao mesmo tempo, imaginar um grupo de pessoas discutindo antes de cada jogo para determinar quais cartas são as mais fortes é algo realmente impensável, um jogo impossível. Portanto, podemos considerar que esses tipos de ordens logo se fixaram segundo uma visão de mundo compartilhada. Por exemplo, embora haja variantes, podemos constatar, grosso modo, que as três ordens propostas acima começam com alegorias "terrestres" e vão aumentando rumo a alegorias "celestes": iniciam sempre com o Mago e figuras humanas (Papa, Imperador, Imperatriz etc.) e terminam com a Lua, a Estrela, o Sol, o Julgamento... A Justiça, na ordem B, pode ser vista, então, como outra alegoria que acompanha o Anjo do Juízo Final na pesagem das almas. Também se nota que a Morte é quase sempre posicionada em décimo terceiro lugar.

Os trunfos dos tarôs antigos não parecem desprovidos de significado, diferentemente dos tarôs modernos, que representam de maneira pouco significativa cenas da vida cotidiana. Que o Mundo e o Julgamento sejam as cartas mais elevadas não é algo irrelevante. Evocamos o fato de que, no final da Idade Média, tudo tinha uma função simbólica. Nossos ancestrais sempre mandavam representar coisas que para eles tinham sentido. "Raramente

---

69 *The Game of Tarot, op. cit.*, p. 396.
70 Ver Thierry Depaulis, *Le Tarot révélé, op. cit.*, pp. 24-5.
71 Florence Buttay-Jutier, *Fortuna: usages politiques d'une allégorie morale à la Renaissance*, PUPS, Paris, 2008.

as imagens são inocentes. As da Idade Média são menos do que muitas outras", escreveu o grande medievalista Jacques Le Goff.[72] Na mentalidade medieval, cada objeto, cada elemento, cada ser vivo presente na terra tem, necessariamente, algo que lhe corresponde em um plano superior, uma espécie de equivalente entre as verdades eternas do além.[73] Se as figuras do tarô não escapam a essa maneira de conceber o mundo, talvez seja possível atribuir-lhes sentido.

Em contrapartida, é possível que esse sentido tenha se perdido no final do século XVI. Talvez essa seja a razão pela qual na França começou-se a numerar e, depois, a nomear as cartas. O mais antigo tarô conhecido, com o conjunto de trunfos numerado, é o tarô lionês de Catelin Geofroy, de 1557, e aquele com o conjunto de trunfos nomeado e numerado é um tarô parisiense anônimo da primeira metade do século XVII. Com efeito, quando utilizamos um Tarô de Marselha, podemos nos perguntar por que suas cartas trazem nomes franceses. Está comprovado que as denominações gravadas nas cartas surgiram na França. Por quê? É curioso que símbolos tão eloquentes (o Diabo, o Papa...) precisassem ser nomeados e numerados, como para ganharem uma definição, uma identidade. Talvez a fixação dessa ordem e a atribuição de nomes tenham sido feitas para facilitar o uso do baralho e tornar sua concepção mais legível.

Desse modo, pode-se sugerir que símbolos familiares a italianos abastados do final da Idade Média fossem menos familiares a franceses do reinado de Luís XIII. O que dizer, então, em relação aos franceses de hoje? Teriam ainda elementos suficientes para considerá-los? Como dissemos, no que se refere às cartas de jogo e a seus símbolos, quanto mais nos aproximarmos da época em que foram produzidos, mais chances teremos de compreender seu possível significado. Tentemos uma abordagem semelhante com o tarô.

---

72 Em *Un Moyen Âge en images*, Hazan, Paris, 2007, p. 9.
73 Ver "Le symbole medieval" em Michel Pastoureau, *Une histoire symbolique du Moyen Âge occidental, op. cit.*, pp. 11-28.

Tarô Visconti di Modrone, o Carro, Milão, 1441, Biblioteca Beinecke.

Em que contexto surgiu o tarô?

◆◆◆ *Há muito que dizer com base nos triunfos...*

Uma primeira coisa pode ser mencionada: o primeiro nome do jogo, ou seja, *naibi* de triunfos ou *triomphi*, *trionfi*. Por si só, a expressão já parece bastante eloquente... "Triunfo" vem do latim *triumphus* (que se tornou *triumphe* em francês antigo) e designa várias coisas. Seu primeiro sentido evoca uma vitória esmagadora ao final de um combate militar, de uma luta ou de uma rivalidade qualquer. No século XVI, assim também se nomeava o estabelecimento, o surgimento estrepitoso do que estava em luta, em oposição a outra coisa (por exemplo, o triunfo de uma causa), e o que representava e ilustrava esse estabelecimento. Chegamos ao segundo sentido dessa palavra: na Antiguidade romana, o triunfo era uma cerimônia em homenagem a um chefe que havia obtido uma grande vitória. Acompanhado por um cortejo, o herói entrava solenemente na cidade em seu carro triunfal, sob as aclamações da multidão. Por analogia, em francês existe a expressão *porter quelqu'un en triomphe*, que significa erguer uma pessoa em meio à multidão para aclamá-la. Por extensão, evoca-se a alegria ou exultação proporcionada pela vitória ou ainda um grande êxito ou sucesso. Entre os antônimos dessa palavra estão os termos "queda", "fiasco", "derrota", "derrocada".

Mencionamos as origens das cartas de jogo, seus eventuais sentidos relacionados à guerra, suas afinidades com o xadrez. Uma primeira ideia para o tarô (ainda chamado de "triunfo" até o início do século XVI) é de que esse jogo poderia perfeitamente se situar na linhagem dos jogos de guerra como o xadrez, nos quais o objetivo era colocar o adversário em xeque-mate, tomando seu rei. De imediato, poderíamos argumentar que isso acontece com toda partida; afinal, joga-se para ganhar! Porém, se há jogos que foram criados para que o indivíduo praticasse a virtude ou a reflexão (como veremos mais adiante com outros dois jogos de cartas), nesse caso, parece que o aspecto "vitória" é mais evidente. Poderíamos ver nele um conjunto lúdico e alegórico que contém os elementos necessários para derrotar o adversário com trunfos preciosos. De resto, vale lembrar as raízes de *atout* (termo surgido em 1440): *à* e *tout*.* Em um jogo

---

* *Atout*: "trunfo" em francês. *À* + *tout*: para tudo. (N. da T.)

de cartas, o trunfo (*atout*) designa aquelas que sempre vencem as outras; em sentido mais amplo, um trunfo designa um meio de ter sucesso, de ter uma chance, uma vantagem – mais uma palavra ligada ao conceito de vitória. De resto, em 1512, um autor faz alusão ao tarô de maneira muito interessante. Ao citar um poema de Petrarca, intitulado *I Trionfi* [Os Triunfos], composto entre 1348 e 1374, ele diz: "Meu caro Francesco Petrarca foi realmente brilhante ao dar ao jogo de cartas coloridas o nome de Triunfos, pois nele se vê uma espécie de vitória de guerra".[74] Uma espécie de vitória de guerra...

◆◆◆ *O tarô surgiu em tempos conturbados*

Na época em que o tarô surgiu, o norte da Itália vivia em um estado de guerra quase permanente. Desde o século XIII, suas cidades tiveram um grande desenvolvimento comercial, artístico e intelectual e se tornaram influentes, sendo governadas por famílias importantes ou por conselhos comunais. Essas cidades viviam em conflito pela defesa ou pela expansão de seus interesses, em um contexto europeu igualmente conturbado. Com a peste negra e a Guerra dos Cem Anos (que se encerrou em 1453), o Grande Cisma do Ocidente também dividiu a Europa em duas correntes rivais. De 1305 a 1378, o papado se instalou em Avignon, e a Itália deixou de ter papa. Em seguida, de 1378 a 1417, os papas de Avignon e de Roma travaram uma batalha impiedosa por legitimidade. Nesse momento, o sacerdócio lutava contra o Império: imperadores e papas disputavam para saber quem disporia do poder absoluto na terra: se o soberano temporal ou o espiritual. No norte da Itália, esse conflito provocou as lutas entre guelfos, favoráveis ao papado, e gibelinos, favoráveis ao Império. Em 1454, a frágil Paz de Lodi oficializou na Itália o precário equilíbrio em que coabitavam o ducado de Milão, sob o governo da família Visconti-Sforza, a república de Florença, dirigida pelos Médici, a república de Veneza, o Estado Pontifício e o reino de Nápoles, governado pela família Aragão. Uma série de senhorias menores, repúblicas e comunas gravitavam ao redor das três grandes cidades, Veneza, Milão e Florença, e conseguiam manter-se independentes: Mântua, nas mãos dos Gonzaga; Ferrara, Modena e Reggio, com a família Este; a república de Gênova e as comunas de Lucca, Siena e Bolonha. Nesse contexto político particularmente sombrio, vale a pena observar um pouco mais de perto a vida e o reino de uma dessas famílias, na qual surgiu o tarô.

Bernardo Visconti, senhor de Milão, foi um dos tiranos mais cruéis e impiedosos da segunda metade do século XIV. Dividia o poder com seu irmão Galeazzo, homem simples e tranquilo.[75] Contudo, o filho deste, Gian Galeazzo Visconti, nascido em 1351, não queria permanecer à sombra. Derrubou seu tio em 1385, mandou prendê-lo e envenená-lo. Conhecido pelo nome de "déspota de Milão", estendeu seu domínio pelo norte da Itália – Lombardia e Emilia –, que governou com mão de ferro enquanto vivia na prodigalidade. Em 1395, comprou de Venceslau I, rei da Germânia que dirigia o Sacro Império Romano-Germânico sem usar o título de imperador, o título de duque de Milão por 100 mil florins de ouro e adotou a águia imperial em suas armas. A peste o levou em 1402. Seu filho, Giovanni Maria Visconti, tornou-se o segundo duque de Milão. Soberano depravado, era conhecido por seus cães, mastins napolitanos (uma raça de cães de guarda um pouco mais atarracada do que o dogue alemão), que ele havia adestrado para devorar homens vivos. Dizem que em maio de 1409 incitou soldados contra seu povo faminto pelas guerras incessantes e que gritava "Paz! Paz!" ao passar por ele. Proibiu, então, que se pronunciassem as palavras "guerra" e "paz", mesmo nas igrejas, sob pena de enforcamento. Foi assassinado em 1412, e Filippo Maria Visconti, irmão mais novo de Gian Galeazzo, chegou ao poder. Em

---

74 Citado por Thierry Depaulis em *Le Tarot révélé*, *op. cit.*, p. 30.
75 Relato inspirado por Kaplan, *op. cit.*, p. 74.

1413, casou-se com uma mulher duas vezes mais velha do que ele para tomar posse de sua fortuna e das tropas de seu falecido marido. Mandou decapitá-la em 1418, supostamente por adultério, e casou-se pela segunda vez com Maria de Saboia, mas o matrimônio nunca foi consumado. Sua filha ilegítima, Bianca Maria Visconti, nascida em 1425 de sua amante Agnese del Maino, foi prometida aos 9 anos de idade a Francesco Sforza, um *condottiere* (mercenário) a serviço dos Visconti. Sforza era filho de Muzio Attendolo, um dos *condottieres* mais poderosos da Itália por seus feitos militares. Muzio foi armado cavaleiro em 1387 e chamado de Sforza, nome derivado de "força". Quando o papa deixou de pagá-lo por seus serviços, Sforza mudou de campo e uniu-se às forças do rei de Nápoles. Furioso, o papa mandou fazer uma caricatura do *condottiere* pendurado por um pé, um suplício que, mesmo em efígie, era reservado aos traidores. Francesco nasceu em 1401 e herdou o título de *condottiere* quando seu pai se afogou por acidente. Seu casamento com Bianca Maria ocorreu em 1441; a noiva tinha 18 anos, e o noivo, 40. Apesar das circunstâncias, aparentemente o matrimônio foi feliz e duradouro. Provavelmente foi para essa ocasião que se desenhou, em 1441, o mais antigo tarô conservado até hoje, sobre o qual discorremos.

Quando imaginamos esse tarô, na época ainda chamado de "jogo dos triunfos", bem como suas cartas suntuosas, decoradas com iluminuras que representavam virtudes, papas e imperadores, perdemos um pouco de vista esse contexto de violência, o período de intrigas e fúria, em que um bandido podia comprar a preço de ouro um título de duque. No entanto, as cartas também podem ser o reflexo desses tempos conturbados. Gian Galeazzo Visconti comprou do soberano do Sacro Império seu título de duque. Teriam os Visconti querido provar seu apego ao Império mandando ilustrar um imperador em seu baralho? Sforza foi pendurado pelo pé em efígie como traidor: o Pendurado pode evocar esse castigo, merecido ou não. O Enamorado lembra um casamento, trunfo tão precioso quanto uma rica esposa, como vimos com Filippo Maria Visconti. Que outros trunfos além de um bom casamento seriam necessários a um príncipe dessa época para que ele vencesse seus adversários? Poderíamos citar o poder ou o apoio de um homem do poder (o Imperador), o apoio da Igreja (o Papa), uma esposa bem-nascida (a Imperatriz), o exercício de certas faculdades, como a habilidade ou a aptidão para enganar o adversário (o Mago), e algumas virtudes necessárias para garantir o poder (a Força, a Justiça, a Temperança)? E o que dizer de figuras como o Louco, a Roda da Fortuna, a Morte, o Diabo, a Casa de Deus? Em toda a história dos jogos, nunca se viram cartas com essas imagens. Elas apareciam fossilizadas em obras pintadas ou gravadas, propícias à reflexão sobre a finitude humana ou sobre os fins últimos, como os inúmeros Juízos Finais nos portais das igrejas. É um pouco como se, aqui, elas se colocassem em movimento para se ordenarem de acordo com as circunstâncias das partes, para se harmonizarem ou se combaterem na mesa dos jogadores. As imagens deixam os livros nos quais foram gravadas, saem dos afrescos pintados nas paredes das igrejas ou dos palácios e passam a formar quadros móveis, sempre diferentes, mas em conformidade com temáticas familiares aos que jogam tarô. Essas imagens de papa, imperador, enamorado, louco, morte, roda da fortuna e Juízo Final são muito difundidas nessa época.

E que época refletem? Como acabamos de ver, os tempos conturbados pela guerra, pela peste e pelo transtorno das consciências. Não é insignificante o esqueleto com a foice em uma época em que a peste dizimou mais de um quarto da população europeia. Tampouco é desprovida de sentido a roda da fortuna, quando as fortunas se fazem e desfazem e um potentado qualquer pode acabar brutalmente assassinado por um rival mais forte do que ele. Relevante também é o diabo tentador de consciências, que às vezes parecem bastante reduzidas... Evitemos, porém, pintar um quadro muito negativo da situação, pois essa civilização urbana, rica, guerreira e proveniente de uma época conturbada também é uma civilização que está passando por uma mutação cultural sem precedentes. Desse modo, as cartas são o espelho desse Renascimento.

◆◆◆ *O tarô e o Renascimento italiano*

O tarô surge em uma época que também é um tempo de fartura intelectual, artística e criativa, no qual se desenvolve uma cultura profana. No século XV, a Inquisição se afasta das cidades italianas, onde teria pouca influência, ao contrário do que ocorre na Espanha do mesmo período, por exemplo. Os jogos têm toda a liberdade para se desenvolver, principalmente esses novos jogos de cartas, que se difundiram pela Europa como rastilho de pólvora. Essa cultura profana desenvolve o que se chama de humanismo, ou seja, um movimento intelectual orientado para o estudo das humanidades, o estudo crítico e a imitação dos autores clássicos, erigidos em modelos. É uma cultura que também afirma o primado do humano e uma exaltação do mundo antigo clássico e de sua cultura pagã. No movimento humanista, os vínculos entre os príncipes e os intelectuais são fortes. A partir do século XIV, humanistas e mestres famosos transmitem seu conhecimento às elites políticas que governam as cidades; a educação humanista se estabelece definitivamente na Itália dos anos 1430-1450. São inúmeros os exemplos de príncipes mecenas que encomendam obras ou traduções a um autor ilustre ou a um artista. É o caso dos Médici, por exemplo, que eram protetores de Botticelli e Michelangelo. Nesse contexto, os príncipes também encomendam jogos: vimos que as primeiras aparições do tarô são provenientes de encomendas principescas. Note-se de passagem essa curiosa mistura de barbárie e de refinamento das elites da época, que, ao mesmo tempo, encomendam banhos de sangue e obras artísticas ou filosóficas incomparáveis. Não seria o tarô certo reflexo disso, quando vemos a Estrela suceder ao Raio?

Os autores ou artistas evocados podem escrever ou produzir obras que sirvam, entre outras coisas, para a educação dos príncipes, pois uma das principais características do humanismo é a educação. Um dos mais importantes tratados pedagógicos, *De ingenuis moribus et liberalibus studiis adulescentiae*, escrito em 1402-1403 por Pier Paolo Vergerio, o Velho (cerca de 1368-1444), foi recopiado e impresso inúmeras vezes. Ele enfatiza o bom temperamento do filho do príncipe: disciplinado, ativo, modesto, moderado nos prazeres, desprovido de vícios. Em seguida, celebra os estudos liberais, ou seja, aqueles adaptados ao homem livre para o desenvolvimento do corpo e da mente: a história, a filosofia, a moral e a eloquência, que prosseguem com o *trivium* (gramática, dialética e retórica), o *quadrivium* (geometria, aritmética, música e astronomia) e, por fim, as disciplinas profissionais (direito, medicina e teologia). Outros depois dele quiseram convencer pais e príncipes da necessidade de uma boa educação humanista para formar o caráter e preparar os futuros governantes.[76]

O uso dos jogos também faz parte da educação dos jovens. Poderia o jogo dos triunfos ser educativo? Se ele propõe trunfos para que o jogador triunfe, poderia propor-lhe também que aja como convém a um bom príncipe?

Acabamos de evocar um tratado sobre educação: por certo, podemos nos perguntar o que, além do simples contexto histórico ou dos arquivos, pode nos esclarecer a respeito dos prováveis usos dos primeiros tarôs italianos. Além das obras escritas e das ilustradas, muitas vezes nos esquecemos de que há outros jogos surgidos na Itália no mesmo período. Eles podem ser indícios muito interessantes para começar a busca por elementos de interpretação.

---

76 Todas as referências deste capítulo sobre o contexto histórico e cultural foram extraídas de anotações pessoais de cursos universitários, consagrados à cultura no Ocidente do século XIII ao XV.

3

Primeiros elementos de interpretação e de simbologia

◆◆◆ *Seria o tarô um jogo educativo? Exemplo de um baralho dos anos 1420*

Há um fato conhecido que poderia conter muitas informações sobre as motivações dos autores do tarô: o modo como certo Marziano da Tortona fabricou um baralho para o duque Filippo Maria Visconti nos anos 1420. O baralho desapareceu, mas as circunstâncias de sua fabricação, sua descrição e as motivações de seu autor foram preservadas. O que se sabe sobre essa história e o que ela pode nos ensinar sobre o tarô? Em 1447 foi escrita uma biografia de Filippo Maria Visconti.[77] Ela nos mostra o quanto o duque e sua corte gostavam dos jogos de cartas e como gostavam de inventá-los. Desse modo, entre 1420 e 1425, o jovem duque Filippo Maria pediu a Marziano Rampini da Sancto Aloisio, mais conhecido como Marziano da Tortona, que criasse para ele um jogo com uma nova ideia. A encomenda foi feita provavelmente em 1423, com o anúncio do nascimento de um herdeiro, para glorificar sua família e seus ancestrais. Marziano da Tortona era um homem instruído, muito bem informado sobre as humanidades da época e a astrologia. Muito próximo de Filippo Maria, foi seu professor a partir de 1409, antes de se tornar seu secretário e conselheiro. O jogo foi encomendado por 1.500 ducados, uma bela soma para a época, e foi desenhado pelo artista Michelino da Besozzo, o mesmo que pintou a genealogia dos Visconti; portanto, um excelente artista para ilustrar um jogo em homenagem a essa família. Infelizmente, esse jogo se perdeu,[78] mas uma nota explicativa detalhada, escrita por Marziano para o duque, encontra-se preservada na Biblioteca Nacional da França e contém informações preciosas para nós...

O que diz essa nota? Ela descreve o jogo e fornece as indicações sobre o uso que dele pode ser feito. A descrição evoca inicialmente 16 cartas com a ilustração de heróis. Quatro deles representavam as virtudes: Júpiter, Apolo, Mercúrio e Hércules. A segunda série de heróis representava as riquezas: Juno, Netuno, Marte e Éolo. A terceira série trazia virgens célebres:

---

77 Pier Candido Decembrio, *Vita Philippi Mariae Vicecomitis*, Milão, 1447 (?).

78 Informações encontradas no excelente site *trionfi.com*, cuja página traz todos os detalhes sobre esse primeiro jogo, chamado pelos pesquisadores de "Michelino deck": http://trionfi.com/0/b/.

Palas, Diana, Vesta e Dafne. Quanto à última, ela representava os prazeres: Vênus, Baco, Ceres e Cupido. Subordinados a esses heróis havia quatro naipes, cada um deles simbolizado por uma ave diferente: as águias eram associadas às virtudes; as fênix, às riquezas; as rolas, às virgens; e as pombas, aos prazeres. Aparentemente, essas aves foram escolhidas por sua simbologia próxima da heráldica dos Visconti. Além disso, cada naipe era regido por um rei. Nenhum naipe tinha um valor superior aos outros. Contudo, para as virtudes e as virgens, o valor das cartas aumentava na ordem ascendente (sendo 1 o menor valor), pois se considerava que era conveniente cultivar a virtude e a castidade. Para as riquezas e os prazeres, 1 era o valor mais alto, pois se estimava que ter pouco de ambos era mais benéfico para a vida espiritual. Os heróis tinham um valor mais elevado do que todos os naipes, incluídos os reis: poderíamos dizer que já constituíam uma espécie de trunfo. Júpiter representava o herói de categoria mais elevada, e Cupido, de categoria mais baixa. Marziano descreveu em suas anotações o significado detalhado de cada herói e o que ele fez para ser venerado como um deus, começando com Júpiter e indo até o último, Cupido, que nada tinha de virtuoso, pois era capaz de transformar o coração dos pobres apaixonados em tochas ardentes.

Marziano também expôs ao duque o contexto em que esse jogo poderia satisfazer ao "homem sério e cansado da virtude" para "encontrar recreação na fadiga": "Considerai esse jogo, ilustríssimo duque, seguindo uma ordem quádrupla, pela qual podereis dedicar vossa atenção a coisas sérias e importantes se o jogardes. Às vezes, é prazeroso distrair-se desse modo, e nele encontrareis deleite. E é mais agradável, uma vez que, levados pelo entusiasmo de vossa própria sagacidade, podereis consagrar-vos entre vós para tornar-vos reconhecidos e celebrados como heróis, modelos renomados da virtude, cuja poderosa grandeza transformou em deuses, igualmente para garantir vossa lembrança na posteridade. Portanto, ao observá-los, estai pronto para ser estimulado, despertado para a virtude". Essa anotação traz informações em mais de um aspecto. A descrição detalhada das figuras permite perceber como elas eram consideradas na época. Poderíamos comparar algumas delas com as que encontraremos no tarô. Desse modo, se Cupido ocupa aqui o último lugar entre as virtudes em razão de sua crueldade para com os apaixonados, não poderíamos imaginar que o Enamorado do tarô tampouco é um símbolo muito positivo? Voltaremos a essa questão na seção consagrada a essa carta. Quanto às exortações a ser "despertado para a virtude", elas são ricas em ensinamentos: propõem um uso em que o jogo possa, ao mesmo tempo, servir como divertimento e suporte de identificação ou reflexão. As figuras heroicas existem para que o jogador se identifique com elas e, dessa forma, recupere as virtudes ou condene os vícios que elas representam. É o que claramente explica o secretário do duque.

Por que não ter um uso semelhante para as alegorias presentes no tarô? Por acaso isso significa que deveríamos reduzir o tarô a esse uso, ao exercício da virtude? Já sabemos que não, considerando-se a variedade e a diversidade das imagens que parecem tê-lo inspirado, bem como seu antigo nome, que soa ligado à guerra: *trionfi*. Porém, podemos manter a seguinte ideia geral: as cartas teriam sido criadas para irem além do simples jogo de azar, servindo também como suporte de reflexão. Outro jogo, criado mais ou menos na mesma época, também entraria nesse cenário. Vemos claramente que ele sai do contexto dos simples jogos de azar para entrar naquele dos jogos de edificação, por assim dizer. Evocamos o fato de que os jogos podem servir à educação dos príncipes com o objetivo de bem governar, e esse é um jogo que traz oportunamente o título de "jogo do governo do mundo". Ele nos interessa porque contém cartas semelhantes ao tarô, mas também os elementos que constituem uma boa educação humanista...

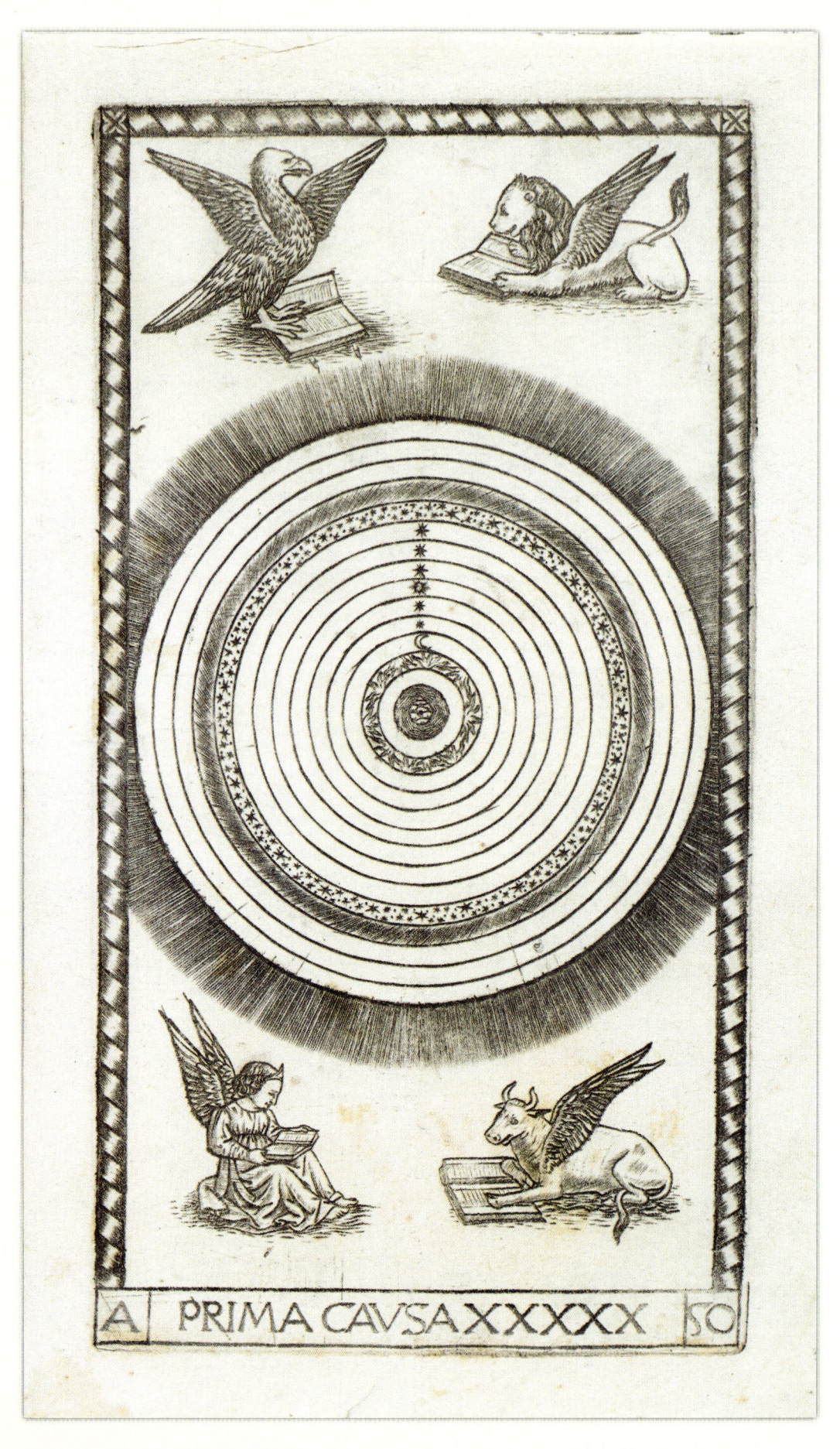

Mestre da série S dos tarôs, tarô conhecido como de Mantegna, *Prima Causa*, norte da Itália, cerca de 1470, Museu do Louvre.

◆◆◆ O Tarô de Mantegna, ou o "jogo do governo do mundo"

Esse nome continuou sendo usado, embora esse jogo não seja um tarô nem uma obra do pintor Mantegna, como se acreditou até o século XIX. Não se trata nem mesmo de um baralho, mas, antes, de uma série de obras gravadas, criada provavelmente por volta de 1465, em Ferrara, por um artista anônimo. São cinquenta gravuras divididas em cinco grupos de dez, um conjunto destinado a pessoas cultas. Talvez esse tipo de jogo de sociedade tivesse como objetivo incitar as pessoas instruídas a profundas discussões ou fosse um jogo educativo. O que corrobora ainda mais essa hipótese é o suporte: essas magníficas gravuras cinzeladas (enquanto para os tarôs se preferia a gravura em madeira) se apresentam como simples folhas de papel, com quatro conjuntos encadernados em forma de livros. Dos cerca de 15 exemplares conservados atualmente, nenhum foi colado para compor cartas fáceis de manipular. O objetivo dos criadores do conjunto não era a manipulação frequente dessas imagens. Existem várias hipóteses a respeito delas. O jogo foi identificado como "jogo do governo do mundo", inventado pelo papa Pio II e pelos cardeais Nicolau de Cusa e João Bessarion, reunidos em Mântua por volta de 1459.

Outras hipóteses fazem dele um jogo criado por artistas ou literatos de Ferrara. Vários nomes foram citados por diferentes autores: as gravuras seriam obra de um artista anônimo da escola de Francesco Cossa ou de um pintor de cartas da corte de Ferrara; a concepção do conjunto também poderia ser atribuída a um grande literato da época, talvez ligado ao círculo do humanista Guarino Guarini (cerca de 1370-1460), que trabalhou por muito tempo para Lionello D'Este, senhor de Ferrara. Tal como para o tarô, não é possível identificar um criador preciso; em contrapartida, como para o jogo de 1423, a teoria de um literato a serviço de um grande senhor é plausível nesse caso. Daí a dizer que o mesmo tipo de personagem criou o tarô, há apenas um passo...

Como dissemos, o jogo se compõe de cinco séries de dez gravuras numeradas. Trata-se de séries designadas pelas letras E (ou S, em outra versão do jogo), D, C, B e A. Todo o conjunto é ordenado em uma perfeita hierarquia, do terrestre ao celeste, desde o homem mais miserável (série E, carta 1: *Misero*, o Mendigo) até Deus (série A, carta 50: *Prima Causa*, a Primeira Causa)... O jogo começa pela hierarquia das condições humanas (série E, imagens 1 a 10). Prossegue com o grupo de Apolo e das Musas (série D, 11 a 20). Seguem-se as artes liberais e as ciências (série C, 21 a 30), os princípios cósmicos e as virtudes (série B, 31 a 40) e, por fim, os planetas e as esferas celestes (série A, 41 a 50).

Para fins de maior clareza, segue abaixo essa hierarquia traduzida e apresentada em uma pequena tabela:

E - Hierarquia humana	D - Apolo e as Musas	C - Artes liberais e ciências	B - Princípios cósmicos e virtudes	A - Planetas e esferas celestes
1 O Mendigo	11 Calíope	21 Gramática	31 Ilíaco	41 Lua
2 O Servidor	12 Urânia	22 Lógica	32 Crônico	42 Mercúrio
3 O Artesão	13 Terpsícore	23 Retórica	33 Cósmico	43 Vênus
4 O Mercador	14 Érato	24 Geometria	34 Temperança	44 Sol
5 O Fidalgo	15 Polímnia	25 Aritmética	35 Prudência	45 Marte
6 O Cavaleiro	16 Tália	26 Música	36 Força	46 Júpiter
7 O Doge	17 Melpômene	27 Poesia	37 Justiça	47 Saturno
8 O Rei	18 Euterpe	28 Filosofia	38 Caridade	48 Oitava esfera
9 O Imperador	19 Clio	29 Astrologia	39 Esperança	49 Primeiro móbil
10 O Papa	20 Apolo	30 Teologia	40 Fé	50 Primeira Causa

A série E, da hierarquia das condições humanas, é a mais fácil de explicar: apresenta todas as situações que o homem pode conhecer na sociedade, da mais miserável à mais elevada, a do representante de Deus na terra, o papa.

A série D apresenta Apolo e as nove Musas. Filhas de Zeus e Mnemósine (divindade da memória), além de cantoras divinas, as Musas influem sobre as artes do pensamento em todas as suas formas. Apenas aos poucos cada uma delas recebeu uma função determinada: Calíope, a mais poderosa de todas, a poesia épica ou a eloquência; Urânia, a astronomia; Terpsícore, a dança; Érato, a poesia lírica; Polímnia, a mímica; Tália, a comédia; Melpômene, a tragédia; Euterpe, a música; e Clio, a história. São dirigidas por Apolo, deus solar com múltiplas funções, entre elas a de deus da Música e da Poesia quando é acompanhado pelas Musas.[79]

A série C mostra as artes liberais e as ciências. Como dissemos, a educação é valorizada pelo humanismo: a série aqui apresentada exibe toda disciplina necessária para que o indivíduo se torne um homem perfeito de acordo com o espírito do Renascimento. Conforme evocamos anteriormente, trata-se das artes liberais mostradas nos manuais humanistas de educação, acompanhadas da poesia, da filosofia e da teologia, que encerra a série, e englobam todas as outras ciências, dado o objeto divino de seu estudo.

A série B descreve os princípios cósmicos e as sete virtudes: as virtudes cardeais (força, justiça, prudência e temperança), conhecidas desde a Antiguidade e completadas pelas virtudes teologais (fé, esperança e caridade), conceitos cristãos extraídos de uma passagem do Novo Testamento (Primeira Epístola aos Coríntios, I, 13). Se as representações das virtudes são tradicionais, as dos princípios cósmicos são novas: estes são nomeados no jogo como Ilíaco, o gênio da Luz, Crônico, o gênio do Tempo, e Cósmico, o gênio do Mundo.

A série A apresenta os sete planetas e as esferas celestes, de acordo com uma concepção do mundo ainda medieval, inspirada na teoria das esferas de Aristóteles e do sistema geocêntrico de Ptolomeu, retomado na obra de Dante. Encontramos um resumo dela na última imagem, a *Prima Causa*. No centro, a Terra é cercada por diferentes esferas, que constituem o mundo celeste: os sete planetas móveis (Lua, Mercúrio, Vênus, Sol, Marte, Júpiter e Saturno), a esfera das estrelas fixas, também chamada de "oitava esfera", o nono céu ou cristalino, o décimo céu ou primeiro móbil, motor de todo movimento, e os três círculos da Trindade, chamados de "primeira causa". Note-se que as dez imagens dessa série não retomam o sistema como um todo: nela não encontramos o nono céu.

Sabe-se que o "Tarô de Mantegna" foi inspirado principalmente em várias obras renomadas da época: *Le Blason des couleurs* [O Brasão das Cores] (autor anônimo), *De Nuptiis Philologiae et Mercurii* [Sobre as Núpcias da Filologia e Mercúrio] (de Marciano Capella, século V), *De deorum imaginibus libellus* [Opúsculo sobre as Imagens dos Deuses] (do monge inglês Albericus, século XII) e o Horápolo, tratado grego do século V que tentava explicar o sistema de escrita egípcio com base em duzentos hieróglifos.[80] Por que citar essas referências eruditas? Para mostrar que o sistema representado por esse jogo é uma emanação do Renascimento italiano no ideal proposto: essa mistura de cultura proveniente da Antiguidade pagã e da religião cristã. Em contrapartida, no que concerne à representação do mundo, seja na hierarquia humana, seja na celestial, ainda estamos na Idade Média. Mesmo as referências aos conhecimentos citados, *trivium* e *quadrivium*, eram conhecidas desde o século V: provinham de Boécio (cerca de 480-524), mestre do pensamento para toda a Idade Média. As Musas eram conhecidas por todo homem letrado havia muito tempo, e as virtudes eram sempre citadas nos manuscritos medievais. Esse jogo é equivocadamente "moderno". Como dissemos, sem dúvida o humanismo é visto nele por meio das representações antigas, do estilo de sua iconografia e pelo fato de que algumas obras que o inspiraram talvez fossem

---

79 Ver Pierre Grimal, *Dictionnaire de la mythologie grecque et romaine*, PUF, 1976, Paris, p. 42 e 304.
80 Referências encontradas em *Tarot, jeu et magie*, Bibliothèque nationale, Paris, 1984, pp. 46-8. É possível encontrar o *Horápolo* (*Horapollon*) digitalizado em Gallica, em uma versão de 1779, traduzida em francês: http://gallica.bnf.fr/ark:/12148/bpt6k9612330b.

Mestre da série S dos tarôs, tarô conhecido como de Mantegna, o Imperador, norte da Itália, cerca de 1470, Museu do Louvre.

esquecidas na Idade Média (é provável em relação ao Horápolo, em uma Idade Média que praticava muito pouco o grego). Mas qual é o sistema mostrado por esse jogo? Um mundo hierarquizado e harmonioso que conduz a Deus.

Entre suas figuras, várias evocam as do tarô por seu nome, sua semelhança iconográfica ou seu significado: o Imperador, o Papa, a Força, a Justiça, a Temperança, a Lua, o Sol, o Rei, o Cavaleiro, o Valete. As representações do mendigo, de Vênus, Marte e Saturno podem lembrar o Louco, a Estrela, o Carro e o Eremita do tarô. A *Prima Causa* e a figura de Júpiter podem evocar a carta do Mundo. Por acaso isso significa que esse jogo teria inspirado o tarô? Sabemos muito bem que não, pois ele surgiu mais de vinte anos após o mais antigo tarô conhecido. Por outro lado, as semelhanças entre os dois jogos são muito flagrantes para serem ignoradas. Além disso, o jogo de Mantegna é claramente hierarquizado, ao contrário do tarô originário: ele permite considerar melhor quais posições os trunfos do tarô poderiam ocupar nas representações da época. Por exemplo, no Mantegna, o Imperador e o Papa são as mais elevadas figuras humanas: no tarô, eles certamente têm o mesmo significado.

Por que "certamente"? As figuras dos dois jogos apareceram em épocas muito próximas (1440 e 1465). Vale lembrar que foi em Ferrara, provável berço do Mantegna, que o tarô foi citado pela primeira vez, em 1440. Desse modo, vejamos o Louco: comparado com o Mendigo, ele está na parte mais baixa da concepção das coisas. O Servidor (valete?) aparece logo em seguida. Ao contrário de alguns autores, não identificamos o Mago com o Artesão, pois para nós está claro que eles não praticam as mesmas atividades: o Mago é um saltimbanco, um homem que nada tem de laborioso. O Cavaleiro (*cavalier*) vem logo depois, seguido pelo Rei. No tarô, poderíamos colocar o cavaleiro entre o valete e a rainha, que antecede o rei. Quanto ao Imperador e ao Papa, já mencionamos sua importância: não havia homens mais elevados do que eles na terra. Em seguida aparecem as virtudes: Temperança, Prudência, Força e Justiça.

São encontradas na mesma ordem nos tarôs provenientes de Ferrara. Como vimos mais acima, em seguida essa ordem variou no que se tornaria o Tarô de Marselha. A Justiça parecia ser a virtude mais elevada. Dada a hierarquia das virtudes no Mantegna, evidentemente se tinha por elas uma enorme consideração: elas vinham após as Musas, as artes liberais e as ciências. Nenhum conhecimento é fecundo se não vier acompanhado de considerações morais e se não ocupar o lugar que lhe cabe no universo. Diferentemente de nosso tempo, que talvez coloque o conhecimento em primeiro lugar na hierarquia das coisas, temos nesse caso uma humanidade, artes, ciências, princípios e virtudes que se articulam em um sistema mais amplo: o homem é um microcosmo em um macrocosmo. Sua vida depende de seu lugar na sociedade, de seu espírito, de seu saber, de sua propensão a praticar as virtudes (foi o que vimos com outros jogos!), mas também das esferas celestes, última série do Mantegna, e presentes nas últimas cartas do tarô: Lua, Estrela, Sol e Mundo. O último não ilustra o planeta Terra, mas constitui uma representação alegórica do Universo.

Há figuras do tarô que não encontramos aqui: a Papisa, a Imperatriz, o Enamorado, a Roda da Fortuna, o Pendurado, a Morte, o Diabo, a Casa de Deus e o Julgamento. Portanto, não podemos comparar plenamente os dois sistemas. Embora o jogo de Mantegna possa ajudar a esclarecer o tarô, ele não é suficiente. Em contrapartida, os dois sistemas conservam uma semelhança flagrante: o aspecto ascensional voltado ao céu ou a Deus.

◆◆◆ *Seria o tarô um modelo de ascensão a Deus?*

Quando observamos as diferentes ordens dos trunfos do tarô, podemos constatar o seguinte ponto comum: eles também começam com um homem de baixa extração (quer se trate do Mago ou do Louco, se decidirmos colocá-lo em primeiro lugar, o que é o caso na ordem B que vimos anteriormente) e terminam com o Julgamento ou o Mundo, ou seja, duas das concepções mais elevadas nessa época – o fim dos tempos e o Universo, no sentido da divindade que inclui sua criação (vimos as esferas celestes, contidas nas esferas "divinas"). Ao que parece, tanto no tarô quanto no Mantegna há uma ordem ascensional. Dois autores antigos nos ajudam nessa teoria.

O historiador Thierry Depaulis identificou dois *discorsi* (discursos) italianos dos anos 1560 que tentam descobrir o significado das cartas de tarô,[81] dois textos que afirmam que as alegorias do tarô não são nada além de representações de etapas a serem superadas rumo a Deus. O *Discorso perchè fosse trovato il Giuoco, et particolarmente quello del Tarocco* (autor anônimo) distingue duas partes na série dos trunfos: a "ativa", abaixo do Diabo, e a "contemplativa", acima dele, para o restante das cartas, da Estrela ao Mundo. Outro tratado, escrito por Francesco Piscina em 1565, analisa os trunfos como etapas a serem superadas para se alcançarem as coisas celestes, representadas pelo Julgamento e pelo Mundo. Para ele, essas etapas se dividiam em três seções: abaixo da Roda da Fortuna, as figuras são o brinquedo da Fortuna, ou seja, da impermanência das coisas; as figuras abaixo da Morte perecerão um dia; todas aquelas acima fazem parte do mundo celeste e eterno. Seu sistema funciona bastante bem se considerarmos as ordens A e B mencionadas. A ordem C, do Tarô de Marselha, não funcionaria com a Temperança acima do arcano XIII. No entanto, as outras ordens podem apresentar uma coerência com essa interpretação: elas começam com uma evocação da vida social, do Louco ao Papa, passando pelo Mago, pela Papisa, pela Imperatriz e pelo Imperador. Depois, em um grupo bastante heterogêneo, encontramos figuras alegóricas que representam diversas vicissitudes da vida humana: as virtudes, o Enamorado (o amor), o Carro (a vitória), a Roda da Fortuna, o Eremita (o tempo), o Pendurado (a traição), a Morte (como vimos, ainda em posição 13, seja qual for o jogo). O grupo final, que começa com o Diabo e termina com o Juízo Final, expõe a ascensão do inferno (o Diabo, a Casa de Deus, também chamada em alguns jogos de *Casa del diavolo*, "Casa do Diabo"), rumo à luz (o Mundo), passando pelas esferas celestes: Estrelas, Lua, Sol. Plutarco dizia que a Lua era a morada dos homens bons depois de sua morte. Após sua permanência no espaço celeste do astro, eles morreriam para renascer e tornar a subir ao Sol, onde se reuniriam com a divindade – à espera da ressurreição, se acrescentarmos o dogma cristão, inevitável nessa época. Talvez Dante tenha influenciado essa visão das coisas com sua viagem pelos mundos sobrenaturais, que ele intitulou de *A Divina Comédia* e na qual atravessou o inferno, o purgatório e o paraíso na companhia de Virgílio.

O problema é que esses sistemas de explicação são posteriores ao surgimento do tarô. Embora sejam interessantes quando se tenta encontrar um sentido para ele, não conseguem explicar sua concepção. Poderiam outras obras, anteriores a seu surgimento, ajudar nesse caso? Teriam elas inspirado os criadores do tarô? Não se pode negligenciar a obra literária homônima do jogo dos triunfos, *I Trionfi* [Os Triunfos], de Petrarca, concluída em 1374.

◆◆◆ Os Triunfos *de Petrarca*

Petrarca (1304-1374) foi um autor notável, que influiu sobre quase toda a Europa ocidental. Tentou fazer reviver na sociedade cristã de seu tempo os ideais da Roma antiga, resgatando todo o patrimônio cultural dos antigos, nos quais se inspirava. Estudou Direito em Bolonha, morou em Avignon, onde conheceu inúmeros personagens de todas as áreas de atuação. Bibliófilo e erudito, tinha uma biblioteca incomparável. Autor e tradutor, reeditou obras clássicas importantes. Sabe-se que foi um dos primeiros mediadores entre a cultura clássica e a mensagem cristã.

---

81 *Le Tarot révélé, op. cit.*, pp. 68-9.

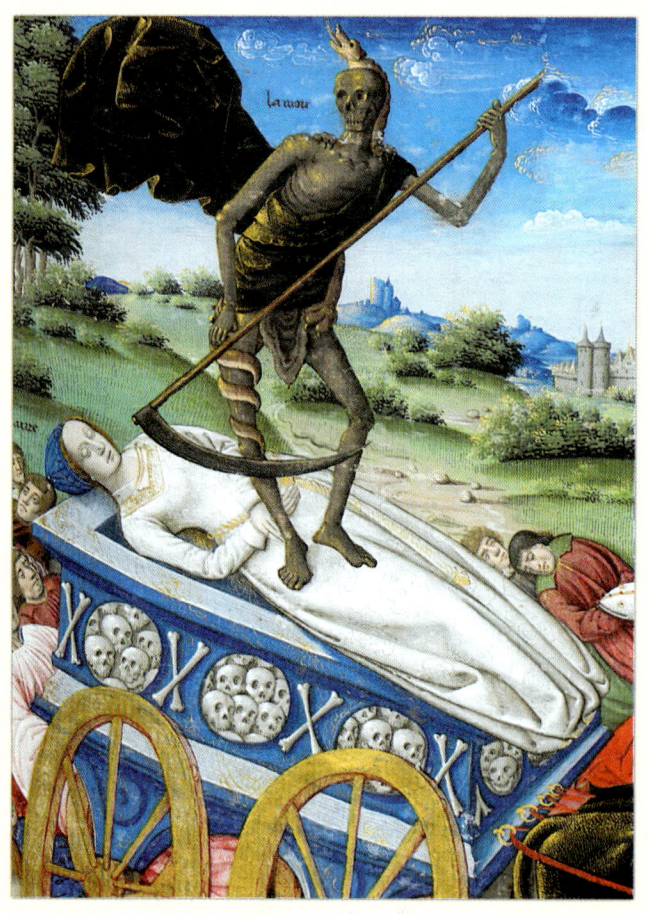

Os Triunfos de Petrarca, o Triunfo do Amor e o Triunfo da Morte, Rouen, 1500-1505, BnF (manuscrito francês).

Em sua obra encontramos o conceito de vitória, desta vez em um plano alegórico. Desse modo, seus *Triunfos* evocam uma sucessão de carros nos quais são representadas figuras alegóricas que, dispostas em determinada ordem, vencem umas às outras. No início, o Amor aparece em um carro. Com seus traços assustadores, ele triunfa sobre deuses e homens; ninguém resiste a ele. No entanto, o Amor é vencido pela Castidade que, no carro seguinte, o conduz em seu cortejo. Em seguida, ela é derrotada pela Morte, que, por sua vez, é vencida pela Fama, até que esta também acaba sendo derrotada. Seu triunfador é o Tempo, ao qual ninguém resiste – exceto o divino na Eternidade, representado no último carro, que encerra o desfile.

As representações desses poemas de Petrarca mostram belas semelhanças com as figuras encontradas nas cartas do jogo dos *trionfi*, futuro tarô: o Amor, com seus atributos habituais, ou seja, o pequeno anjo com seu arco e sua aljava; a Castidade, representada com os atributos da Força (uma coluna ou um leão, sendo que muitas vezes essas duas alegorias carregam os mesmos atributos); a Morte, que abate todos os homens, até mesmo os ricos e os poderosos (como na carta de tarô); a Fama, com seus anjos e suas trombetas; e o Tempo, ancião com a ampulheta, assim representado nos primeiros tarôs italianos e que se tornou o Eremita. Nos atributos da divindade (a Eternidade), reconhecemos o globo que representa o Mundo.[82] Essa noção de "triunfo" também inclui a ideia de hierarquia: no poema de Petrarca, uma alegoria vence a outra porque é considerada superior. Vimos que as alegorias do tarô, apresentadas em certa ordem (embora essa ordem não seja evidente, como pudemos observar), também podiam ser consideradas de acordo com uma hierarquia de preferência, de valor, da mais baixa à mais alta. Teria Petrarca, nesse caso, inspirado o(s) criador(es) do tarô? Note-se de passagem que ele conhecia os Visconti, pois residiu em Milão e foi seu embaixador de 1356 a 1361. Pode tê-los inspirado no que se refere à ideia de fazer com que umas alegorias triunfassem sobre as outras, mas não há nenhuma comprovação a esse respeito. Além disso, seu sistema de representações atém-se a seis figuras, em uma hierarquia que não é a mesma do tarô. Por exemplo, neste, seja qual for a ordem, nunca veremos o Tempo (ou o Eremita) suceder à Morte. Portanto, mais uma vez temos uma fonte de inspiração, mas que por si só não é suficiente. Haveria mais alguma coisa no norte da Itália do início do século XV que pudesse ter inspirado os criadores do jogo dos triunfos?

❖❖❖ *Os carros triunfais e os carnavais italianos*

Sabemos que o norte da Itália, onde surgiu o tarô (como de resto todo o Ocidente cristão dessa época) gostava muito de carnavais. Documentos comprovam a existência da festa em cerca de 1300 nas grandes cidades da Itália, da França, da Alemanha e da Inglaterra. No norte da Itália, esses carnavais ganharam um contorno político. As grandes famílias principescas italianas se apoderaram deles em benefício próprio, tomando como modelo os triunfos da Antiguidade. O termo *trionfo* designava na época não apenas esses desfiles antigos, que ainda podiam ser vistos representados nos monumentos romanos, mas também toda sorte de cortejo em movimento. Petrarca deve ter visto muitos desses desfiles, nos quais os delírios da imaginação podiam influir na elaboração dos carros triunfais. De resto, conforme atestam muitos documentos, seus poemas foram amplamente representados em carros.

Via-se de tudo nesses desfiles, como cenas da Bíblia ou representações do inferno, que eram muito populares. Nesse último caso, usavam-se carros gigantescos com bocarras abertas e carregadas de condenados e demônios fazendo caretas. Também era possível ver cenas da mitologia, como o Julgamento de Páris ou o triunfo de Baco e Ariadne, ou ainda heróis

---

82 Tudo dependia das inspirações do iluminador que ilustraria o poema de Petrarca em questão. Aqui, um manuscrito francês de 1500-1505. Porém, pode-se notar que as figuras alegóricas e seus atributos variam relativamente pouco.

antigos, como César ou Pompeu. Havia loucos, reis, papas e alegorias, quer se tratasse da Força, quer da Temperança ou das etapas da vida: a Infância, a Virilidade, a Velhice... Para tomar exemplos mais concretos, podemos citar a duquesa Battista Sforza que, por volta de 1460, foi transportada em um carro arrastado por dois unicórnios e conduzido por um Amor, e acompanhada da Fé, da Esperança e da Caridade. O duque Federico da Montefeltro manteve-se em pé em um carro triunfal, cercado pela Força, pela Justiça, pela Temperança e pela Prudência. Alguns tentaram proibir esses desfiles, que eram fontes de rixas e desordens, como Savonarola, que de 1490 a 1498, em Florença, mandou queimar baralhos, jogos de dados, livros profanos e trajes belos e transformou os carnavais em desfiles de flagelantes que cantavam lamentações. É com esse estado de espírito que se podiam ver carros carregando alegorias moralizadoras, como a Roda da Fortuna, lembrando a impermanência da condição humana, ou ainda a Morte, que triunfa no seguinte relato: "Participou do desfile um carro imenso, puxado por búfalos e coberto de tecidos pretos, ornados com ossos e cruzes brancas. Carregava uma enorme imagem da morte, armada com uma foice. Perto dela, a seus pés, ataúdes dos quais saíam esqueletos, que sacudiam as tampas e eram capazes de se erguer de maneira assustadora a cada rufar de tambores. Atrás do carro vinham pelotões de cavaleiros vestidos de preto, também marcados com a cruz branca, cada um deles escoltado por quatro escudeiros fantasiados de morte e com uma grande tocha na mão. O cortejo avançava pelas ruas, precedido por um grande estandarte preto. Brandindo uma tocha acima da cabeça, os mortos iniciavam a cada parada um *Miserere* com voz lastimosa e assustadora: 'Dor, pranto e penitência, eis nossos tormentos. Esta Companhia da morte grita penitência. Fomos o que sois, sereis mortos como nos vedes'".[83]

Como no caso dos tarôs, podemos citar nomes de artistas que criaram esses carros carnavalescos. O pintor Piero di Cosimo (nascido por volta de 1460) teria criado esse impressionante triunfo da morte. Jacopo di Pontorno organizou para o carnaval de 1513 um dos maiores triunfos já vistos para celebrar a eleição de João de Médici como papa.[84] A criatividade de ambos também foi praticada em jogos de cartas...

❖❖❖ *Quem teria criado o tarô?*

O que podemos concluir de tal relato? Seria esse conjunto de fontes citadas, de jogos, obras e autores capaz de esclarecer as questões que nos perturbam a respeito do surgimento do tarô, a saber: teria ele um autor? Teria sido concebido com um objetivo preciso? Em caso afirmativo, qual?

Inicialmente, reconsideremos de qual tarô se trata: ainda estamos falando dos tarôs italianos do século XV, decorados com iluminuras, e não do chamado Tarô de Marselha. Ao nos ocuparmos de seus autores ou de seu objetivo, podemos nos perguntar quem teria concebido um jogo de 22 trunfos com as figuras mencionadas, mais 56 cartas com quatro naipes. Quanto ao restante, da evolução da iconografia até o Tarô de Marselha, isso demandaria a intervenção de agentes diferentes. Enquanto aguardamos, podemos pensar: sim, talvez o tarô tenha um autor, assim como aquele jogo de 1423 tinha um. Em contrapartida, atualmente, nenhum é confirmado do ponto de vista histórico. Tudo o que podemos determinar é um perfil de personagem que poderia corresponder, ou seja, com base na história do jogo de 1423 e na do "Tarô de Mantegna", seria um personagem instruído, próximo de uma corte principesca italiana do século XV. Evocamos o nome de Guarino Guarini, talvez autor do Tarô de Mantegna: esse mestre famoso estudou em Verona, Veneza e Pádua, depois residiu em Constantinopla antes de abrir uma escola em Veneza. Em 1430, foi a Ferrara para se

---

83 Referências preciosas, encontradas na obra de Jacques Heers, *Fêtes des fous et carnavals*, Fayard, Paris, 1983, pp. 258 e 278.
84 *Ibid.*

tornar o tutor de Lionello d'Este (1407-1450), seu amigo e confidente. Tornou-se um dos maiores mestres da Universidade de Ferrara, fazendo dessa cidade um centro intelectual importante e formando vários príncipes, servidores do Estado e professores. Esse tipo de personagem pode muito bem ter criado jogos educativos e eruditos para o uso dos jovens príncipes que tinha a seu encargo. Sabendo que Ferrara é um dos três prováveis locais de surgimento do tarô e que este certamente foi criado antes de 1440, o homem aqui citado é um candidato aceitável. Com efeito, antes de atribuir autores ao tarô, não nos esqueçamos de verificar o essencial: de qual tarô e de qual autor estamos falando? A teoria é plausível?

Por exemplo, examinemos o caso do célebre Marsílio Ficino, outro grande literato do Renascimento do qual voltaremos a tratar com o hermetismo. Ele tem de ser evocado, pois costuma ser citado atualmente como o autor do tarô. Como nasceu em 1433, não poderia ter concebido o jogo de 22 trunfos e 56 cartas que surgiu pela primeira vez em 1440. No entanto, segundo alguns ensaístas, ele teria sido o inventor do Tarô de Marselha. Portanto, teria se inspirado no tarô italiano, que não foi criado por ele. Por outro lado, teria incorporado a ele gravuras diferentes, impregnadas de hermetismo e neoplatonismo, ou seja, as figuras do Tarô de Marselha. Veremos em alguns instantes que esse tarô, com as figuras que conhecemos e os nomes das cartas inscritos em francês, surgiu cerca de trezentos anos mais tarde. Fazer de Marsílio Ficino seu criador é um tanto arriscado...

Embora só nos restem suposições quanto ao autor do tarô, vale a pena tentar encontrar os mais prováveis. Para tanto, façamos nossa busca antes de 1440 e, de preferência, na elite letrada das três cidades já citadas, Ferrara, Milão e Florença. Há pouco mencionamos certo Guarino Guarini. Para os anos 1420, em Milão, também evocamos Marziano da Tortona, outra figura de mestre letrado, preceptor de um príncipe, Filippo Maria Visconti, do qual se tornou secretário e conselheiro. Esse personagem um pouco mais modesto, que talvez fosse mais conveniente do que o grande erudito Guarino Guarini para a criação de um jogo, já foi citado com base em documentos como o criador do primeiro jogo de cartas com trunfos. Teria ele criado um tarô? É algo que não podemos concluir, mas que não é improvável.

Não nos esqueçamos dos artistas. Ainda que não tenham concebido os jogos (será?), eles os pintaram. Alguns nomes foram mencionados: por exemplo, Bonifacio Bembo, pintor de Cremona, pertencente à segunda metade do século XV e que durante muito tempo foi citado por ter desenhado o tarô de Visconti-Sforza, embora atualmente a preferência recaia sobre Francesco Zavattari, pintor de afrescos na corte de Milão. Pouco antes evocamos como a arte dessa época influenciou os trunfos do tarô com afrescos, iluminuras e imagens gravadas. Embora os pintores não tenham concebido o jogo, puderam criar as figuras com seus atributos, para os quais havia códigos precisos, como a alegoria da Justiça, representada com uma espada e uma balança. Havia até mesmo obras para guiar os artistas em suas concepções e ajudá-los a se lembrarem desses códigos em caso de necessidade. Evocamos *Le Blason des couleurs* [O Brasão das Cores] e o *Horápolo*. Além desses códigos, os pintores tinham toda a liberdade para representar papas barbudos ou não, enforcados vestidos de verde ou malva, Temperanças com asas de anjo ou nuas e empoleiradas sobre um cervo. O campo é amplo. O que nos leva a nos perguntarmos quem foi o criador das imagens que aparecem precisamente no Tarô de Marselha. Talvez um gravador de moldes de cartas. Quem desenhou o molde? Não se sabe. Tudo o que se pode dizer é que muito provavelmente foi um francês que vivia sob o reinado de Luís XIV, pois os mais antigos tarôs comprovados com base no modelo do chamado Tarô de Marselha são baralhos franceses desse período.[85]

Vale notar que em 1636 foi publicado em Paris um dicionário intitulado *Iconologie ou Explication nouvelle de plusieurs images, emblèmes et autres figures* [Iconologia ou Nova

---

85 Ver todos os detalhes sobre esses tarôs no Capítulo III, "O Tarô de Marselha, seus Ancestrais e seus Descendentes".

Explicação sobre Várias Imagens, Emblemas e Outras Figuras],[86] escrito por um autor italiano e traduzido por um autor francês. O livro contém todo tipo de instrução para representar as figuras de vícios ou virtudes, as figuras régias ou divinas e muitas outras figuras alegóricas: o Amor, a Morte, a Glória etc. Não foi a única obra desse tipo publicada na França da época. Deve ter inspirado criadores de jogos de cartas, ainda que apenas para que eles representassem figuras reconhecíveis por todos com os emblemas corretos...

No que se refere à Itália do século XV, também podemos dizer que os artistas que ali criaram as figuras do tarô talvez não precisassem de obras que os guiassem nos códigos: as figuras criadas eram muito difundidas nessa época. Eram comuns e até banais, mais do que as do Tarô de Mantegna, por exemplo, conjunto reservado a uma verdadeira elite. O tarô, por sua vez, logo saiu dos círculos principescos para se tornar um jogo muito popular, ou seja, os trunfos realmente se dirigiam a todo mundo, conforme evocamos quando mencionamos o fato de que não eram nomeados. As imagens do tarô pertencem ao repertório iconográfico próprio à quase toda a Europa do final da Idade Média, incluídas as referências à Antiguidade clássica, como as virtudes cardeais. Porém, afora isso, segundo qual sistema essas imagens foram reunidas? O problema continua sem solução: com que objetivo o jogo foi composto desse modo? Descobrimos que alguns jogos de cartas dessa época possivelmente serviam à educação e à reflexão. Também podiam ser simples jogos de azar, tal como as sequências de cartas no início. Portanto, o tarô poderia ser um conjunto consagrado ao divertimento e, ao mesmo tempo, à reflexão. Os trunfos seriam utilizados para triunfar sobre o adversário, com cartas distribuídas ao acaso, porém, nessa época, constituiriam figuras inspiradoras e didáticas para todo príncipe cristão e até mesmo para todo mundo. Por que essas imagens? Elas são curiosas sobretudo porque não parecem descrever um sistema inteiro. Nelas encontramos apenas o Mago como condição social, além dos reis e dos papas, três virtudes cardeais em vez de quatro e um sistema celeste bastante incompleto (dois "planetas" e uma "estrela"). De fato, a ideia seria fazer figuras facilmente reconhecíveis à primeira vista, poucos planetas e poucas virtudes. Era preciso haver um sistema, talvez coerente, mas sobretudo que saltasse aos olhos. Para que pudessem ser facilmente identificadas, as cartas não deveriam ser muito parecidas. É o que pensa Michael Dummett.[87]

Para resumir, o que encontramos nesses trunfos que salta aos olhos? Uma confusão: representações do poder (o Papa, o Imperador, a Papisa, a Imperatriz), três virtudes cardeais (a Força, a Temperança, a Justiça), alegorias cristãs (a Morte, o Diabo, a Casa de Deus, o Juízo Final), grandes símbolos da cultura popular (a Roda da Fortuna, o Amor, o Carro – a figura de Alexandre vitorioso era muito difundida na época –, o Louco), planetas e astros (a Estrela, a Lua, o Sol, o Mundo). Essas cartas teriam sido inventadas por um homem letrado do círculo da corte de Milão, Ferrara ou talvez Florença, no contexto cultural e histórico das cortes principescas do norte da Itália: referências literárias e populares, os primórdios do humanismo, mas também um imaginário medieval ainda muito presente, a influência da astrologia (que ainda não abordamos), a imaginação delirante que prevalecia nas invenções carnavalescas suntuosas – tudo isso pôde inspirar os criadores do tarô. Diante de tal riqueza, um autor do século XVI chegou a escrever: "O que mais significam a Papisa, o Carro, o Traidor, a Roda, o Corcunda, a Força, a Estrela, a Lua, a Morte, o Inferno e todo o restante desse carnaval bizarro além do fato de que a cabeça desse homem [o inventor do tarô] era vazia, repleta de fumaça, caprichos e contos ociosos?"[88]

Vimos, porém, que outros autores da mesma época atribuíam sentido a essas cartas. Seria aquele que expusemos anteriormente? Ainda que apresentassem uma perspectiva

---

86 *Iconologie ou Explication nouvelle de plusieurs images, emblèmes et autres figures hyérogliphiques des vertus, des vices, des arts, des sciences. Tirée des recherches et des figures de César Ripa, desseignées et gravées par Jacques de Bie et moralisées par J. Baudoin*, Paris, 1636. Digitalizado em Gallica: http://gallica.bnf.fr/ark:/12148/bpt6k130641h.

87 *The Game of Tarot, op. cit.*, p. 388.

88 Flavio Alberto Lollio, *Invettiva contra il Giuoco del Taroco*, Veneza, 1550 (?), citado por Michael Dummett, *The Game of Tarot, op. cit.*, p. 388.

interessante, é bem improvável que dois ensaístas bastante devotos tenham encontrado o único sentido definitivo para esse conjunto de signos, pois logo acima expusemos um ponto de vista diametralmente oposto. O que podemos dizer quanto ao nível histórico é que nenhum sentido definitivo foi encontrado. Apenas um documento como o que explica o jogo de 1423 poderia nos dar uma explicação sobre as motivações do(s) criador(es) do tarô. Portanto, temos de nos ater a essa primeira lista de hipóteses expostas acima e acrescentar que, até hoje, todos os autores posteriores, sobretudo os ocultistas e os tarólogos, adicionaram apenas hipóteses suplementares, algumas delirantes e outras mais prováveis.

Exporemos a nossa modestamente para concluir esta parte, lembrando que se trata de uma hipótese. Em sua origem, o tarô poderia ter sido, ao mesmo tempo, um jogo de azar e de reflexão. Dada sua composição, ele se presta muito bem às apostas, com suas 56 cartas semelhantes aos jogos tradicionais e seus 22 trunfos; de resto, a regra mais antiga que se conhece do tarô, datada dos anos 1650, não é outra senão a de um jogo de azar. Ao mesmo tempo, esses trunfos, que se apresentam ao jogador para ajudá-lo a triunfar sobre o adversário, poderiam muito bem ser preciosos do ponto de vista simbólico, pois lhe serviriam como suporte de reflexão para ajudá-lo a triunfar na vida, quer esse jogador seja um príncipe (pois, como vimos, no início esse jogo parece ter sido criado para o divertimento e a educação dos homens do poder), quer um homem mais modesto.

Quais seriam os trunfos preciosos para um homem dessa época? Já discorremos a respeito no que se refere aos príncipes: o poder (o Imperador), o apoio da Igreja (o Papa), uma esposa bem-nascida (a Imperatriz), o exercício de algumas faculdades como a habilidade (o Mago) e algumas virtudes (a Força, a Justiça, a Temperança). Abordaremos esse tema com mais detalhes, porém vale notar, por exemplo, que já na Idade Média as figuras de poder (reis, bispos), ou seja, pessoas designadas para comandar os outros, apareciam cercadas por essas virtudes, que, por sua vez, eram apresentadas como sempre necessárias na arte de bem governar. O que mais deveria fazer todo homem da época para bem governar e, em sentido mais amplo, ter êxito em sua vida? Ele deveria ter consciência do tempo que passa (o Eremita) e da impermanência das coisas (a Roda da Fortuna); não sucumbir à tentação e seguir pelo caminho da virtude (o Enamorado); permanecer humilde perante a ideia de que a morte vence todas as coisas, tanto os ricos quanto os poderosos (o arcano XIII), às vezes de maneira desonrosa para quem não é leal (o Pendurado); nunca se esquecer de que a mão de Deus pode incidir a qualquer momento (a Casa de Deus); temer o Maligno (o Diabo) e, assim, ter acesso aos céus (o Sol, a Lua, a Estrela); esperar a eternidade (o Julgamento) e a glória (o Mundo). Vale lembrar que os sermões e os textos da época desenvolviam muito essas ideias sobre a impermanência da vida, a necessidade de temer a morte e garantir a salvação, com uma grande quantidade de rodas, Juízos Finais e esqueletos!

Essa é a nossa teoria, que também é incompleta. Falta a Papisa em nossa sequência e, se evocarmos um jogo que elaboraria considerações morais sobre os fins últimos ou a salvação, oferecendo trunfos para triunfar na vida, certamente faltarão figuras muito inspiradoras da época, como os santos, as santas ou, para quem teme a blasfêmia, virtudes como a fé, a esperança e a caridade, que foram retiradas, ou ainda figuras do conhecimento, como no Tarô de Mantegna. A menos que a Papisa represente tudo isso.

Para resumir novamente, podemos dizer que esse conjunto contém representações da condição humana desde tempos imemoriais: o poder, a mulher, a religião, o amor, a vitória, a derrota (ou a traição), a morte, o bem (as virtudes), o mal, o inferno, o paraíso, a terra, o céu, com o sol e a lua.[89] Talvez seja por isso que ainda hoje ele nos pareça tão expressivo e que tenhamos criado tantos enunciados e sistemas em torno dele.

Deixemos agora a Itália medieval para seguir a evolução do tarô e sua expansão.

---

[89] Os arquétipos, como diriam os discípulos de Jung.

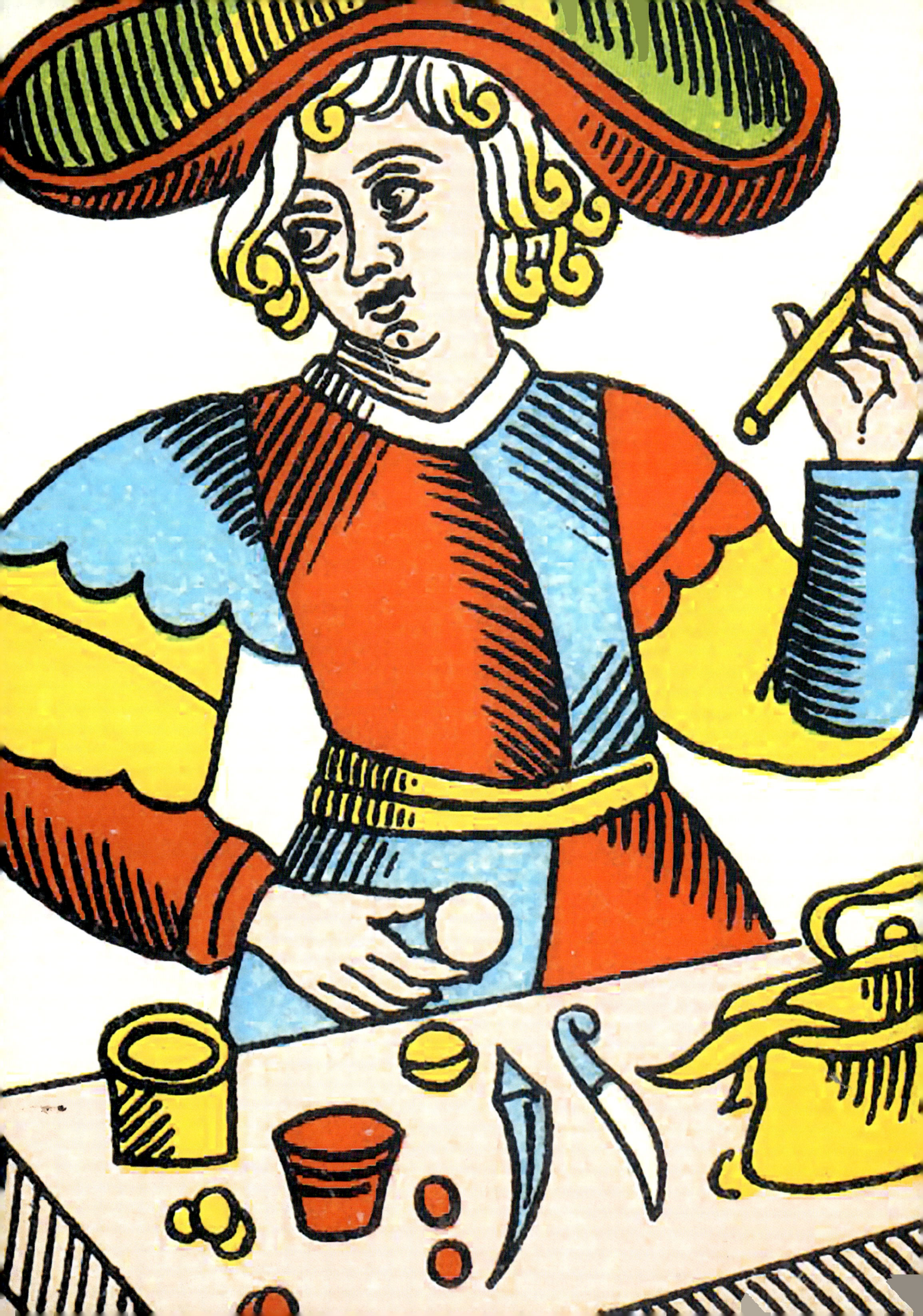

Capítulo III
O Tarô de Marselha, seus ancestrais e seus descendentes

*Primeira edição do Antigo Tarô de Marselha de Grimaud,
o Mago, Paris, 1930, Tarot Museum Belgium.*

A EXPANSÃO DO TARÔ NA FRANÇA

◆◆◆ *De onde vem o termo "tarô"?*

Por volta de 1500 houve um acontecimento importante: o tarô mudou de nome, não se sabe por quê. Chamado até então de *trionfi*, tornou-se *tarocchi*. Essa mudança de nome é revelada na mesma data em duas fontes diferentes. Em 1505, os livros contábeis de Alphonse d'Este em Ferrara indicavam que o duque havia comprado oito jogos chamados de *tarochi*. Na França, a mais antiga menção a um tarô de que se tem conhecimento também data de 1505, em um documento notarial de Avignon, no qual o fabricante de cartas Jean Fort se compromete a entregar, entre outras coisas, "quatro dúzias de [jogos de] cartas, comumente chamados de tarôs" (*quatuor duodenis quartarum vulgo appelatarum taraux*).[90]

Antes de avançarmos no progresso do tarô na história, vale a pena observarmos por um instante esse termo surgido repentinamente no início do século XVI e que, após seu aparecimento, estimulou a imaginação de muitos autores quanto às suas raízes e ao seu significado.

De fato, a citação que acabamos de mencionar nos parece instrutiva: nela se lê *vulgo appelatarum*, ou seja, "vulgarmente chamado"; em outras palavras, *taraux* é um termo da língua vulgar. Os autores da época faziam uma distinção entre as línguas ditas "vulgares" e as "clássicas", que serviam a todo literato nos estudos das humanidades e que eram o latim, o grego e o hebraico. Se essa menção se refere à língua vulgar, podemos então descartar de nossas pesquisas sobre o termo "tarô" toda hipótese de raízes latinas ou gregas e, por extensão, de raízes provenientes de línguas antigas. Outra menção, que data de 1512 e é relatada em 1532, evoca esse fato de maneira ainda mais significativa: "De maneira bárbara e sem levar em conta o latim, atualmente se diz *taroch*".[91] O que é considerado "bárbaro" na época também inclui tudo o que provém da cultura clássica e humanista. Trata-se de uma concepção muito ampla, que engloba as línguas vernáculas e a cultura popular. Em nossa opinião, "bárbaro" se une a "vulgar" para significar um termo "moderno", talvez oriundo diretamente do italiano da época, sem raízes anteriores, um neologismo, por assim dizer.

---

90 Citado em Thierry Depaulis, *Le Tarot révélé, op. cit.*, pp. 29 e 36.

91 Thierry Depaulis, *op. cit.*, p. 30.

Desse modo, embora muitos autores que abordaram o tarô tenham evocado como possível origem o termo *rota*, ou "roda" em latim, para nós ele deveria ser descartado. Além de se tratar de latim, temos nesse caso um anagrama, não uma raiz. A mesma coisa pode ser dita a respeito de *orat* ("ele ora, ele fala"), citado algumas vezes. Pelas mesmas razões, parece que podemos descartar as raízes hebraicas. Assim, a Torá (lei judaica), igualmente citada por alguns autores, sobretudo os ocultistas, como origem provável não tem fundamento: qual relação haveria entre esse jogo de cartas de origem cristã e humanista e a tradição judaica? E embora tenham sido feitas comparações entre o tarô e a cabala, elas são bem posteriores e, de todo modo, não explicam o surgimento do termo. Vale notar que um etimologista italiano do século XVIII cita outra raiz hebraica, *torà*, que teria o sentido de *significante figura*: figura significativa. Dessa forma, poderíamos descartar as raízes gregas pelas mesmas razões. Por muito tempo tiveram a preferência dos eruditos antigos, mas a maioria delas é muito improvável. Poderiam realmente trazer algum esclarecimento sobre o termo bárbaro "tarô"? Com efeito, este seria proveniente do grego *hetarôkoi* ("relativo aos companheiros"*), *tarikhos* ("condimento apimentado", pois o jogo é picante), ou ainda *tarros*, outra forma de *tarsos* ("fileira de dedos", pois as cartas são dispostas umas ao lado das outras com os dedos). Encontramos um autor para o qual o termo *taroter* [jogar tarô] também teria raízes gregas e significaria "perfurar": as cartas *tarotées* são as que trazem o verso marcado por compartimentos acinzentados. Contudo, além de não ser possível comprovar as raízes gregas desse verbo, sabemos que ele apareceu pela primeira vez na França em 1642, ao passo que o termo "tarô" surgiu no início do século XVI. Em resumo, é mais certo que *taroter* provenha de *tarot* do que o inverso.

Em 1781, dando continuidade à sua visão egípcia, Antoine Court de Gébelin afirma que se trata de um autêntico termo "egípcio antigo": "Seu nome é composto por duas palavras orientais: *tar & ra, ro*, que significam 'caminho real'". Vale relembrar aqui que, em sua época, os hieróglifos ainda não tinham sido traduzidos. Portanto, de que egípcio ele estava falando? Podemos citar outras origens nessa linhagem de significados ou aproximações fantasiosas. *Tar-o* significaria "estrela" em sânscrito. Alguns autores mencionaram que, entre as hipóteses, encontra-se *tao*, célebre termo chinês para "sabedoria". Outros citam uma origem cigana: *tar*, que significaria "maço de cartas" e viria do indostano *taru*. Um paralelo que nos parece igualmente inconsistente é aquele feito de origens geográficas: "tarô" pode ter sido inventado no vale do Taro, pequeno rio do norte da Itália que corre não distante dos lugares onde teria nascido o jogo (contudo, vale lembrar que, na época de seu surgimento, o jogo era chamado de *trionfi*). Desconsiderando a verossimilhança, alguns autores foram mais longe, até a cidade de Taro, na Birmânia, ou ao lago de Tarok-Tso, no Tibete.[92]

No século XX, os pesquisadores privilegiaram a raiz árabe, alegando que o termo poderia provir de *tarh* ("dedução", do verbo *taraha*, "rejeitar, deduzir"). Essa raiz está na origem das palavras "tarar", "tara" e "tarado". A primeira significa "pesar para deduzir" (ou seja, pesar um recipiente antes de enchê-lo para deduzir seu peso daquele da mercadoria), e "tara" seria o peso desse recipiente a ser deduzido – por extensão, uma tara constitui todo defeito que diminui o valor de algo ou alguém. No tarô, tratar-se-ia de tirar os pontos do adversário ou ainda de jogar por dedução, colocando algumas cartas de lado. Essa é a hipótese considerada por Thierry Depaulis.[93] Os pesquisadores da "Associazione Le Tarot" também a consideram plausível e acrescentam uma raiz castelhana, *tarea*, que tem a mesma origem árabe, mas significaria "lançar, distribuir, tirar".[94] Essa associação de pesquisadores desenvolveu outras

---

* Artesãos que haviam concluído seu período de aprendizagem, mas ainda não eram mestres. (N. da T.)
92 Citado por Stuart L. Kaplan, *op. cit.*, p. 36.
93 *Le Tarot révélé*, *op. cit.*, pp. 42-3. O autor explica algumas hipóteses retomadas aqui, em especial as raízes gregas e árabes.
94 "Il significato della parola 'Tarocco'" e "Dell'Etimo Tarocco", no *site* "Le Tarot, associazione culturale": www.associazioneletarot.it

teorias muito interessantes que, em nossa opinião, correspondem à ideia de que não é necessário buscar as raízes do termo "tarô" muito além do italiano do século XV. Por exemplo, é citado um poema de 1494, no qual o termo *Taroch* significa "louco, idiota"; em outro texto do final do século XV, a palavra *tarochus* tem o mesmo significado. Esses termos nada têm a ver com as cartas – pode-se objetar –, mas as outras raízes encontradas até o momento também não apresentam nenhuma relação com elas. A expressão pode ter sido aplicada ao jogo para significar que se trata de um jogo idiota. Não estaria esse autor italiano do século XVI ao qual nos referimos evocando o fato de que o autor do tarô é um homem que tem a cabeça "vazia, repleta de fumaça"? Ele chega a acrescentar – e isso é muito instrutivo para nós – que "tarô" é um termo "desprovido de etimologia, fantasioso e bizarro".[95] Nesse caso, estamos autorizados a nos voltar para a linguagem popular da época. O termo também poderia derivar do italiano *arrocco*, verbo oriundo de uma expressão popular que evoca o ataque e é utilizada quando se ataca a torre no xadrez, por exemplo: *ti arrocco* ou *t'arrocco*, que significa "eu te ataco" ou "te obrigo a defender-te". Portanto, "tarô" poderia muito bem provir de exclamações feitas pelos jogadores à mesa... Muito nos interessou uma menção que encontramos em um dicionário etimológico e que pode conduzir aos mesmos significados: "tarô", termo do século XVI de origem obscura, viria do italiano *tarocco*, derivação de *taroccare*, que significa "enfurecer-se" e, por extensão, "responder com uma carta mais forte".[96]

Essa série de raízes e significados prováveis não é exaustiva. Quisemos retomar as que são admitidas com mais frequência, das mais sérias às mais fantasiosas, e concluímos que hoje a questão "de onde vem o termo tarô?" ainda não recebeu uma resposta definitiva. Contudo, orientaremos essa conclusão de acordo com as seguintes ideias: esse termo não tem raízes antigas, sejam elas gregas, latinas ou hebraicas, e provavelmente proviria, como o jogo, da Itália do século XV. Trata-se de uma palavra "vulgar" e "bárbara" ou, para retomar a expressão de nosso autor antigo: "um termo desprovido de etimologia, fantasioso e bizarro".

De passagem, vale notar que os termos "arcanos maiores" e "arcanos menores" para designar as cartas do tarô são bem ulteriores. O vocábulo "arcano" foi utilizado pela primeira vez por Paul Christian (pseudônimo de Jean-Baptiste Pitois) para designar as cartas do tarô, inicialmente em seu *Homme Rouge des Tuileries* [Homem Vermelho das Tulherias] (1863), no qual descreve "lâminas de ouro". O conteúdo de cada uma delas constituiria um arcano, ou seja, um segredo. Em sua *Histoire de la magie* [História da Magia], de 1870, ele desenvolve amplamente essa denominação que ninguém havia pensado em utilizar antes, mas designando com o termo "arcano" apenas os 22 trunfos. É provável que tenha sido Papus a introduzir a noção de arcanos maiores e menores, considerando estes últimos ao evocar o tarô divinatório em 1909. "Arcano" vem do latim *arcanum*, que significa "segredo" e, originariamente, seria um termo da alquimia, recuperado aqui para designar as cartas do Tarô Divinatório. Quanto ao vocábulo "lâmina", ele foi empregado pela primeira vez por Alliette: em suas obras, o autor descreve como os egípcios proferiam oráculos utilizando lâminas de ouro...

Ele até já se refere a lâminas maiores para designar os 22 trunfos e a lâminas menores para as outras 56 cartas. Contudo, para Alliette, cada lâmina traz um hieróglifo: maior ou menor, este seria portador do ensinamento pedido por aquele que consulta o Livro de Thot. O termo "lâmina" vem do latim *lamina* e designa uma chapa plana e fina de material duro; portanto, esse nome foi dado às cartas em alusão à sua forma.

---

95 Flavio Alberto Lollio, *Invettiva contra il Giuoco del Taroco*, citado em Michael Dummett, *op. cit.*, p. 388.
96 Jacqueline Picoche, *Dictionnaire étymologique du français*, Hachette, Paris, 1971.

❖❖❖ *Os mais antigos tarôs franceses de que se tem conhecimento*

A mais antiga menção ao termo *taraux* em francês provém, como já dito, de um documento notarial lavrado em Avignon, em 1505. No entanto, na época, Avignon não fazia parte da França, era uma cidade pontifícia. Cabe a Rabelais a honra de ter mencionado o tarô pela primeira vez na França, em 1534, no capítulo XXII de sua obra *Gargantua*, no qual descreve uma longa lista de jogos.

Os mais antigos tarôs franceses de que se tem conhecimento provêm de Lyon: um deles é um tarô anônimo, gravado entre 1475 e 1500,[97] do qual restam duas cartas, mas foi o tarô de Catelin Geofroy, de 1557, que entrou para a história. Dele restam apenas 12 trunfos e três cartas de corte. Não é de surpreender que provenha de Lyon. Com efeito, nessa época, Lyon era uma cidade próspera, verdadeiro ponto de intersecção por onde transitavam, da Itália rumo à França, tanto ideias quanto mercadorias. Provavelmente o tarô chegou à França passando por Lyon, que adaptou os jogos italianos. Em seguida, prosperou a partir de Lyon, Paris e Rouen, onde haviam sido implantadas as principais manufaturas de cartas do reino. Em 1600, esses três centros são as principais cidades. Fala-se até de Rouen e Lyon como "os celeiros de cartas da Europa". Rouen abastece a costa atlântica, da Escandinávia a Portugal, bem como a Inglaterra. Lyon descarrega seus milhares de baralhos na Saboia, no norte da Itália, na Suíça, na Lorena e na Alemanha. Vale notar que em Marselha ainda não havia nenhum fabricante de cartas. Foi preciso esperar até 1634 para citar o mais antigo fabricante de cartas marselhês: Jean Pradines. Além disso, sabemos que em 1642 os fabricantes de cartas de Lyon se queixavam que os de Marselha falsificavam seus produtos.[98]

Isso confirma o seguinte fato: o Tarô "de Marselha", na forma que o conhecemos, não foi criado em Marselha.

Retornemos um pouco ao caminho que ele pode ter tomado para resultar no tarô vendido ainda hoje. O Tarô de Catelin Geofroy que acabamos de citar é o mais antigo tarô conhecido, cujos trunfos são numerados segundo a ordem C, evocada anteriormente, que é a do Tarô "de Marselha". Nesse sentido, ele é um primeiro ponto de referência rumo ao tarô que conhecemos; mas os números nos trunfos são seu único ponto em comum. De resto, eles não são representados da mesma maneira: temos um Pendurado pelos dois pés, por exemplo, e uma Morte bastante alegre com uma foice e uma pá. As sequências, por sua vez, nada têm a ver com as espadas, as copas, os bastões e os denários tradicionais. Com esse tarô, temos quatro naipes, que são leões, papagaios, pavões e macacos. Pelo que se verificou, na realidade Catelin Geofroy copiou o jogo de Virgil Solis, fabricante de cartas de Nuremberg, que o teria gravado em 1544. Ele também se assemelha aos belos jogos de fantasia alemães, sobre os quais discorremos no início desta obra. Em contrapartida, a moldura dos trunfos com bordas hachuradas, nas quais números são inscritos, é sobretudo de inspiração italiana. Esse jogo mostra, portanto, que havia uma grande mistura de influências na fabricação das cartas. É uma pena que seja o único sobrevivente de uma produção de cartas que, no século XVI, mostrou-se prolífica. Isso nos leva a uma primeira reflexão prudente: o modelo do chamado tarô de Marselha não é evidente. Inúmeros jogos desapareceram e, com eles, uma diversidade talvez ainda muito rica nos séculos XVI e XVII.[99]

Outro tarô segue no sentido dessa diversidade e estabelece um segundo ponto de referência. Na primeira metade do século XVII, um jogo nomeado "tarô parisiense anônimo" (pois traz apenas a menção a Paris para esclarecer sua origem) é conhecido por ser o mais

---

97 Ver o Eremita desse tarô, reproduzido no Capítulo V.

98 Informações encontradas em Thierry Depaulis, "Brève histoire des cartes à jouer", e Joseph Billioud, "La carte à jouer, une vieille industrie marseillaise", *in Cartes à jouer & tarots de Marseille, la donation Camoin, op. cit.*

99 Esse tarô encontra-se integralmente digitalizado no seguinte *site*, que oferece notáveis reproduções de cartas antigas: http://cards.old.no/1557-geofroy.

Tarô parisiense anônimo, o Mago, Paris, primeira metade do século XVII, BnF.

Tarô parisiense anônimo, o Carro, Paris, primeira metade do século XVII, BnF.

Tarô parisiense anônimo, o Imperador, Paris, primeira metade do século XVII, BnF.

Tarô parisiense anônimo, a Temperança, Paris, primeira metade do século XVII, BnF.

Tarô de Jean Noblet, Dois de Denários, Paris, cerca de 1650, BnF.

Tarô de Jean Noblet, Três de Espadas, Paris, cerca de 1650, BnF.

Tarô de Jean Noblet, o Mundo, Paris, cerca de 1650, BnF.

Tarô de Jean Noblet, a Lua, Paris, cerca de 1650, BnF.

Tarô de Jean Noblet, Nove de Copas, Paris, cerca de 1650, BnF.

Tarô de Jean Noblet, o Carro, Paris, cerca de 1650, BnF.

antigo tarô conservado com os trunfos numerados e, pela primeira vez, nomeados em francês. Seu estilo lembra um pouco o do Tarô Lionês que evocamos pouco antes, com uma mistura de influências alemãs e italianas. Com efeito, os trunfos são nomeados em francês, enquanto as sequências trazem iniciais provenientes do italiano, com S para *spade* (espadas) e F para *fante* (valete), por exemplo. Encontramos a mesma mistura de criações que nos baralhos alemães, com bandeiras e animais fabulosos. Os trajes do reino de Henrique IV (1589-1610) permitem situar um pouco esse tarô no tempo, e as cenas oferecem uma saborosa mistura de imaginação e realismo. Por exemplo, o Mago deixa entrever uma cena da vida cotidiana, na qual as pessoas apostam e jogam nas hospedarias, enquanto o Carro oferece uma cena completamente fantasiosa, na qual um personagem vestido como imperador romano encontra-se em um carro puxado por duas aves fabulosas, parecidas com cisnes. Vemos também que esse tarô contém inúmeros brasões extraídos de um tratado de heráldica da época, mistura de armas francesas e italianas. Por fim, essas primeiras menções a trunfos em francês diferem um pouco das que conhecemos: encontramos *Le Fous* no lugar do *Mat* [Louco]; *Atrempance* é uma forma antiga de *Tempérance* [Temperança], empregada no final da Idade Média; *La Fouldre* [o Raio] designa o que mais tarde foi nomeado *Maison-Dieu* [Casa de Deus]. As ortografias são aproximadas: *Le Pandut* [O Pendurado], *Linperatrice* [A Imperatriz] e *Lanpereut* [O Imperador] lembram que nessa época a linguagem escrita ainda não havia sido estabelecida. A Academia Francesa surgiu apenas em 1634 com o objetivo de normatizar o francês, e seu primeiro *Dictionnaire de l'Académie* [Dicionário da Academia] data de 1694. Enquanto isso, os fabricantes de cartas tinham toda a liberdade para nomear suas cartas em função dos conhecimentos locais. O que mais esse jogo nos ensina? Que ele também é uma mistura de influências. Trata-se de mais um jogo "internacional", por assim dizer, o que nos leva a nos perguntarmos se o que originou o modelo do Tarô "de Marselha" também não teria recebido influências diversas. O fato de se ter constatado que o tarô com 22 trunfos e quatro sequências surgiu na Itália, mas que as numerações e denominações de trunfos são francesas, pode ser suficiente para nos convencer. O que se costuma chamar de "Tarô de Marselha" é, a princípio, o resultado de diferentes jogos. *A posteriori*, é também um modelo de jogo que sobreviveu melhor do que outros, e veremos como.

Instauremos um terceiro ponto de referência. Nos anos 1650, um fabricante de cartas parisiense, chamado Jean Noblet, edita um tarô. É o mais antigo de que se tem conhecimento e ainda conservado. É também o primeiro a propor o modelo encontrado em seguida em todos os tarôs ditos "de Marselha". Em dois documentos notariais, descobre-se que Jean Noblet trabalhava como fabricante de cartas em Saint-Germain-des-Prés, em 1659. Ele é claramente citado no Dois de Denários e no Dois de Copas. Nesse tarô de pequena dimensão (o que é bastante incomum para esse jogo) encontram-se as representações familiares aos usuários dos Tarôs de Marselha, tanto nos trunfos quanto nas sequências. Os bastões, as copas, as espadas e os denários são ilustrados dessa maneira específica, uma mistura de figuras *naïf* e abstratas, conhecida até hoje. Quanto aos trunfos, a Lua representada com o tanque de água, o lagostim, os cães e as torres é um exemplo significativo. No passado, ela era ilustrada ora com os astrônomos que a observavam, ora com uma figura feminina que a carregava como atributo. Pela primeira vez vemos o Sol como astro do dia superando os gêmeos diante da mureta. Esses elementos simbólicos particulares não são vistos em nenhum tarô anterior. Quanto às iniciais "IN" no Carro, talvez elas sejam as de Jean Noblet.

Por acaso isso significaria que o Tarô de Marselha surgiu em Paris, em meados do século XVII? Não há certeza a esse respeito. Os acasos da conservação permitiram preservar esse tarô entre centenas de outros. Certamente Jean Noblet não é o primeiro a ter criado um jogo com base nesse modelo. Sabemos, então, de onde ele provém?

❖❖❖ *A Itália, mais uma provável fonte de inspiração*

Em 1980, um documento excepcional foi publicado pelo pesquisador Michael Dummett: uma folha impressa de tarôs, não recortada, conhecida atualmente como "folha Cary" (do nome de seu último proprietário particular).[100] Essa folha é notável por ser o mais antigo documento de que se tem conhecimento hoje e que apresenta esses elementos simbólicos, encontrados no Tarô de Jean Noblet. Proveniente de Milão e datada de cerca de 1500, ela permite compreender que os símbolos do chamado "Tarô de Marselha" provavelmente também são originários da Itália. Basta observá-la para descobrir esses símbolos particulares; a semelhança é flagrante. Outra descoberta muito improvável e importante confirma essa teoria: no início do século XX, foram encontradas no poço do castelo dos Sforza, em Milão, seis cartas muito parecidas com esse modelo. O Mundo, único trunfo encontrado (as outras cartas eram o Seis, o Sete e o Nove de Espadas, o Oito de Bastões e o Seis de Denários), apresenta pela primeira vez essa figura na *mandorla*, cercada pelo anjo, pela águia, pelo leão e pelo boi. Não é possível determinar sua data exata, mas essas poucas cartas seriam do século XVI ou XVII.

No entanto, elas estabelecem mais uma referência: é bem provável que esse modelo originário de Milão (de onde também provém a ordem C que mencionamos) tenha chegado à França passando por Lyon, onde foi adaptado ao uso francês no século XVI ou XVII. Vale notar de passagem as grandes lacunas dessa história. Elas também nos exortam à prudência. No que se refere ao nosso modelo de "Tarô de Marselha", temos um século e meio e dois países diferentes entre a folha Cary (Milão, 1500) e o tarô de Jean Noblet (Paris, 1650), que ainda não é o modelo "concluído" que conhecemos e com o qual trabalharão os tarólogos. Com isso, é difícil afirmar, por exemplo, se o autor do Tarô de Marselha nasceu durante o Renascimento italiano. Não temos nenhum vestígio da circulação desse modelo em dois séculos. Podemos apenas supor, por exemplo, que talvez ele tenha sido elaborado em Lyon depois da Itália, embora o mais antigo tarô conservado seja parisiense. Por que Lyon e Paris? Porque Lyon, como dissemos, era um centro de produção de cartas muito importante, além de ser um ponto de intersecção entre a França e a Itália. Além disso, era um lugar de expor-

---

100 Atualmente conservada na biblioteca da Universidade de Yale, em New Haven, Estados Unidos. Publicada em *The Game of Tarot*, op. cit., estampa fora do texto, nº 14.

Folha Cary, Milão, cerca de 1500, Biblioteca Beinecke.

tação de cartas. Outro ponto da história do tarô permite sustentar essa teoria. É preciso mencioná-lo quando chegamos à França do reinado de Luís XIV (1643-1715): sabemos que nessa época o tarô foi muito pouco utilizado na França, exceto na Provença e na Alsácia. Na corte de Versalhes, onde se gostava tanto de jogar, ele não existia, ninguém falava dele. Cronistas célebres, como Madame de Sévigné e Saint-Simon, não o mencionam.

Também é possível constatar este estranho paradoxo: foi a França do século XVII que nos deixou o modelo do Tarô de Marselha, uma França que não se interessava pelo tarô! Quando avançamos no século XVIII, a célebre *Enciclopédia* de Diderot e d'Alembert chega a falar do tarô como um jogo estrangeiro. Estamos em 1765: "TARÔS, termo de fabricante de cartas, são tipos de cartas de jogo, utilizadas na Espanha, na Alemanha e em outros países. Essas cartas são marcadas de maneira diferente das usadas na França e, enquanto as nossas são distintas por corações, losangos, lanças e trevos, essas apresentam copas, denários, espadas e bastões, chamados em espanhol de *copas, dineros, espadillas* e *bastos*. O verso das cartas chamadas de tarôs costuma ser ornado com diversos compartimentos". No entanto, o século XVIII francês, que também não jogava tarô, é o século de ouro dos Tarôs de Marselha...

Tarô de Jean-Pierre Payen, o Imperador,
Avignon, 1713 (fac-símile).
© Tarot de Marseille Heritage.

Tarô de Dodal, o Imperador,
Lyon, 1701-1715, BnF.

Tarô de Jean-Pierre Payen, o Pendurado,
Avignon, 1713 (fac-símile).
© Tarot de Marseille Heritage.

Tarô de Dodal, o Pendurado,
Lyon, 1701-1715, BnF.

2

O SÉCULO DOS "TARÔS DE MARSELHA"

✦✦✦ *Os mais antigos "Tarôs de Marselha" de que se tem conhecimento*

Após o Tarô de Jean Noblet, vejamos quais são os mais antigos tarôs conhecidos com base nesse modelo e com o que se assemelhavam.

✦ **O Tarô de Jean-Pierre Payen** é conhecido atualmente por ser o segundo Tarô "de Marselha" mais antigo e datado: no Dois de Denários, ele traz a menção "IEAN PIERRE PAYEN Ano 1713". Nascido em Marselha, em 1683, Jean-Pierre Payen estabeleceu-se em Avignon em 1710, onde morreu em 1757. Nessa época, os fabricantes de cartas de Avignon, que ainda dependiam dos estados pontifícios, gozavam de privilégios de isenção fiscal, o que talvez explique por que Jean-Pierre Payen se instalou na cidade. Esse privilégio cessou em 1754 sob a pressão dos fabricantes de cartas marselheses, que nele viam uma concorrência desleal. Foi quando a produção de Marselha pôde desenvolver-se plenamente. Enquanto isso, no início do século XVIII, os tarôs eram fabricados em Avignon, Marselha, Lyon e Dijon.[101]

✦ **O Tarô de Dodal** vem de Lyon. Também se tornou célebre por ser o segundo mais antigo Tarô "de Marselha" conhecido (mas não datado!), fabricado em Lyon por Jean Dodal, sobre o qual sabemos que atuou de 1701 a 1715. O jogo era destinado à exportação para a Itália que, curiosamente, quase não o produzia mais. Essa intenção era claramente designada pelas menções que apareciam em algumas cartas: "F. P. LE TRANGE" (feito para o estrangeiro).

Esses dois tarôs apresentam semelhanças, elementos que lhes são próprios e que não veremos na versão mais "acabada" do Tarô de Marselha (a que ainda hoje é a mais difundida): o Louco (*Mat*) é chamado de "le Fol"; a Imperatriz é chamada de "Imperatris"; o Imperador traz nos dois jogos, de maneira bastante inexplicável, um 4 em algarismos arábicos além do IIII em algarismos romanos; o Papa

---

[101] Muitas informações sobre esses tarôs encontram-se no catálogo da exposição *Tarot, jeu et magie*, op. cit., pp. 71 a 73 para os Tarôs de Marselha.

apresenta um estranho bastão encimado por um globo; o anjo do Enamorado tem os olhos vendados; o Carro, intitulado "Charior", não possui brasão decorado; curiosamente, o Pendurado mostra a língua e os dedos... Em contrapartida, seu nome é escrito de forma diferente: "le Pendu", para Jean-Pierre Payen, e "le Pandu", para Dodal. Nesse caso, ainda podemos constatar uma ortografia aproximada. O Diabo traz um rosto no ventre. O Mundo apresenta um estranho personagem andrógino, cercado por uma folhagem... Vemos que não são os mesmos moldes encontrados na origem desses baralhos, mas suas representações bastante semelhantes são surpreendentes: os dois Mundos, como outras figuras, os dois Papas e os dois Eremitas, por exemplo, são muito parecidos. Não em todos os aspectos: notamos a menção "F. P. LE TRANGE" em Dodal. Esse baralho também traz outras menções diferentes: por exemplo, a Papisa carrega a curiosa designação "LA PANCES" (o pensamento?).

Na história dos tarôs, os pesquisadores classificaram os que acabamos de descrever em uma categoria nomeada "Tarôs de Marselha de tipo I". O "Tarô de Marselha de tipo II" é o que ainda se usa atualmente.

◆ **O Tarô de Pierre Madenié** é o mais antigo exemplar conhecido atualmente do tarô que chamamos de "Tarô de Marselha de tipo II"; em outros termos, é o modelo que também inspirou os fabricantes de cartas Nicolas Conver, Grimaud e Camoin e que se tornaria o preferido dos ocultistas e dos tarólogos. Além disso, é o mais antigo Tarô de Marselha datado de que se tem conhecimento. Foi fabricado em Dijon, em 1709. A família Madenié atuou em Dijon de 1709 a 1740. Deixou outro tarô, datado de 1739, o de Jean-Baptiste Madenié, filho de Pierre. Embora o Tarô de Pierre Madenié seja o mais antigo a dispor de referências e um dos mais belos pela qualidade de sua gravura e de suas cores, não devemos nos deixar enganar: não se sabe se Pierre Madenié é o criador desse modelo, que talvez possa remontar ao século XVII. Outros mais antigos ainda estão para ser descobertos.[102] Mais uma vez, isso relativiza a ideia de que o tarô tem um autor conhecido. Trata-se de mais uma lacuna histórica, que só pode ser preenchida por suposições. Entre elas, podemos, portanto, considerar que o autor do Tarô de Marselha talvez seja um fabricante de cartas francês da época do reinado de Luís XIV. As menções em francês que nomeiam as cartas são uma prova já bastante eloquente para estabelecer a criação desse modelo de jogo na França; são até a única certeza que podemos ter.

Tarô de Pierre Madenié, o Mago, Dijon, 1709 (fac-símile). © Tarot de Marseille Heritage.

Tarô de Pierre Madenié, o Louco, Dijon, 1709 (fac-símile). © Tarot de Marseille Heritage.

---

102 Para o fac-símile do Tarô de Pierre Madenié e as informações sobre este último, ver o *site* de Yves Reynaud e seu extraordinário trabalho de edição e pesquisa sobre os Tarôs de Marselha antigos. Nós lhe agradecemos pelas reproduções de seus tarôs aqui apresentados: www.tarot-de-marseille-heritage.com.

Tarô de Pierre Madenié, o Papa, Dijon, 1709 (fac-símile). © Tarot de Marseille Heritage.

Tarô de Pierre Madenié, Dois de Denários, Dijon, 1709 (fac-símile). © Tarot de Marseille Heritage.

Tarô de Pierre Madenié, a Casa de Deus, Dijon, 1709 (fac-símile). © Tarot de Marseille Heritage.

Tarô de Pierre Madenié, Rei de Bastões, Dijon, 1709 (fac-símile). © Tarot de Marseille Heritage.

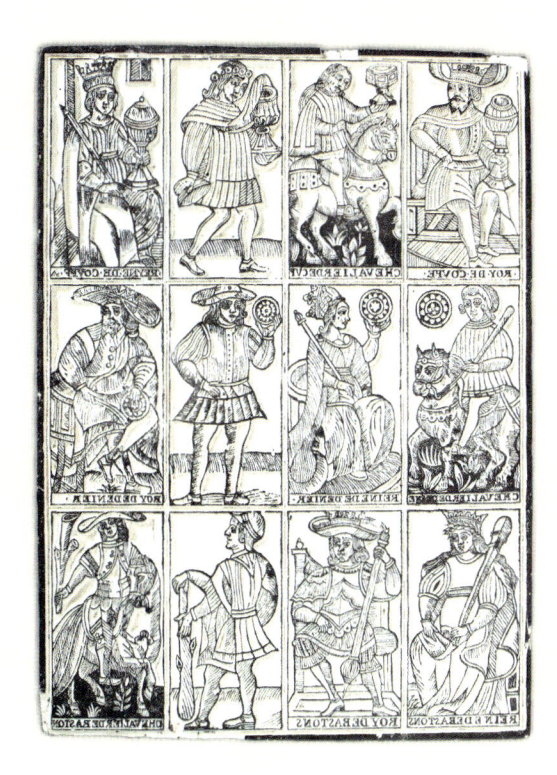

Molde de cartas de um Tarô de Marselha, local desconhecido, século XVIII, BnF.

Molde de cartas de um Tarô de Marselha, local desconhecido, século XVIII, BnF (detalhe).

Mencionamos o reinado de Luís XIV (1643-1715) porque os baralhos mais antigos desse modelo de que se tem conhecimento são desse período; os raros baralhos anteriores são diferentes. Por fim, por que um fabricante de cartas? Porque sabemos que os moldes de cartas eram produzidos nas oficinas desses profissionais. Não há fontes que evoquem a elaboração de baralhos em outros lugares.

❖❖❖ *A vida cotidiana dos fabricantes de cartas franceses sob o Antigo Regime*

O que sabemos sobre os fabricantes de cartas franceses dessa época? Desde já podemos dizer que era um ofício que gozava de uma consideração mediana. Em 1581, um édito de Henrique III instituíra a constituição dos ofícios em corporações e comunidades, para que os impostos fossem cobrados de maneira mais equilibrada. Os ofícios eram divididos em cinco categorias, dos melhores aos mais medíocres. No terceiro nível, onde "se encontram os ofícios medíocres", havia o "fabricante de cartas e tarôs", acompanhado pelo sapateiro, pelo charcuteiro e pelo alfaiate. Nessa categoria também estavam o tocador de instrumentos, o fabricante de papéis, o pintor e talhador de imagens e o escultor. Vale notar de passagem que esses ofícios artísticos, pelos quais hoje se tem tanta consideração – pintores, escultores e músicos –, na época eram colocados no mesmo patamar dos artesãos que fabricavam roupas ou alimentos.

Em seguida, sabemos que o ofício do fabricante de cartas era rigorosamente regulamentado e onerado com pesados impostos. A partir do século XVII, esses profissionais eram explorados; os coletores de impostos (*fermiers*) enviavam seus inúmeros encarregados aos estabelecimentos comerciais dos fabricantes de cartas para cobrarem os tributos sobre o menor baralho produzido ou para verificarem a conformidade dos moldes. Em 1701, para obrigá-los a pagar o novo imposto de 18 denários por jogo, os funcionários dos coletores de impostos quebraram todos os antigos moldes de cartas e exigiram que os artesãos fossem até seu escritório para buscar as impressões dos novos moldes que eles haviam mandado confeccionar. Há uma ata que reporta uma visita em 18 de maio de 1745 à viúva de Pierre Madenié, comerciante de cartas na rua Notre-Dame:[103] "Pela injunção que lhe foi feita,

---

103 Ver Henry René d'Allemagne, *Les Cartes à jouer du XIVᵉ au XXᵉ siècle, op. cit.*, t. 2, p. 200. Os elementos que relatamos aqui sobre os fabricantes de cartas provêm desse volume.

a viúva Madenié apresentou aos visitantes três moldes gravados [contendo reis, damas e valetes]. Mais dez moldes ou estampas gravadas de figuras estrangeiras, que servem para imprimir as cartas de tarô, a saber: seis estampas próprias para a nomeada impressão e a sétima para imprimir o baralho de tarô". A ata informa a apreensão das três primeiras estampas (portanto, não as do tarô) para serem destruídas e substituídas pelos novos jogos em vigor segundo os moldes do gestor (*régisseur*). O inventário menciona 9.852 baralhos. No que se refere aos fabricantes de cartas, os documentos desse tipo são numerosos: atas, *factums*,[104] estatutos, contratos e requerimentos que revelam uma profissão penosa e ingrata, sempre em luta com as dificuldades administrativas. A jornada de trabalho de um artesão fabricante de cartas começava às cinco horas da manhã e durava catorze horas, em troca de um salário de 18 a vinte *sous** por dia. Apesar dessas remunerações modestas, nem sempre os mestres empregadores conseguiam obter um lucro líquido igual ao salário de seus operários. As pressões sofridas eram exercidas pelo Estado, mas também na própria profissão. Para um fabricante de cartas, o acesso ao grau de mestre, já rigorosamente regulamentado desde 1594, tornou-se cada vez mais restritivo: no século XVIII, apenas os filhos dos fabricantes de cartas podiam tornar-se mestres.

Além do trabalho e dos impostos, sabe-se que esses profissionais formavam confrarias, ou seja, associações de mestres fabricantes de cartas e companheiros (*compagnons*)** com um objetivo religioso. Por exemplo, a confraria dos fabricantes de cartas parisienses, estabelecida na igreja do Santo Sepulcro, era constituída sob a proteção dos "Reis Magos", pois sua festa era no dia da Epifania. Todo novo companheiro que vinha do campo tinha de pagar uma taxa de admissão de dez libras "como contribuição à caixa de esmolas da confraria" e apresentar um certificado e um recibo de quitação. Na falta do pagamento (que o recém-chegado podia realizar durante o período de trabalho a serviço do mestre que o acolhera), ele seria demitido. Fala-se muito em "iniciações" para esses fabricantes de cartas: aprendizes, companheiros, mestres, essas denominações certamente levam a pensar na franco-maçonaria. Qual a importância delas? Mais adiante abordaremos a franco-maçonaria na França e seus eventuais vínculos com o tarô. Contudo, desde já podemos dizer que sua presença não

Molde de cartas de um Tarô de Marselha, local desconhecido, século XVIII, BnF.

---

104 *Factum* é um documento jurídico anterior a 1790 que expõe os fatos de um processo, destinados a um juiz.
* Antiga unidade monetária da França, que valia 1/20 da libra. (N. da T.)
** Artesãos que haviam concluído seu período de aprendizagem, mas ainda não eram mestres. (N. da T.)

foi atestada na França antes de 1725. Portanto, é arriscado fazê-la aparecer entre os fabricantes de cartas antes dessa data. E ainda que as lojas maçônicas "operantes" tivessem existido na França antes do aparecimento da franco-maçonaria "especulativa" (sua forma contemporânea) em 1725, não há vestígio de nenhuma prática iniciática nos arquivos relativos aos fabricantes de cartas. Há também que se considerar a vida e os costumes dos franco-maçons no século XVIII: retornaremos ao tema, mas desde já vale dizer que as lojas maçônicas eram constituídas pelas elites sociais francesas. É pouco provável que as lojas que reuniam Voltaire, Benjamin Franklin ou o duque de Orleans acolhessem em seu meio modestos artesãos onerados pelos impostos, que trabalhavam catorze horas por dia e, em grande parte, eram iletrados. Se os franco-maçons adotaram vocábulos das corporações de ofício, entre os quais o de "construtor", talvez não tenham incorporado seus membros. Em todo caso, não no século XVIII.

Apesar das dificuldades da profissão, a produção dos fabricantes de cartas era prolífica, e seu trabalho, cuidadoso. No que se refere aos Tarôs "de Marselha", o de Pierre Madenié é o primeiro de uma longa lista de tarôs diferentes, não obstante o modelo comum.

◆◆◆ *Inúmeros Tarôs de Marselha*

Com efeito, foram conservados inúmeros Tarôs de Marselha desse modelo, fabricados a partir do século XVIII. Desse modo, o **Tarô de François Chosson**, datado como tendo sido fabricado em Marselha, em 1736, é o mais antigo e realmente proveniente dessa cidade que existe ainda hoje. François Chosson, fabricante de cartas marselhês, não é muito conhecido: seu tarô foi datado porque em 21 de abril de 1736 ele depositou dois exemplares de envelopes de embalagem de tarô na câmara sindical dos comerciantes e fabricantes de cartas e no arquivo da polícia de Marselha.[105] No entanto, seria essa data confiável? Quando observamos o Dois de Denários, percebemos algo curioso: a data meio apagada indica "1672"... Era comum fabricantes de cartas comprarem moldes fabricados antes por outros e apagarem o nome do antecessor para inscreverem o seu. Nesse caso, François Chosson não teria fabricado esse baralho, mas, sobretudo, e o que é mais importante, esse Tarô de Marselha teria sido fabricado em 1672. Portanto, seria o mais antigo de que se tem conhecimento após o de Jean Noblet. Também seria a prova de que o Tarô de Marselha "de tipo II" surgiu no século XVII.

Chosson não é o único fabricante de cartas marselhês da época. A cidade produzia cartas desde 1631 (e não antes), data em que o governo autorizou a presença de fabricantes de cartas em Orléans, Angers, Romans e Marselha. Desse modo, os mais antigos fabricantes de cartas marselheses são Jean Pradines (1634) e Luis Ganet (1638).[106] Houve cerca de mais quarenta até o século XX. Para o período de 1706 a 1771, são conhecidos os nomes de 22 fabricantes de cartas diferentes em Marselha, mas se sabe que houve mais; nem todos foram nomeados nas fontes. Foram conservados os baralhos de alguns deles, como o **Tarô de Jean-François Tourcaty** (publicado entre 1734 e 1753) e o de **François Bourlion** (1760). Durante o período de apogeu da produção de cartas em Marselha, em meados do século XVIII, um relatório do procurador-geral no parlamento da Provença cita uma produção anual de 914 mil baralhos (todos os jogos de cartas juntos). O período de 1783-1789 teve oito fabricantes de cartas que produziram cerca de 360 mil baralhos. Nessa época surgiu o nome de Mathieu Conver, pai de Nicolas Conver. Citado como o autor de um dos mais célebres Tarôs de Marselha (pois, conforme veremos mais adiante, inspirou em parte os tarôs atuais), Nicolas Conver nasceu em 1784 e atuou de 1809 a 1833. Portanto, o famoso Tarô

---

105 Ver Yves Reynaud (www.tarot-de-marseille-heritage.com); informações encontradas na nota explicativa de seu fac-símile do Tarô de Marselha de François Chosson, de 1736.
106 Ver "La carte à jouer, une industrie marseillaise", Joseph Billioud, *in Cartes à jouer & tarots de Marseille, la donation Camoin*, op. cit.

Tarô de François Chosson, Dois de Denários, Marselha, 1736 (?) (fac-símile). © Tarot de Marseille Heritage.

Tarô de François Chosson, o Julgamento, Marselha, 1736 (?) (fac-símile). © Tarot de Marseille Heritage.

Tarô de François Bourlion, a Estrela, Marselha, 1760, BnF.

Tarô de Jean-François Tourcaty, Temperança com menções divinatórias, atribuídas a Mademoiselle Lenormand, Marselha, 1734-1753, BnF.

Tarô de Nicolas Conver, o Louco, versão 1, Marselha, 1809-1833, BnF.

Tarô de Nicolas Conver, o Louco, versão 2, Marselha, 1809-1833, BnF.

Tarô de Nicolas Convers, Rainha de Denários, versão 1, 1809-1833, BnF.

Tarô de Nicolas Convers, Rainha de Denários, versão 2, 1809-1833, BnF.

Tarô piemontês de Farinone Battista, o Louco, Itália, 1845, Tarot Museum Belgium.

Tarô piemontês de F. F. Solesio, os Enamorados, Gênova, 1865, BnF.

Tarô suíço de Gassmann, Rei de Denários, 1850-1870, BnF.

Outro tarô suíço de Gassmann, o Mundo, 1850-1870, BnF.

de Conver, datado de 1760, não é dele. De acordo com um costume comum na época, ele herdou moldes de cartas, ou os comprou, mandou apagar o nome do proprietário anterior e inscreveu o seu. Em contrapartida, deixou a data de origem, 1760. O que podemos constatar nesse caso é que seu tarô é, de fato, um entre muitos outros e que deixou versões coloridas de maneiras diferentes.

Essa profusão de fabricantes e de cartas em Marselha pode constituir uma primeira explicação para a sobrevivência do Tarô de Marselha hoje. Thierry Depaulis enumerou cerca de quarenta tarôs ainda conservados e que foram fabricados em Marselha do século XVIII ao início do XIX, contra 24 de todas as outras cidades (Dijon, Grenoble, Lyon, Avignon e Besançon).[107] Também haveria o papel desempenhado pelos raros fabricantes de cartas ainda em exercício: sabe-se que, a partir de 1878, resta em Marselha apenas a casa Camoin, herdeira da casa Conver. No século XX, em Paris, restam apenas as casas Grimaud e Catel et Farcy.[108] Em 1930, a casa Grimaud, fundada em 1858, reeditou o "Antigo Tarô de Marselha", vendido ainda hoje. O papel dessas casas na edição dos tarôs no século XX e, portanto, nas escolhas das cores e das gravuras para essas versões seria primordial. Veremos como.

❖❖❖ *Os Tarôs de Marselha estão longe de ser os únicos tarôs antigos*

Enquanto isso, podemos afirmar que a sobrevivência do tarô de Marselha no modelo que conhecemos não é evidente. Antes de analisar como ele sobreviveu, vale notar algo importante. Se considerarmos o tarô com sua constituição de base (os 22 trunfos do Mago ao Louco e as 56 cartas dos quatro naipes), logo veremos que houve inúmeros, editados na França, mas também em outros países, mais ou menos próximos do modelo chamado "de Marselha". A Itália, onde a produção de tarôs foi retomada a partir dos anos 1730-1740, publicou muitos e variados, com trunfos nomeados em italiano, como o jogo de 1845, o **Tarô Farinone Battista**, reproduzido aqui pela primeira vez,[109] ou o **Tarô Piemontês de F. F. Solesio**, datado de 1865. A Suíça, onde o conhecimento do tarô é atestado desde o século XVI, também produziu uma boa quantidade de baralhos e deixou alguns muito belos, mais parecidos com os modelos que conhecemos, como os dois **Tarôs de Gassmann**, datados dos anos 1850-1870.

Antes de continuarmos a tratar do Tarô de Marselha, também cabe evocar aqui outros modelos de tarô de indubitável importância. Um dos modelos mais relevantes é o que se costuma chamar de "Tarô de Besançon". De fato, como no caso do Tarô de Marselha, esse nome designa justamente um tipo de jogo em que a Papisa e o Papa foram substituídos por Juno e Júpiter. Surgiu no leste da França, onde os franceses haviam importado o tarô após a tomada de Estrasburgo, em 1681. De acordo com uma teoria difundida, Juno e Júpiter teriam sido incluídos para não escandalizar as autoridades religiosas. Pensamos que eles também poderiam ter sido incluídos para melhor se adaptarem às populações locais, de maioria protestante – uma vez que esse jogo emigrou com sucesso para a Alemanha, país luterano onde o papa não tinha vez! Esse modelo de tarô foi muito difundido até o início do século XX na Alemanha, na Suíça e até na França. Como Besançon foi uma das últimas cidades a produzi-lo, ele conservou esse nome. Era tão popular que podia ser encontrado até mesmo em obras de cartomancia. Desse modo, em 1925, a obra de certo Méry, intitulada *L'Art de tirer les cartes*[110]

---

107 "The Tarot de Marseille – Facts and Fallacies, Part I", *in The Playing-Card*, vol. 42, nº 1, 2013-2014.
108 Em 1963, quando a fábrica de Grimaud fecha suas portas, restam apenas quatro fabricantes de cartas na França: Camoin, em Marselha; Boéchat (Héron), em Bordeaux; Catel et Farcy, em Paris; e La Ducale, que se tornou France Cartes, em Nancy. Atualmente, a empresa France Cartes distribui a marca Grimaud. Informações encontradas em Jean-Pierre Seguin, *Le Jeu de carte, op. cit.*, p. 336.
109 Tarô originário da coleção do Tarot Museum Belgium. Um grande agradecimento a Guido Gillabel, diretor dessa coleção, por ter permitido sua reprodução.
110 J. Méry, *L'Art de tirer les cartes*, Garnier frères, Paris, 1925.

Tarô de Besançon de Pierre Isnard, Júpiter, 1746-1760, BnF.

Tarô de Besançon de Pierre Isnard, Juno, 1746-1760, BnF.

Tarô Alemão de Fantasia, de Joseph Fetscher, trunfo número VI, 1800, BnF.

Tarô Alemão de Fantasia, de Joseph Fetscher, Rei de Copas, 1800, BnF.

Tarô de Viéville, o Diabo, Paris, cerca de 1650, BnF.

Tarô de Viéville, o Raio, Paris, cerca de 1650, BnF.

Tarô Flamengo de Vandenborre, o Diabo, Bruxelas, 1780 (fac-símile).

Tarô Flamengo de Vandenborre, o Capitão Fracassa, Bruxelas, 1780 (fac-símile).

Tarô de Viéville, a Estrela, Paris, cerca de 1650, BnF.

Tarô Flamengo de Vandenborre, Baco, Bruxelas, 1780 (fac-símile).

[A Arte de Ler as Cartas], propunha interpretações com base nesse tipo de jogo, afirmando que se tratava do tarô transmitido "pelos egípcios, pelos hebreus e, mais tarde, pelos boêmios";[111] em resumo, um tarô "tradicional", e o autor não se preocupou muito em saber qual tarô tinha efetivamente em mãos. Na realidade, nessa época, Paul Marteau ainda não havia editado pela casa Grimaud seu antigo Tarô de Marselha, que se tornaria tão célebre. Os cartomantes tinham de se contentar com o que encontravam, e o Tarô "de Marselha" já não era tão difundido: no comércio das cartas, os tarôs de fantasia, destinados "ao jogo", substituíram maciçamente os tarôs "tradicionais".

Surgido na Alemanha, em meados do século XVIII (um dos mais antigos é datado de 1745),[112] esse tipo de tarô, no qual se encontram naipes franceses – corações, losangos, lanças e trevos – e trunfos de fantasia, com animais e paisagens, impôs-se definitivamente e, portanto, substituiu os tarôs tradicionais na maioria da Europa: Alemanha, Dinamarca, Suécia, Império Austríaco, Rússia e França, onde substituiu o antigo tarô nas mesas de jogo nos anos 1900. Apenas Itália, Inglaterra e Espanha conservaram os antigos modelos. Isso explica a separação entre tarôs "para jogo" e tarôs "divinatórios". Na França, o antigo modelo passaria a ser editado apenas para as práticas de cartomancia.

Vale citar outro tipo de tarô que, por sua vez, desapareceu: o chamado "Tarô de Bruxelas" ou "Tarô flamengo". Ele é importante por ser o herdeiro de uma tradição de tarô um pouco à parte, do qual o Tarô de Jacques Viéville é o mais antigo representante. Publicado em Paris entre 1643 e 1664, também é um dos mais antigos tarôs conhecidos e, portanto, merece ser mencionado. Provavelmente influenciado pelos tarôs bolonheses, ele apresenta figuras desenhadas de maneira bastante particular: o Diabo que caminha, o Raio que cai em uma árvore (em vez da Casa de Deus), a Estrela com um astrônomo, a Lua com uma mulher (uma fiandeira?) sentada sob uma árvore, o Sol com um menino a cavalo. Essas figuras são retomadas com essa forma pelos mestres fabricantes de cartas de Rouen, grandes exportadores para a Bélgica (na época, Países Baixos Meridionais), onde o jogo era novamente adaptado: em Bruxelas, vários mestres fabricantes de cartas do século XVIII substituem a Papisa e o Papa pelo Capitão Fracassa, personagem fanfarrão da *commedia dell'arte*, e por Baco, antigo deus romano do vinho.

O que essa apresentação, que está longe de ser exaustiva, mostra a respeito desse vasto conjunto de tarôs anti-

---

111 *Ibid.*, p. 111.
112 Tarô de Johann Wolfgang Weber em Ulm, cerca de 1745.

gos? Como dissemos, o Tarô de Marselha não é evidente. Para resumir, vimos que o chamado "Tarô de Marselha" se inspira em um modelo talvez vindo de Milão; que o mais antigo jogo em conformidade com esse modelo é parisiense, datado dos anos 1650, com um modelo mais completo em Dijon, em 1709, e que está longe de ter sido o único: muitos outros tarôs surgiram a partir do século XVIII, mais ou menos próximos desse modelo. Após observá-los um pouco, podemos nos perguntar por que esse modelo se impôs hoje e não os outros.[113] Evocamos brevemente o importante papel desempenhado pelos fabricantes de cartas em sua edição, e com razão! Eles não apenas fabricavam ou vendiam cartas, mas também criavam e exerciam uma função relevante na transmissão ou não de um ou outro tipo de jogo. Desse modo, se toda uma tradição chamada de "Tarô de Marselha" existe é também graças ao papel preponderante, desempenhado por Paul Marteau, diretor da casa Grimaud, em 1930.

---

[113] Vale notar que o Tarô de Rider-Waite se impôs no mundo anglo-saxão; ver adiante mais sobre esse tarô.

3
A TRADIÇÃO DO TARÔ DE MARSELHA

◆◆◆ *As primeiras aparições da denominação "Tarô de Marselha"*

Se existiram tantos tarôs diferentes, podemos de fato nos perguntar de onde vem o Tarô de Marselha. De onde vem essa tradição, que parece solidamente ancorada hoje, de um tarô com um modelo original, antigo, único, receptáculo de ensinamentos particulares – um modelo imutável, cujos elementos perdidos deveriam ser encontrados, um único modelo nomeado "Tarô de Marselha" e que teria inspirado todos os outros?

A denominação "Tarô de Marselha" apareceu pela primeira vez em 1856, em um artigo de Romain Merlin, grande estudioso da história das cartas já citado. Nesse artigo a respeito das cartas de jogo, escrito para a Exposição Universal de 1855, ele menciona o tarô da seguinte maneira: "Nos Tarôs de Besançon, o Papa e a Papisa são substituídos por Júpiter e Juno. O Tarô de Marselha não oferece essa mudança".[114] Posteriormente, vários autores que estudaram o tarô nos círculos ocultistas do século XIX retomariam esse termo, que tampouco se mostrou evidente para eles de imediato. Desse modo, em sua *Histoire de la magie*,[*] publicada em 1860, Éliphas Lévi, que desempenhou um papel importante na história do Tarô divinatório, evoca "tarôs italianos". Papus, outro ocultista importante nessa história, foi quem deu prioridade ao "Tarô de Marselha" em seu influente livro *Le Tarot des Bohémiens* [O Tarô dos Boêmios] (1889): "Indiscutivelmente, o Tarô Italiano, o de Besançon e o de Marselha são os melhores que temos hoje, sobretudo o último, que reproduz muito bem o tarô simbólico primitivo". Após a morte de Papus, o nome "Tarô de Marselha" tornou-se cada vez mais utilizado pelos ocultistas para designar esse tarô considerado "o mais rico e puro em termos de simbolismo". Citavam-se até mesmo tarôs mais "puros" do que outros. Assim, em 1896, Robert Falconnier, autor que tentou reconstituir um tarô o mais próximo possível da tradição, escreveu que "o tarô editado por Conver em Marselha, em 1760, é o que mais se aproxima do tipo tradicional".[115]

---

114 Referência encontrada no artigo de Thierry Depaulis "The Tarot de Marseille – Facts and Fallacies, Part I", *op. cit.* Esse artigo serviu de grande inspiração para esta seção devido às referências a Éliphas Lévi, Papus e Joseph Maxwell.

* *História da magia*. São Paulo, Pensamento, 2ª edição, 2019. (N. da T.)

115 *Les XXII Lames hermétiques du tarot divinatoire, exactement reconstituées d'après les textes sacrés et selon la tradition des mages de l'ancienne Égypte*, Librairie de l'art indépendant, Paris, 1896, p. 8. Digitalizado em Gallica: http://gallica.bnf.fr/ark:/12148/bpt6k5525090q.

Ora, nessa época, entre os anos 1890 e os anos 1930, esse Tarô de Marselha tão apreciado parecia difícil de ser encontrado. Como dissemos, os tarôs "de jogo" se difundiram amplamente na Itália a partir dos anos 1900. Embora tarôs "tradicionais" ainda fossem publicados, tratava-se mais dos de Besançon, com Júpiter e Juno. Por isso, são encontrados até mesmo em livros de cartomancia, como L' Art de tirer les cartes [A Arte de Ler as Cartas], publicado em 1925, que já mencionamos. Aparentemente, era tão difícil encontrar os Tarôs Divinatórios que alguns autores iam mais longe e propunham que cada um fabricasse por conta própria um baralho com 78 pedaços de papel numerados de 1 a 78, pois entendiam que seus leitores não podiam dispor de um tarô adequado. Nesse sentido, retomavam as sugestões de Alliette, vulgo Etteilla, o famoso cartomante, que indicava a seus leitores as menções divinatórias e os números a serem inscritos nas cartas, pois estas podiam ser efetivamente um baralho de tarô, mas também pedaços de papel recortados. Contudo, isso já não era suficiente. Em 1923, o autor Joseph Maxwell se queixa em seu livro La Magie [A Magia]: "A única edição correta parece ser o chamado 'Tarô de Marselha', no qual a II e a V figuras são a Papisa e o Papa. Essa edição está esgotada, e a casa Grimaud a trocou por outra na qual o Papa e a Papisa foram substituídos por Júpiter e Juno".

◆◆◆ *A criação do "Antigo Tarô de Marselha" por Paul Marteau*

Em 1930, Paul Marteau, diretor da casa Grimaud, entendeu a mensagem e publicou o "Antigo Tarô de Marselha", ainda em uso atualmente. A coleção de cartas antigas que ele doou para a Biblioteca Nacional da França permite ver como ele procedeu para criar seu tarô.

No Dois de Denários, temos "1748 – Arnoult – 1748", pois Grimaud havia comprado a casa Lequart, que, por sua vez, havia herdado a casa Arnoult por meio de sucessivas aquisições. O problema é que esta última, comprada em 1864,[116] fabricava cartas de jogos desde 1820, assim como outro fabricante, também de nome Arnoult, que atuava em Paris no século XVIII, onde se estabeleceu efetivamente nos anos 1750. Contudo, nada permite relacionar essas duas casas homônimas, e não temos o menor vestígio de um tarô fabricado por uma ou outra. Lequart alegava ter herdado um baralho do século XVIII. Na verdade, é mais provável que tenha feito uma cópia de um Tarô de Conver (ainda editado por Camoin no século XIX) para criar seu tarô, inicialmente colorido com estêncil, depois de maneira industrial. Em 1891, Grimaud retomou a casa Lequart e continuou a fabricação desse tarô. É fácil reconhecer o desenho familiar do tarô de 1930, mas os naipes não são os mesmos; também sabemos que esses baralhos dos anos 1890 eram tarôs de Besançon, com Júpiter e Juno. Quando Paul Marteau editou seu tarô em 1930, retomou os desenhos das cartas de 1890, recuperou uma Papisa e um Papa e, quanto aos naipes, inspirou-se em um tarô de Conver editado por Camoin ao longo do século XIX. É realmente interessante notar esses naipes, que se tornaram bem específicos do tarô de Grimaud de 1930 e muito comentados em seguida pelos tarólogos. Portanto, eles aparecem inicialmente em um Conver reeditado por Camoin no século XIX, muito distantes daqueles do Conver original. Desse modo, não surpreende o fato de Paul Marteau ter reivindicado também a herança de Conver em sua empresa. Pois, para resumir, se ele não retomou seus moldes tais como eram, recuperou um tarô (Lequart) que se inspirara diretamente neles e copiou os naipes de um tarô de Conver reeditado.

Existem três edições desse tarô de 1930. De resto, é possível ver que Paul Marteau ainda buscou por algum tempo sua edição final. As figuras do Mago e do Quatro de Denários marcam diferenças que ele deixou de corrigir em seu livro Le Tarot de Marseille [O Tarô de

---

116 A casa Arnoult foi comprada pela sociedade Charles Maurin em 1864, que, por sua vez, foi comprada pela Grimaud, em 1872. Fonte: "The Tarot de Marseille – Facts and Fallacies, Part I", *op. cit.*, p. 24.

Tarô de Lequart, o Mago, Paris, 1890, BnF.

Tarô de Lequart, o Imperador, Paris, 1890, BnF.

Reedição de um Tarô de Conver por Camoin, o Mago, Marselha, 1890-1900, BnF.

Reedição de um Tarô de Conver por Camoin, o Imperador, Marselha, 1890-1900, BnF.

Tarô de Grimaud, 1ª edição, o Mago, Paris, 1930, Tarot Museum Belgium.

Tarô de Grimaud, 2ª edição, o Mago, Paris, 1930, Tarot Museum Belgium.

Tarô de Grimaud, 1ª edição, Quatro de Denários, Paris, 1930, Tarot Museum Belgium.

Tarô de Grimaud, 2ª edição, Quatro de Denários, Paris, 1930, Tarot Museum Belgium.

Tarô de Grimaud, 3ª edição, o Mago, Paris, 1930, Tarot Museum Belgium.

Tarô de Grimaud, edição dos anos 1950-1960, o Mago, Paris, 1930, Tarot Museum Belgium.

Tarô de Grimaud, 3ª edição, o Mago (dorso da carta), Paris, 1930, Tarot Museum Belgium.

Tarô de Grimaud, edição dos anos 1950-1960, o Mago (dorso da carta), Paris, Tarot Museum Belgium.

Marselha], publicado em 1949. Nessa obra, ele faz uma longa dissertação sobre flores-de-lis desaparecidas muito antes de sua primeira edição.

Seja como for, com seu tarô ele estabeleceu um "cânone" ainda em uso atualmente, que foi muito comentado, trabalhado e sobre o qual muito se escreveu. Mais tarde, esse "cânone" foi novamente contestado devido ao surgimento de outro Tarô de Marselha "autêntico", o de Jodorowsky e Camoin, em 1997, que inaugurou uma nova época na produção de tarôs: hoje, muitos autores e editores produzem suas próprias cartas, como veremos mais adiante.

Desse modo, Paul Marteau editou seu tarô em 1930 para satisfazer a demanda dos ocultistas. Podemos nos perguntar por que o tarô se tornou um objeto de interesse para eles. Fizemos uma longa descrição de sua história e de sua evolução: nada levava a crer que ele se tornaria um dos principais objetos das práticas divinatórias e depois do ocultismo moderno. Como esse encontro aconteceu?

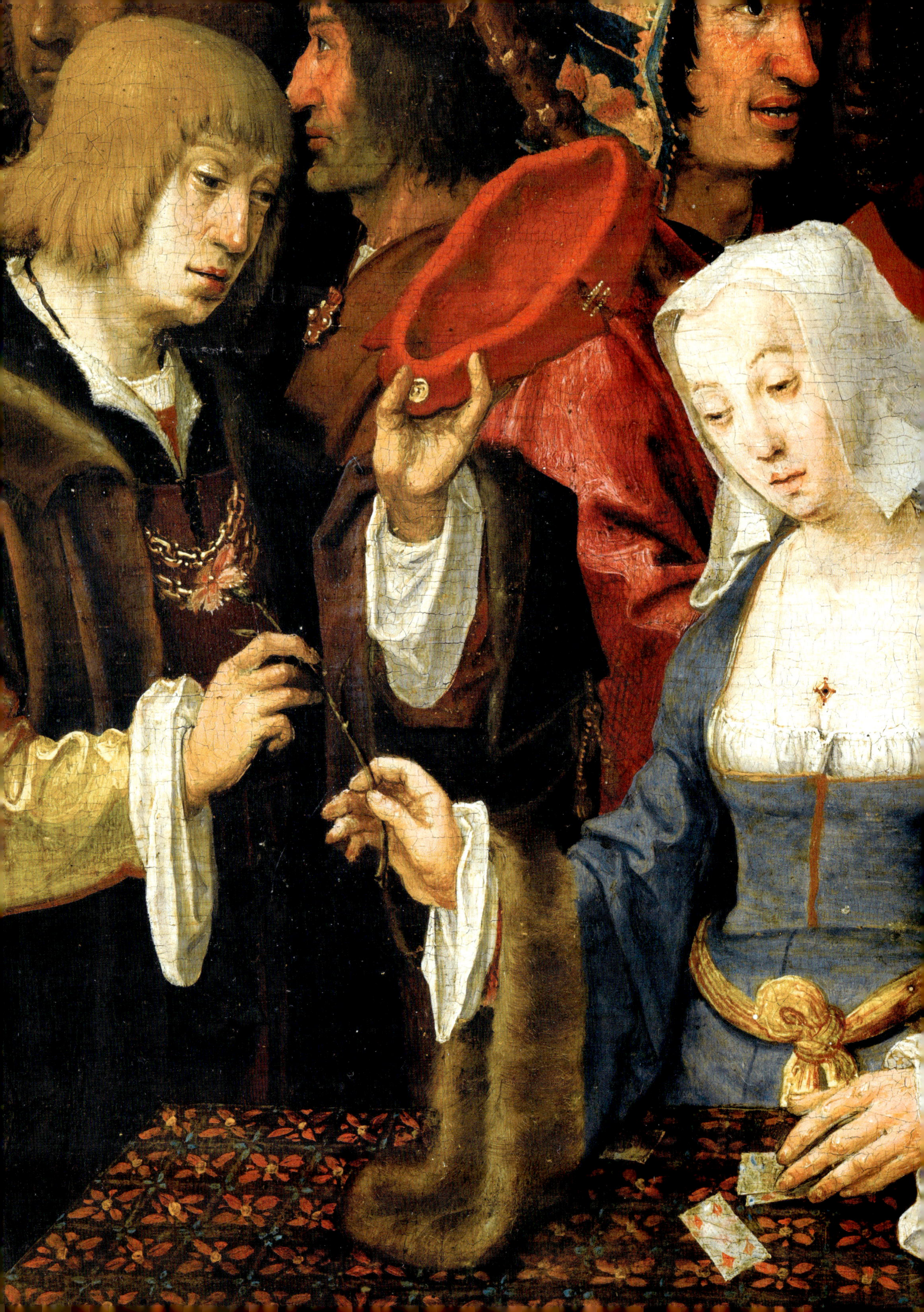

Capítulo IV

A história do tarô também se inscreve na história da adivinhação

Lucas van Leyden, A cartomante, 1508-1510, Museu do Louvre (detalhe).

1

Adivinhação e ocultismo no século XV

◆◆◆ *As práticas divinatórias no final da Idade Média*

Iniciamos esta obra evocando a fronteira indistinta entre jogos de azar e adivinhação e deixamos essa fronteira na Antiguidade, lembrando os vínculos entre os jogos de dados e as práticas divinatórias a eles associadas. Após uma extensa abordagem sobre a história das cartas e dos tarôs, convém tratar neste momento de sua história igualmente com base nessa fronteira. Isso é importante sobretudo porque os vínculos entre as cartas e a adivinhação são mais manifestos, pelo menos hoje.

Para começar, retornemos à nossa história da adivinhação, seguindo-a no tempo. Estamos na Idade Média. Nessa época, a concepção da adivinhação sofre uma mudança. Na Antiguidade, ela se manifestava oficialmente nos templos, como vimos nos casos do Egito e da Grécia. Era considerada uma prática válida como qualquer outra e objeto de especulações filosóficas. No Ocidente cristão, não se fala exatamente em adivinhação; considera-se, antes, um conjunto de "artes", de práticas semelhantes à da magia. Essa confusão vem de Isidoro de Sevilha (cerca de 560-636), mestre do pensamento para toda a Idade Média. Em um capítulo consagrado aos magos, ele cita diferentes técnicas de adivinhação originárias da Antiguidade e, desse modo, cria essa confusão: são os magos que praticam essas técnicas divinatórias... Em seguida, ele distingue dois tipos de adivinhação: *ars* e *furor*, uma distinção entre a adivinhação "natural", que é uma revelação dispensada pelos deuses aos homens em um estado de "fúria" (de transe, por exemplo) ou em sonhos, e a adivinhação "artificial", que reúne os símbolos e os interpreta. Ao que parece, a adivinhação não era muito praticada durante a Alta Idade Média, e mesmo a astrologia era pouco difundida. Foi preciso esperar os séculos XII e XIII para ver o surgimento de verdadeiros tratados sobre técnicas divinatórias, sendo os mais antigos traduções do árabe para o latim. Quais são eles?

Inicialmente, temos tratados de **fisiognomonia**, técnica que prevê o destino do homem com base nos traços de seu rosto ou do aspecto geral de seu corpo, sendo a quiromancia (leitura das linhas da mão) uma de suas subdivisões. Muito populares, essas técnicas derivam de tratados árabes, eles próprios provenientes de fontes gregas e latinas. Alguns chegaram a ser atribuídos a Aristóteles. Na realidade, existem apenas cinco tratados sobre o tema que são anteriores ao século XV. Dentre eles, o texto mais conhecido é uma parte do *Segredo dos Segredos*, traduzida por Filipe de Trípoli no século XIII e que seria copiada inúmeras vezes.[117]

Em seguida, muitos manuscritos evocam a **geomancia**, técnica de adivinhação bastante complexa, de origem árabe, aplicada mediante a interpretação de um "tema" feito de "casas", nas quais são colocadas figuras com desenhos de pontos em número par ou ímpar. No início, provavelmente o tema e os pontos eram traçados no chão, o que justifica o nome de geomancia (a raiz "geo-" significa "terra"). Nós a citamos porque era muito difundida, sobretudo nos meios eruditos. É muito mencionada nos catálogos de bibliotecas medievais, nos textos antidivinatórios e em algumas obras literárias (Dante, por exemplo).

A **oniromancia**, ou seja, a interpretação dos sonhos, era a prática mais comum, sempre muito difundida desde a Antiguidade. A obra de um dos mais célebres onirócritas (assim se chamavam os que decodificavam os sonhos), Artemidoro de Daldis, conhecido como Artemidoro de Éfeso, que viveu no século II, foi constantemente consultada e recopiada. É preciso dizer que seu tratado sobre os sonhos, o *Onirocriticon*, ou *A Interpretação dos Sonhos*, enumera todos os relatos oníricos encontrados pelo autor na bacia do Mediterrâneo.[118] No entanto, como no caso das outras práticas, observa-se uma ocultação em toda a Alta Idade Média, mais uma vez causada pela Igreja. Mesmo sem poder ignorar os sonhos, a Igreja retirou deles toda função divinatória e os classificou em duas categorias: os *somnia*, "sonhos bons", vistos pelos santos, monges ou bons reis, enviados por Deus, senhor dos sonhos, e repercutidos pela Bíblia; e os *fantasma*, "sonhos ruins", ilusórios, diabólicos e enganadores, cujo conteúdo potencialmente fantasioso, livre e/ou sexual pode ser perigoso. Sobre os primeiros, podemos reler, por exemplo, a bela passagem do sonho de Jacó (Gênesis, XXVIII, 11-19); esses sonhos podiam estar na origem de experiências extáticas ou visionárias, sobretudo femininas. Sua veracidade dependia da "credibilidade" da pessoa. De resto, a mesma concepção valia para o **profetismo**: se uma "arte de prever o futuro" ainda fosse reconhecida, apenas os profetas, santos, monges ou religiosas poderiam exercê-la. O Antigo Testamento está repleto de casos como esse, e na Idade Média se reconheceram faculdades proféticas às visões de Hildegard von Bingen,[*] por exemplo. Porém, no que se refere aos sonhos, a Igreja desacreditou a literatura onírica e seus intérpretes, pois, mais uma vez, o futuro pertence apenas a Deus, e todo mundo pode sucumbir aos *fantasma*. Não obstante, como para as outras artes divinatórias, a oniromancia tornou a fazer um sucesso inegável a partir do século XII.[119] Quanto aos profetas, eles exerceram uma onda de influência sem precedentes, justamente na época que nos interessa: o final da Idade Média, perturbado pelas guerras e pela peste, requeria outras figuras capazes de esclarecer e instruir os homens, apesar da ideia de que o Novo Testamento teria encerrado o profetismo, uma vez que a Revelação teria sido concluída com a vinda de Cristo (outro argumento antidivinatório). Isso não impediu as pessoas poderosas de buscar conselhos com videntes, curandeiros, homens ou mulheres dotados de alguma inspiração. Assim, as visões de Santa Brígida da Suécia (cerca de 1302-1373) influenciaram não apenas a aristocracia e o rei de seu país, mas também o papa em Roma, onde ela se instalou a partir de 1349. Sabemos que Luís XI (1423-1483) obrigou Francisco de Paula a abandonar sua gruta para se tornar seu conselheiro, confidente e curandeiro. Laicos escreviam textos proféticos, às vezes em caráter particular, como o célebre Cristóvão

---

117 Ver o artigo "Divination" do *Dictionnaire critique de l'ésotérisme*, PUF, Paris, 1998, pp. 430-32.

118 Ver a exposição completa sobre o autor e suas obras no catálogo da Biblioteca Nacional da França: http://catalogue.bnf.fr/ark:/12148/cb13091333g. A *Interprétation des songes* [Interpretação dos Sonhos] encontra-se digitalizada em Gallica, em uma edição lionesa de 1546: http://gallica.bnf.fr/ark:/12148/bpt6k8534667.

* Hildegard von Bingen (1098-1179): abadessa beneditina alemã, escreveu suas visões no livro *Scivias* [Saiba o caminho] e, levada por nova visão, construiu seu próprio convento próximo à cidade de Bingen. (N. da T.)

119 Ver Yvonne de Sike, *Histoire de la divination: oracles, prophéties, voyances*, Larousse, Paris, 2001, p. 126.

Colombo, que redigiu o *Livro das profecias* em 1501-1502, como consolo à intransigência excessiva dos soberanos espanhóis, que o proibiram de partir novamente para "as Índias".[120] Contudo, ele tornou a partir em 1502, depois de concluir sua obra, na qual previra, entre outras revelações, a vitória do cristianismo por meio da evangelização do Novo Mundo...[121]

Em uma escala mais modesta, há os **livros de prognósticos**, cujos manuscritos mais antigos remontam ao século X. Escritos em latim, mas também em línguas vernáculas, como o francês, davam para cada dia do ano indicações sobre o clima das estações, a fartura das colheitas, as doenças ou ainda as guerras e epidemias. Também podiam conter indicações mais genéricas sobre as ações a serem empreendidas ou não. Quanto a esse último aspecto, outras formas de adivinhação mais simples e mais populares eram igualmente praticadas: observavam-se os sinais da natureza, por exemplo, o estrondo dos trovões. De resto, esses livros podiam conter prognósticos baseados no dia em que o trovão foi ouvido. Já não se tratava da adivinhação por meio de vaticínios, praticada de acordo com as regras complexas dos romanos, mas ainda restavam alguns usos dela. Desse modo, ainda se faziam previsões em função do voo de pássaros ou de outras manifestações simples, como eclipses, tempestades e sentido do vento.

A adivinhação por meio do lançamento de dados também era praticada e pode ser encontrada nos **livros de magia**. Todas essas obras, que nem sempre apresentam instruções, funcionam seguindo um esquema comum: uma série de perguntas genéricas (que podem referir-se ao êxito de um projeto, ao nascimento de um filho etc.) remete a respostas classificadas em seções designadas por nomes próprios, nomes de flores ou de animais. Assim, um *Orakelbuch* [Livro de Oráculos] impresso na Basileia, em 1485, propõe uma série de perguntas, e as respostas são classificadas com diferentes figuras de animais. Nessa categoria de tratados está *Le Livre de passe-temps de la Fortune des dez* [O Livro de Passatempo da Fortuna dos Dados], sobre o qual já discorremos. Após o aparecimento das cartas de jogo, surgiram obras do mesmo tipo, nas quais os pássaros e outros animais eram substituídos por cartas. Isso significaria que a cartomancia nasceu com esses primeiros livros de magia? Aparentemente não: quase o mesmo texto é encontrado no *Orakelbuch*, que mencionamos pouco antes, e no *Mainzer Kartenlosbuch* [Livro de Cartomancia de Mainz], publicado em Mainz e datado de 1505 ou 1510, dependendo da fonte,[122] que seria então o primeiro livro conhecido a associar previsões e imagens de cartas. Porém, se o texto é semelhante ao de outras obras, isso significa que as figuras das cartas ilustravam apenas as respostas, como as imagens de animais anteriormente, sem que houvesse um vínculo qualquer entre o texto proposto e a imagem da carta apresentada. Embora nesse caso não tenhamos a cartomancia propriamente dita, podemos nos perguntar se esse tipo de texto não poderia ter difundido a ideia de associar cartas de jogos a textos preditivos...

Essa breve exposição permite que façamos outra ideia do contexto no qual o tarô surgiu. Também podemos constatar que as cartas não são mencionadas nos tratados de adivinhação do fim da Idade Média. Talvez com exceção dos livros de magia, não há muitas associações entre a adivinhação e as cartas de jogo na época de seu aparecimento. A não ser quando consideramos a astrologia.

---

120 Em 12 de outubro de 1492, Cristóvão Colombo chegou a uma ilha, mais tarde nomeada San Salvador, mas acreditou ter aportado em uma ilha próxima do Japão, após ter buscado a rota das Índias pelo Oriente.
121 *Histoire de la divination, op. cit.*, p. 125.
122 Citado por Detlef Hoffmann, *Altdeutsche Spielkarten 1500-1650*, Germanisches Nationalmuseum [Museu Nacional Germânico], Nuremberg, 1993, p. 29.

❖❖❖ *Astrologia e tarô*

Ainda não abordamos essa prática, rainha do Ocidente cristão e que, por essa razão, merece ser citada à parte.

O primado da astrologia no Ocidente se explica pelo fato de que os teólogos raramente se pronunciam contra ela. Enquanto Tomás de Aquino e muitos pregadores condenavam as práticas divinatórias, argumentando que elas tentariam substituir Deus, o único a poder conhecer o futuro, e que não se pode querer evitar o próprio destino subtraindo-se à vontade divina, os astrólogos raramente eram perturbados pela Inquisição. O franciscano Roger Bacon (cerca de 1220-1292) chegava a recomendar o recurso à astrologia na luta contra a ameaça turca. Sabemos que o rei Carlos V adorava essa disciplina e que uma ampla proporção de sua biblioteca era constituída por livros de astrologia, astronomia e adivinhação. Seu uso era visto como legítimo, segundo o adágio de Gregório, o Grande (papa e doutor da Igreja), para quem "as flechas que prevemos doem menos". Mesmo o recalcitrante Tomás de Aquino foi obrigado a admitir que "os astros inclinam, mas não determinam". A astrologia chega a ser reconhecida como uma prática "científica" e tem seu lugar entre as artes liberais. Esse reconhecimento vem da convicção de que há uma ordem hierárquica de todas as coisas a partir dos céus: os céus que governam o mundo executam os planos da Providência divina à maneira dos servidores que obedecem à vontade do príncipe. Essa ideia, proveniente de Aristóteles e de seus exegetas árabes, foi retomada no Ocidente a partir do século XIII e amplamente difundida – de resto, a astrologia tal como a conhecemos foi elaborada pelos gregos e transmitida no Ocidente pelos árabes. O zodíaco ainda usado atualmente teria sido elaborado na Grécia entre os séculos V e II a. C.[123] Também foram os gregos a elaborar as 12 casas. Sete astros e planetas percorriam então o zodíaco de acordo com a seguinte hierarquia: Saturno influía sobre os lugares e os tempos universais; Júpiter, sobre os anos; Marte, o Sol, Vênus e Mercúrio, sobre os meses; e a Lua, sobre os dias.

Teria essa ciência, tão prolífica na época do tarô, exercido alguma influência? Curiosamente, ficaríamos tentados a responder "sim" e "não". Não se considerarmos os primeiros tarôs italianos, dotados de iluminuras. De fato, o que vemos neles? Certamente nessas cartas observamos a Lua, o Sol e o que vagamente é

Tarô conhecido como de Carlos VI, a Lua, norte da Itália, século XV, BnF.

Tarô conhecido como de Carlos VI, o Sol, norte da Itália, século XV, BnF.

---

123 Mas sabemos que a astrologia é praticada há mais de três mil anos: surgida na Mesopotâmia, entre os caldeus, mais tarde teria sido associada às práticas gregas. Ver Solange de Mailly Nesle, *L'Astrologie, l'histoire, les symboles, les signes*, Nathan, Paris, 1981, pp. 22-38, para a história do zodíaco.

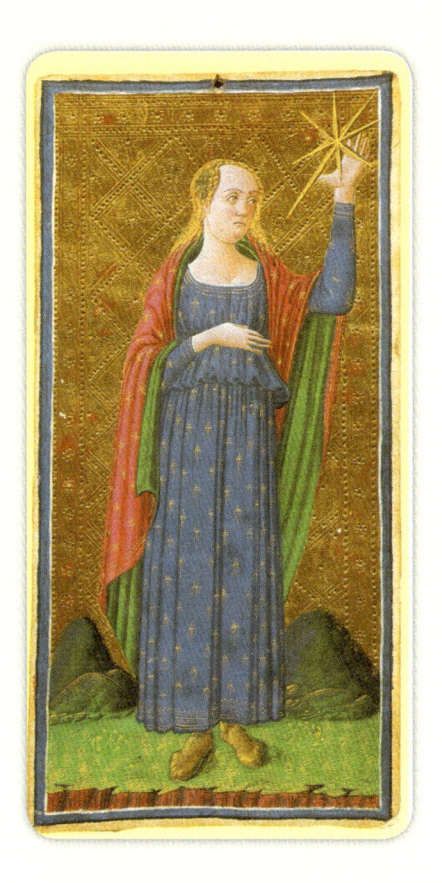

Tarô de Visconti-Sforza, a Estrela, Milão, cerca de 1452 (fac-símile).

Tarô d'Este, a Estrela, norte da Itália, século XV, Biblioteca Beinecke.

Tarô de Visconti-Sforza, o Sol, Milão, cerca de 1452 (fac-símile).

Tarô d'Este, o Sol, norte da Itália, século XV, Biblioteca Beinecke.

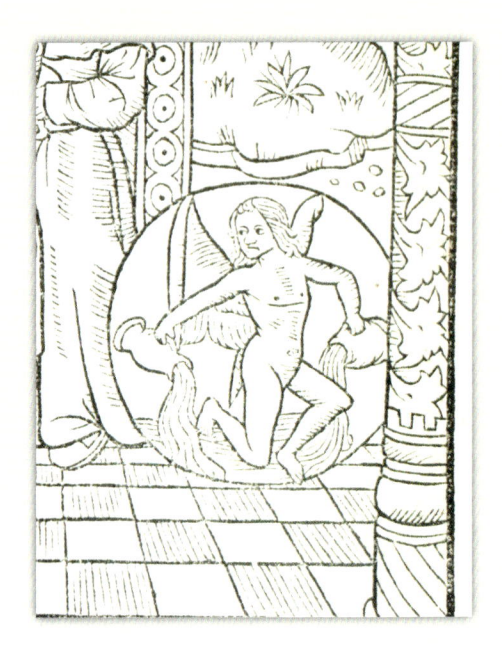

Calendário dos pastores, Aquário,
Paris, 1499, BnF.

Calendário dos pastores, Gêmeos,
Paris, 1499, BnF.

Tarô de Jean Noblet, a Estrela,
Paris, cerca de 1650, BnF.

Tarô de Jean Noblet, o Sol,
Paris, cerca de 1650, BnF.

nomeado como "a Estrela". A Lua é representada ora por uma figura feminina que segura o astro com uma mão (Tarô de Visconti-Sforza), ora por astrônomos ou astrólogos que estudam o céu (Tarô "de Carlos VI"). O Sol é figurado ora pela imagem de um rapaz que segura o astro com as duas mãos (Tarô de Visconti-Sforza), ora por uma estranha representação de fiandeira (Tarô "de Carlos VI"), ou ainda por uma cena que parece representar Diógenes em seu tonel, falando a um jovem (Tarô d'Este). A Estrela é ilustrada ora por uma figura feminina que segura uma estrela com uma mão (Tarô de Visconti-Sforza), ora, mais uma vez, por astrônomos ou astrólogos que estudam o céu. Sem dúvida, trata-se de corpos celestes, do astro dos dias e daquele das noites, ou ainda da "estrela" (?), mas poucas são as coisas que se referem de fato ao zodíaco. Ficaríamos tentados a dizer que a astrologia é representada de maneira geral pelos astrólogos. A Lua e o Sol não são suficientes para ilustrá-la; afinal, são encontrados em muitas representações. E pelo modo como são exibidos nesses casos (a fiandeira ou Diógenes), é difícil perceber a qual signo do zodíaco fariam referência. Quanto às outras figuras, também é difícil afirmar que podemos relacionar o leão da Força ou a balança da Justiça aos signos do zodíaco correspondentes: esses atributos são associados a essas mesmas alegorias desde que elas existem. Em contrapartida, na falta de associações definitivas, sempre é possível estabelecer paralelos. O leão, rei dos animais, que apenas a máxima força é capaz de dominar, pode representar um signo do zodíaco de fogo, poderoso e forte: tudo é possível!

A referência à astrologia se torna mais manifesta no tarô que será chamado de "Tarô de Marselha". Desta vez, as três cartas que representam os astros foram claramente associadas a símbolos zodiacais. A Estrela é figurada por uma mulher segurando vasos que despejam água no chão; os calendários mais antigos ilustram o signo de Aquário dessa maneira. Aqui, a Lua é associada ao lagostim, ou seja, ao signo de Câncer, que na Idade Média era mais apresentado como lagostim do que como caranguejo. O Sol, por sua vez, é associado ao signo de Gêmeos. Não é algo evidente *a priori*: já no Renascimento, o Sol é tradicionalmente ligado ao signo de Leão. No entanto, um texto antigo, intitulado *Les Astronomiques* [Astronômicas] e redescoberto pelos humanistas apenas em 1417, faz outras associações com os signos do zodíaco. Nele encontramos o Sol e Gêmeos: "Apolo protege os adoráveis Gêmeos". Esse texto, escrito na Antiguidade por Marco Manílio, também une Minerva a Áries, Vênus a Touro, "Mercúrio ao lagostim; e vós, Júpiter, comandais o Leão"; Ceres a Virgem, Vulcano a Libra (que foi criada por ele), Marte a Escorpião, Diana (ou seja, a Lua) a Sagitário, Vesta a Capricórnio, Juno a Aquário e Netuno a Peixes.[124] Esse texto substitui os sete planetas por 12 deuses pagãos, que dão nome a alguns planetas.

Essa mistura de tradições novas e antigas da astrologia se encontra em algumas obras da época, como os afrescos do palácio Schifanoia, em Ferrara, que fazem as mesmas associações entre deuses, deusas e signos do zodíaco. É interessante notar que Pellegrino Prisciani, responsável por coordenar a realização desses afrescos em 1470, professor de astronomia na Universidade de Ferrara e historiador da corte, era discípulo de Marsílio Ficino. Sofreu a influência do hermetismo e do neoplatonismo. Esse fato não torna evidente a ligação com o tarô, mas podemos ver uma influência comum dessas correntes sobre duas representações astrológicas semelhantes na obra de arte e no jogo de cartas: Sol e Gêmeos. Isso significaria que Aquário, claramente representado na Estrela, também poderia ser associado a Juno, esposa de Júpiter? A correspondência é um pouco mais provável do que a associação astrológica tradicional entre Aquário e Saturno. O problema é que não podemos ir muito longe.

---

124 Gwendolyn Trottein, *Les Enfants de Vénus: art et astrologie à la Renaissance*, Lagune, Paris, 1993, p. 120.

Há uma mistura de tradições astrológicas no tarô: diferentemente do caso do Sol, a associação da Lua a Câncer (e não a Sagitário, como dito anteriormente) é mais tradicional e prevalece ainda hoje. Essa mesma tradição une Aquário (claramente representado na Estrela) a Saturno, o que já não corresponde ao tarô. A menos que a Estrela representada no Tarô de Marselha em meio a sete outras (sete planetas além do mundo?) não seja Saturno, considerado o mais importante entre elas. Porém, isso parece improvável. Certo é que essas duas tradições astrológicas, que associavam os sete planetas e os signos do zodíaco (um planeta podia, então, representar dois signos) ou 12 deuses e os signos, existiam na Itália do século XV, que viu surgir o tarô.[125]

Outras associações muito interessantes podem ser feitas entre a astrologia e o tarô. Não no sentido de que "encontramos um leão representado com a Força, portanto, esta corresponde ao signo de Leão", mas, antes, nas associações de significados. Desse modo, os tratados de astrologia da época associavam as atividades humanas à influência dos diferentes planetas. No mais conhecido deles, intitulado *De sphaera* [Da Esfera], manuscrito produzido por volta de 1460-1470 e que teria pertencido ao duque Francesco Sforza, um personagem semelhante ao Mago aparece entre as crianças da Lua, o *Misero* ou o Louco entre as de Saturno, os Enamorados como filhos de Vênus (e com razão!), o Papa como filho de Júpiter e o Imperador como filho do Sol. Vale notar que esse tratado está longe de ser o único manuscrito a classificar as atividades humanas, algumas das quais são indicadas no tarô, de acordo com os planetas.

Encontramos essa classificação em muitos tratados de astrologia, mas também em calendários e almanaques ou ainda em representações artísticas – esculturas nas catedrais, gravuras com figuras semelhantes. Podemos dizer, então, que há uma influência direta sobre o tarô? Talvez haja, antes, uma representação similar, que também é algo muito interessante. É impossível dizer que um mestre em gravura, ao criar um calendário de acordo com as representações astrológicas da época, tenha podido influenciar um mestre fabricante de cartas, que teria produzido um tarô. Contudo, se representarmos um Mago entre os filhos da Lua, ou seja, entre figuras influenciadas pelos principais aspectos desse astro, podemos imaginar um personagem lunático, enganador e pouco confiável. Portanto, as representações ilustradas nos tratados de astrologia podem esclarecer o sentido a ser dado àquelas do tarô e que estaria um pouco mais próximo dos significados da época. Desse modo, nesses tratados vemos os filhos da Lua, entre eles o Mago; indivíduos de condição modesta, lutando com as tempestades marítimas; pescadores, navegantes, moleiros e lavadeiras. Os filhos de Saturno, como o *Misero* ou o Louco, são vítimas das vicissitudes humanas, como a guerra, o jogo e a miséria. Vemos indigentes, enfermos ou ainda agricultores, curtidores, açougueiros, ou seja, trabalhadores ainda mais modestos, acompanhados de cadafalsos, minas e prisões. O Papa, filho de Júpiter, é acompanhado de outros dignitários eclesiásticos e de eruditos, mercadores ricos, caçadores, cavaleiros e peregrinos. O Imperador, com os filhos do Sol, encontra-se ao lado de personagens que praticam jogos de habilidade, músicos e outros homens poderosos: trata-se claramente da corte dos aristocratas e de seus passatempos. Não nos esqueçamos dos Enamorados, filhos de Vênus, e talvez do Carro, filho de Marte, que costuma ser ilustrado em um carro de guerra. Essas representações podem dar uma ideia do valor atribuído ou não a alguns trunfos do tarô. De acordo com essa perspectiva, aparentemente o Mago e o Louco poderiam ser considerados cartas ruins, e o Papa e o Imperador, cartas boas.

---

125 Vale lembrar essas associações tradicionais entre signos e planetas, válidas na época da criação do tarô e até hoje: o Sol governa o signo de Leão; a Lua, o de Câncer; Mercúrio, o de Gêmeos e o de Virgem; Vênus, o de Libra e o de Touro; Marte, o de Escorpião e o de Áries; Júpiter, o de Sagitário e o de Peixes; Saturno, o de Capricórnio e o de Aquário. Vale lembrar também que Urano foi descoberto em 1781, Netuno em 1846 e Plutão em 1930.

As representações dos planetas e de alguns signos do zodíaco não são as únicas a mostrar figuras semelhantes às do tarô. As ilustrações das casas astrológicas também são muito esclarecedoras quando apresentadas por imagens (o que é muito raro!). Desse modo, o *Calendrier de la Nativité* [*Calendário da Natividade*], de Leonhard Keymann, publicado em 1515, mostra uma roda astrológica com representações dos planetas, dos signos e das casas. Nele se vê claramente, na casa 10, a imagem de um imperador com a eterna coroa fechada, o globo, o cetro e as pernas cruzadas. No entanto, parece-nos mais prudente evitar a conclusão: "A casa 10 é como o Imperador do tarô; certamente há uma ligação entre ambos". Seria mais acertado dizer que, por simbolizar na astrologia o meio do céu, a maturidade na vida, o reconhecimento, a ambição satisfeita e a realização, a casa 10 é representada por um homem de poder coroado, que segura um globo. Nesse caso, podemos aproximar o Imperador desses significados... e imaginar que essa figura alegórica retorna facilmente quando se trata de significar o poder sobre as coisas, a plenitude na vida, seja com os filhos do Sol, seja com as casas astrológicas ou ainda o significado dos trunfos do tarô. O que dizer, então, das outras casas e das semelhanças com o tarô?

Recapitulemos rapidamente os significados das casas em astrologia, sempre atuais, e – o que é mais interessante para o nosso tarô – suas representações tradicionais antigas.[126]

Vemos que as seis últimas ilustrações apresentam pontos em comum com o tarô. Sem dúvida, os significados são comparáveis. O Enamorado (em todo caso, tal como ele aparece no tarô italiano) pode ser associado a tudo o que tradicionalmente é colocado na casa astrológica 7: vínculos com o exterior, casamento, contratos. Podemos ligar o arcano XIII aos significados da casa 8: destruição, transformação, morte, herança. Além do poder espiritual, o Papa pode simbolizar os ideais, a fé, os grandes estudos, as viagens e as peregrinações. Associamos o Imperador à plenitude, à metade da vida. A Roda da Fortuna assume aqui um sentido mais positivo, uma vez que, junto com a casa 11, é relacionada à lei, à parceria, à amizade e às associações públicas. O homem no cavalete de tortura pode ser comparado ao Pendurado, que, nesse caso, representaria as provações e os obstáculos, mas isso continuaria sendo apenas um paralelo.

Casa	Significado geral	Representação antiga
1	A identidade, a personalidade, o ascendente	A cena de um parto
2	As posses, os bens materiais	Um homem contando seu dinheiro
3	As relações	Dois personagens que conversam
4	O lar, a família, o local de nascimento	Um agricultor e seu filho no campo
5	A criação, o amor, o prazer	Um grupo de crianças
6	O trabalho, o esforço, a doença	Um homem doente no leito
7	Os vínculos, o parceiro, o/a esposo(a)	A cena de um casamento diante do padre
8	A morte, a herança	O esqueleto e sua foice
9	A espiritualidade, as viagens, os estudos	O papa
10	O reconhecimento, o prestígio, a plenitude	O imperador
11	A lei, a sociedade, a parceria	A roda da fortuna
12	Os obstáculos, as crises, as dificuldades	Um homem em um cavalete de tortura

---

126 Informações encontradas em Milan Spurek, *L'Astrologie*, Gründ, Paris, 1998, pp. 118-20. A obra traz essa roda astrológica, que, no espaço das casas, apresenta figuras semelhantes às do tarô.

Roda astrológica de Leonhard Keymann, 1515 (fac-símile).

Desse modo, podemos dizer que a astrologia influenciou o tarô, mas não completamente. Ela influenciou a Estrela, a Lua e o Sol do tarô de Marselha. De maneira implícita, é simbolizada com os astrólogos dos tarôs italianos. Já para os outros casos, comparações muito proveitosas podem ser feitas para esclarecer o sentido das cartas em função das semelhanças entre as representações. Evocamos representações tradicionais da astrologia, tal como apareciam na época do tarô, e possíveis comparações. Ademais, sabe-se que até hoje muitos autores estabelecem uma correspondência entre arcanos, planetas e signos do zodíaco; no entanto, nesse caso, estamos entrando em representações pessoais. Com efeito, quando comparamos os autores, nenhum sistema de correspondência concorda com outro. Podemos avaliar a falta de confiabilidade dessas representações recentes quando lemos Alliette/Etteilla, por exemplo: por que ele associou a Temperança ao signo de Escorpião, o Sol a Câncer e o Louco ao Sol? Cabe a cada um ver nas correspondências as semelhanças que lhe parecem pertinentes ou não.

A Idade Média praticou com entusiasmo outras "artes" tradicionais, como a alquimia. Poderia esta última se prestar a comparações semelhantes com o tarô?

◆◆◆ *Alquimia, hermetismo e tarô*

A Idade Média tinha um grande interesse por alquimia, mas a era de ouro dessa ciência ocorreu um pouco mais tarde, nos séculos XVI e XVII. Tudo começou em 1144, quando Robert of Chester traduziu do árabe para o latim o *Liber de compositione alchemiae* [Livro da Composição Alquímica], atribuído a Morienus, eremita cristão do século VII, originário de Alexandria.[127] Entre 1140 e 1150, Hugo de Santalla traduziu o *Livre des secrets de la Création* [Livro dos Segredos da Criação], atribuído a Apolônio de Tiana e que contém a célebre *Tábua de Esmeralda*.[128] O termo "alquimia", surgido em francês por volta de 1275, vem do árabe *al-kîmiyâ*, que pode ter duas raízes: o copta *chame*, que significa "preto", ou o grego *khêmia*, que significa "magia negra". Outra possibilidade, também do grego, seria o termo *khumeia*, "mistura". A história da alquimia é complexa, e é difícil identificar os tratados sobre a maté-

---

127 De acordo com Pierre A. Riffard, *L'Ésotérisme*, Robert Laffont, Paris, 1990, p. 669.
128 Artigo "Alchimie, Occident médiéval" do *Dictionnaire critique de l'ésotérisme*, *op. cit.*, p. 31.

ria e seus autores. Podemos citar Michael Scot (cerca de 1175 – cerca de 1235), autor de três tratados; Roger Bacon (cerca de 1220-1292), que escreveu trinta; Alberto Magno (cerca de 1200-1280), autor de aproximadamente trinta títulos; Santo Tomás de Aquino (1225-1274), seis tratados; Arnaud de Villeneuve (cerca de 1240-1311), por volta de 57 títulos; e Raymond Lulle (cerca de 1235-1316), perto de oitenta. Quando se descobre que Arnaud de Villeneuve não realizou estudos detalhados e que Raymond Lulle não é o verdadeiro autor desses tratados (em suas obras autênticas, ele condenava a alquimia), é possível ter uma ideia das dificuldades para conhecer a fundo essa prática.[129] Vale lembrar, *grosso modo*, que seu objetivo era chegar à Grande Obra, ou seja, ao poder de transmutar chumbo em ouro por meio da obtenção da pedra filosofal. Sabe-se que esse trabalho de descoberta da arte de transformar a matéria tem uma intenção mais espiritual: quem descobrir o segredo dos elementos no trabalho alquímico também sofre uma transformação.

Interessa-nos aqui considerar se a alquimia desempenhou algum papel na elaboração do tarô. Essa é uma ideia amplamente difundida entre a maioria dos ocultistas que abordaram o tarô até hoje. Por não dispormos de um conhecimento aprofundado dos manuscritos alquímicos medievais (mas será que os autores que afirmam com tanta convicção a influência da alquimia têm esse conhecimento?), nós o evocaremos com prudência. Observando ao mesmo tempo as reproduções desses manuscritos e as cartas do tarô, podemos dizer que há bem poucos símbolos em comum. Vários autores compararam o Pendurado, que tem a perna dobrada atrás do corpo, com uma representação do símbolo alquímico do enxofre. Não se encontram outras representações diretas, salvo se considerarmos que a Temperança significa transmutação, e a Roda da Fortuna, os ciclos evolutivos da matéria. A mulher nua da Estrela poderia ser uma ilustração dos versículos da *Tábua de Esmeralda*, que evocam, derramado na terra, "O Pai de tudo, o Telesma de todo o mundo está aqui. Sua força é plena se convertida em terra" – mas se trata apenas de uma interpretação. As duas letras "SM", presentes no Carro e que alguns autores evocam como se significassem *soufre mercure* [enxofre mercúrio], datam da criação do tarô de Paul Marteau, ou seja, de 1930. Sabemos que as letras presentes no brasão do Carro costumavam ser as iniciais do gravador do jogo. A Lua e o Sol estão presentes em todos os grimórios de alquimia, que ilustram a união dos princípios macho e fêmea, as núpcias místicas do céu e da terra. Esses dois astros são encontrados no tarô, mas é difícil ver neles um vínculo de causa e efeito. Mais uma vez, podemos fazer apenas comparações em função de interpretações pessoais. Certo é que os tratados antigos de alquimia não falavam do tarô. Foram os ocultistas do século XIX a insistir em seu parentesco, a começar por Papus, sem que se possa confirmar esse fato do ponto de vista histórico.

Tampouco podemos garantir o parentesco entre o tarô e o que é chamado de hermetismo. Nesse caso, evocar essa corrente ampla e de difícil delimitação também pode ser interessante. Nos séculos II e III de nossa era, na região de Alexandria, foram escritos em grego cerca de 15 tratados, mais tarde reunidos sob o título geral de *Corpus Hermeticum*. Eles próprios representam apenas uma parte de uma massa mais importante de textos, posteriormente designados com o nome de *Hermetica*, pois foram atribuídos ao lendário Hermes Trismegisto. Com exceção de *Asclepius*, texto cujo original em grego se perdeu desde a Antiguidade e que sobreviveu apenas em latim, todos os tratados do *Corpus Hermeticum* foram ignorados pela Idade Média e redescobertos somente no Renascimento. Portanto, pode-se assinalar de passagem que os alquimistas medievais também o ignoravam, embora a tradição medieval visse em Hermes o fundador da alquimia.

Foi o famoso Marsílio Ficino quem, nos anos 1460, recebeu de Cosme de Médici a encomenda para traduzir esse *Corpus Hermeticum*, cujos textos acabavam de ser redescobertos na

---

[129] Referências encontradas em Robert Halleux, *Les Textes alchimiques*, Brepols, Turnhout, 1979, *in Typologie des sources du Moyen Âge occidental*, vol. 32.

Macedônia. A tradução latina de Ficino foi publicada em 1471 e teve inúmeras edições (pelo menos 25 até 1641) e traduções em outras línguas.[130] De imediato, vemos que esses textos surgiram após a criação do tarô, que remonta aos anos 1440... Eles não poderiam ter influenciado sua concepção, em todo caso, não a dos primeiros tarôs italianos. Teriam influenciado, então, a criação do tarô de Marselha em sua origem? Para tanto, seria preciso conhecer seu criador, que talvez tenha sido um fabricante de cartas francês da época do reinado de Luís XIV. Vimos há pouco as lacunas ainda existentes na cronologia e na conservação das cartas, que não permitem determinar autores nem fontes do chamado "Tarô de Marselha". Desse modo, mais uma vez, toda comparação só pode ser teórica e deixada à apreciação dos autores e dos leitores. De nossa parte, podemos apenas evocar a enorme riqueza do hermetismo graças ao trabalho de Marsílio Ficino. A partir do século XVI, muitos autores tomaram o *Corpus Hermeticum* como ponto de partida para seus textos, e o hermetismo se tornou uma das principais correntes do esoterismo ocidental, ao lado da cabala cristã, da teosofia, da astrologia e da alquimia. Inevitavelmente, foi associado ao tarô, com a ressalva de que essa associação também data da literatura ocultista do século XIX.

Vimos que na época do surgimento do tarô a adivinhação, a alquimia e o hermetismo não o levavam em conta. Como ocorreu, então, essa assimilação do tarô e do que informalmente se chamaria de "ocultismo"? Como o tarô entrou nas práticas divinatórias?

---

130 Artigo "Hermétisme depuis la Renaissance" do *Dictionnaire critique de l'ésotérisme, op. cit.*, pp. 609-10.

2

O NASCIMENTO DO TARÔ DIVINATÓRIO

◆◆◆ *A adivinhação pelas cartas antes do século XVIII*

Mais acima, evocamos o *Mainzer Kartenlosbuch* [Livro de Cartomancia de Mainz], publicado em Mainz e datado de 1505 ou 1510, dependendo das fontes, que seria o primeiro livro conhecido a associar previsões e imagens de cartas. Existiram outras obras semelhantes, sendo a mais célebre um livro de Francesco Marcolini da Forli, *Le Ingeniose Sorti* [Os Engenhosos Sortilégios],[131] publicado em Veneza em 1540 (inicialmente com o título *Le Sorti*) e dedicado ao duque de Ferrara, Hércules d'Este. A partir de uma série de questões, o autor remete a cerca de duzentas combinações de cartas, agrupadas de duas em duas, que, por sua vez, remetem a outras combinações, compostas por alegorias de ações boas ou ruins, que proferem oráculos. No entanto, como já mencionamos quanto aos livros de magia, dos quais esse tipo de obra faz parte, a relação entre as cartas e a adivinhação é indireta, uma vez que as cartas servem ora como ilustrações, ora como instrumentos para a obtenção de pontuações ou combinações; como tais, elas não têm nenhum valor preditivo.

Na verdade, a cartomancia como arte divinatória é uma das disciplinas mais recentes, o que é coerente, dado o surgimento mais tardio das cartas de jogo. Contudo, as fontes e os historiadores se contradizem quanto ao aparecimento da adivinhação pelas cartas. Dispomos de poucos elementos confiáveis para começar. Peucer, em seu *Commentaire des principales sortes de devinations* [Comentário sobre os Principais Tipos de Adivinhação] (1553), não menciona as cartas. Paracelso (cerca de 1493-1541), que se debruçou sobre os diferentes meios de conhecer o futuro, não conhecia a cartomancia. Dito isso, duas ausências não constituem uma prova. Por outro lado, há relatos de que, por volta dos anos 1450, Fernando de la Torre teria escrito que, com os *naipes*, os jogadores podiam "prever o futuro uns dos outros, para saber de quem cada um gosta mais e quem é o mais desejado". Essa seria a data mais antiga de uma conexão entre "prever o futuro" e as cartas de jogo (chamadas de "naipes" na Itália da época). Em 1506, Giovanni Pico della

---

131 Uma edição revista, *Le Ingeniose Sorti, composte per Francesco Marcolini da Forli, intitulate Giardino di Pensieri, novamente ristampate, e in novo et bellissimo ordine riformate*, Veneza, 1550, encontra-se digitalizada no endereço: https://archive.org/details/gri_000033125008238095.

Mirandola, em um capítulo contra a adivinhação, incluía as "imagens representadas em um jogo de cartas" entre os diferentes tipos de "sortilégio". Um monge espanhol, Martín de Azpicuelta (1491-1586), cita as cartas como uma das práticas da adivinhação, todas condenáveis. Mais tarde, Juan Pérez de Montalbán (1602-1638) também menciona os *naipes* como um meio de fazer sortilégios: "sortilégio que é feito com os dados, as cartas e muitos outros".[132] Porém, essas poucas citações não indicam com clareza como as cartas eram utilizadas, e é difícil ver nelas as primeiras referências diretas à cartomancia. As representações artísticas também podem ajudar a conhecer melhor essas práticas. Desse modo, um quadro de Lucas van Leyden, intitulado *A Cartomante* (reproduzido na abertura do Capítulo IV) e datado de 1508-1510 indica claramente que a cartomancia já era praticada nessa época. Restam também algumas gravuras dos séculos XVII e XVIII, que representam as cartomantes. Relatos também atestam que a leitura das cartas era praticada durante esse período: um pequeno caso de feitiçaria em 4 de julho de 1772 valeu a uma costureira marselhesa, "que há muito tempo preferia o ofício dos supostos feiticeiros ao da costura, a condenação por decreto do parlamento da Provença a ser exposta no pelourinho durante três dias de feira consecutivos, tendo a cabeça coberta por um gorro circundado por tarôs e uma peneira no pescoço, e a assim permanecer por uma hora em cada dia; em seguida, os tarôs seriam rasgados e a peneira seria quebrada pelo Executor" (o uso da peneira para adivinhação era outra prática divinatória).[133]

No entanto, sabemos que no século XVIII a repressão contra a feitiçaria diminuiu. Já sob o reinado de Luís XIV, um decreto real intima a se apresentar à justiça por feitiçaria apenas se ela for praticada com a intenção de prejudicar alguém. Isso explica o novo impulso das práticas e dos círculos ocultistas a partir do final do século XVII. Um manuscrito de 1750, conhecido como "texto de Pratesi", do nome do historiador que o teria descoberto (pois seu autor é desconhecido), seria a primeira lista de interpretações divinatórias para cartas de tarô, sendo cada carta acompanhada de significados bastante sucintos.[134] Contudo, em 1770, Jean-Baptiste Alliette publicou em Paris o primeiro tratado de cartomancia de que se tem conhecimento: *Etteilla, ou Manière de se récréer avec un jeu de cartes, par M.**** [Etteilla, ou Modo de se Entreter com um Jogo de Cartas, por M.***]. Ele ainda não trata do tarô, limitando-se a um *jeu de piquet*, um jogo comum de 32 cartas; de resto, seu método com esse jogo é reproduzido em muitos livros de cartomancia até hoje. Alliette só se torna um fervoroso "tarólogo" depois de descobrir o texto publicado por Antoine Court de Gébelin em 1781 sobre o tarô.

Podemos dizer que, até essas datas, a cartomancia era bastante rudimentar. Se algumas práticas eram difundidas, isso ocorria de maneira oral, sem referências nem formatações; as práticas que restaram eram populares e bastante difíceis de serem encontradas. Provavelmente as pessoas se divertiam nas feiras, lendo a sorte nas cartas. Tudo se acelerou na França de Luís XVI: a arte de ler as cartas e, mais tarde, os tarôs encontra seus dois primeiros autores, Court de Gébelin (1725-1784) e Jean-Baptiste Alliette (1738-1791). Já é hora de aprender mais sobre esses autores e seus textos, que foram os primeiros a evocar o tarô como o receptáculo de um saber oculto e ancestral e a considerar que ele poderia ter outro uso além do jogo. Vejamos a princípio em que contexto esses autores viveram e publicaram suas obras; desse modo, compreenderemos melhor por que esses dois homens estimavam tanto o Egito.

---

132 Referências encontradas no *site* "Le Tarot, associazione culturale". Ver a análise da associação sobre a cartomancia: http://www.associazioneletarot.it/cgi-bin/pages/cartomancy.pdf.

133 *Le Tarot révelé, op. cit.*, p. 57.

134 Referência citada em Paul Huson, *Mystical Origins of the Tarot: From Ancient Roots to Modern Usage*, Destiny Books, Rochester, 2004. Como não tivemos acesso direto a esse documento, não respondemos pela confiabilidade dessa referência.

◆◆◆ *Franco-maçonaria e egiptomania no século das Luzes*

Estamos agora na França de Luís XVI (1774-1791). Nessa época, também chamada de Século das Luzes, as mentes em ebulição desenvolveram duas maneiras de conceber o mundo. De um lado, os enciclopedistas, com Diderot e d'Alembert, tentam racionalizar o conhecimento. A *Encyclopédie, ou Dictionnaire raisonné des sciences, des arts et des métiers*,* publicada de 1751 a 1772, realiza um estudo sistemático dos diferentes ramos do saber, das técnicas e das artes reconhecidas na época. Desse modo, vimos que nela os tarôs são definidos como "tipos de cartas de jogo, utilizadas na Espanha, na Alemanha e em outros países [...] elas apresentam copas, denários, espadas e bastões". De outro lado, esse Século das Luzes é apaixonado pelo irracional e pelo ocultismo em todos os seus aspectos. Nunca se publicou tanto sobre a alquimia, a magia e a cabala. Desenvolveram-se práticas de magia, de invocação de espíritos e de magnetismo. As sociedades ocultistas tiveram um desenvolvimento sem equivalente na história. Como dissemos, a Inquisição já não exercia repressão na França, sobretudo porque esses movimentos envolviam as elites sociais. Mesmo a Igreja já não impunha muito seus mandamentos nessa sociedade abastada, que buscava uma vida tranquila e o entretenimento no contato com a filosofia, o bom gosto, a literatura e as artes plásticas. O século XVIII é o século da busca do saber, mas também do prazer e da felicidade. Estamos distantes da época sangrenta dos Visconti, assombrada pela salvação após a morte.

Nesse período, a franco-maçonaria se tornou um fenômeno da moda. Vinda da Escócia (onde dignitários ricos a teriam criado no século XVII),[135] depois da Inglaterra (onde a primeira Grande Loja data de 1717), sua presença, como já evocado, foi comprovada pela primeira vez na França em 1725. Não sabemos muitos detalhes sobre sua implantação. O discurso do cavaleiro Andrew Michael Ramsay, em 1736, lançou as bases da franco-maçonaria francesa. Em seguida, esse início discreto deu lugar a um crescimento no número de lojas, movimentos, ritos e textos. Em quinze anos, assistiu-se à criação de mais de 107 lojas. Textos sobre rituais já haviam sido publicados no século XVIII.[136] Esses diversos movimentos têm um elemento invariável: a iniciação. Retomando a linguagem das corporações de ofício – nesse caso, a dos construtores –, os aprendizes tornavam-se companheiros. O grau de mestre só apareceu em Londres em 1725 e foi difundido na França a partir de 1730. Aparentemente, esses grupos maçônicos na França cultivavam uma nova forma de sociabilidade que não excluía os prazeres da mesa e da boa companhia: as reuniões entre irmãos costumavam ser precedidas por um banquete. Para um documento maçônico da época, tratava-se de "uma instituição que inicialmente tinha como único objetivo permitir que seus associados desfrutassem das benesses de uma sociedade seleta, cujos prazeres tornavam-se mais pitorescos graças a um leve mistério".[137] Ao mesmo tempo, esses grupos gostavam de tirar partido de raízes ilustres e misteriosas. Os altos graus, que apareceram e se proliferaram ao longo do século e se acrescentaram aos três graus iniciais de companheiro, aprendiz e mestre, cultivavam a reconquista de conhecimentos e poderes perdidos. Os detentores desses altos graus eram Templários, cuja ordem seria perpetuada secretamente pela franco--maçonaria, por alquimistas e até mesmo por mestres não pertencentes a esse mundo, como Cagliostro, que em 1785 exprimiu em suas memórias: "Não sou de nenhuma época nem de nenhum lugar; fora do tempo e do espaço, meu ser espiritual vive sua eterna existência".[138]

---

* DIDEROT, Denis; D'ALEMBERT, Jean le Rond; PIMENTA, Pedro Paulo (org.); DE SOUZA, Maria das Graças (org.). *Enciclopédia, ou Dicionário Razoado das Ciências, das Artes e dos Ofícios*. São Paulo, Unesp, 2015. (N. da T.)
136 Na Escócia do século XVII, as lojas de ofícios aceitavam dignitários locais, que posteriormente retomaram os ritos e os costumes dos verdadeiros maçons. A franco-maçonaria especulativa teria surgido dessa forma.
136 Informações provenientes de notas pessoais sobre a exposição da BnF de 2016, "La franc-maçonnerie". A exposição está disponível *on-line*: http://expositions.bnf.fr/franc-maconnerie/index.htm.
137 Artigo "Franc-maçonnerie" do *Dictionnaire critique de l'ésotérisme, op. cit.*, p. 524.
138 *Ibid.*

Detenhamo-nos por um instante nesse estranho personagem: ele nos permitirá descrever um pouco melhor essa época paradoxal, que admira tanto os filósofos e os enciclopedistas quanto os magos e outros personagens misteriosos, que seriam detentores de alguns poderes... O conde Alessandro de Cagliostro viajou a Paris em 1775, 1781 e 1785 e logo encontrou seu lugar na alta sociedade parisiense e maçônica, lugar deixado livre por outro personagem misterioso e célebre, o conde de Saint-Germain.[139] Nascido em Palermo, em 1743, com o nome de Giuseppe (Joseph)* Balsamo, percorreu todas as capitais da Europa a partir dos anos 1760 e logo adquiriu uma reputação extraordinária: alquimista e detentor da pedra filosofal, dizia-se adivinho, em comunicação com os anjos, mas também com os demônios. Em setembro de 1780, chegou a Estrasburgo com grande pompa e foi recebido pelo cardeal de Rohan. Conta-se que lhe apresentaram doentes graves da cidade e que ele os curou ministrando-lhes uma misteriosa bebida. Ao chegar em Paris, onde o mesmo cardeal o recebeu novamente e lhe pagou uma soma considerável após o êxito de suas operações alquímicas, ele se especializou por certo tempo na venda de suas "pílulas egípcias" e de outras pomadas e bebidas milagrosas, bem como de brochuras contendo conselhos e outras "cabalas novas" para ganhar na loteria e obter sucesso. Sucesso era algo que ele representava muito bem: o luxo de seus aposentos e de seu estilo de vida levantava dúvidas sobre a origem de sua fortuna – diziam que era descendente de Carlos Martel** ou ainda filho do diabo! Cabe dizer que sua grande especialidade era falar com os mortos: conta-se que era capaz de trazer Sócrates, Platão, Carlos Magno, Corneille e outros homens ilustres, que conversavam familiarmente com ele. Chegava a vangloriar-se de ter reunido os enciclopedistas e os filósofos das Luzes já mortos para fazê-los denunciar suas atividades passadas e suas ideias falsas e pretensiosas. Em seus discursos, misturava orações mágicas e invocações egípcias e pretendia relacionar-se com personagens ilustres de ritos iniciáticos antigos.[140] De resto, fundou o "rito egípcio" em 1784. Denunciado por ocasião do Caso do Colar da Rainha,[141] foi preso na Bastilha em 1786 e expulso do reino.

Nosso personagem reflete uma época em que se pratica a alquimia, a teurgia e o espiritismo. Nela se cultiva uma "nostalgia das origens", a da era de ouro de uma humanidade primitiva ao modo de Rousseau e de uma Antiguidade primitiva para além das normas culturais tradicionais, cristãs e greco-romanas. O homem primitivo dessa Antiguidade é representado como detentor de conhecimentos e poderes fora do comum, esquecidos pelo homem contemporâneo, mas que por ele poderiam ser reencontrados. E como o Egito antigo era a mais antiga civilização conhecida nessa época, também era visto como a civilização mais próxima dessa tradição primordial. Essa concepção do Egito não era nova: remontava à Idade Média. Quando Marsílio Ficino editou a tradução do *Corpus Hermeticum*, em 1741, já acreditava que esses textos continham a sabedoria oculta dos sacerdotes egípcios. Também mencionamos obras de referência para essa época, que pretendiam explicar os hieróglifos, como o *Horápolo*. Portanto, no século XVIII, esse fascínio se inscreveu em uma continuidade. Nesse contexto, podemos dizer que ele culminou nessa época. Muitas obras contendo dis-

---

139 Mago, alquimista, taumaturgo, de nascimento e nome desconhecidos, era chamado "conde de Saint-Germain" e tornou-se conhecido em Paris nos anos 1750-1780. Morreu em 1784.

* Alexandre Dumas narra a vida de Cagliostro em seu romance histórico *Joseph Balsamo*, que faz parte da série intitulada *Memórias de um Médico*. (N. da T.)

** Carlos Martel (688 – cerca de 741), alto dignitário do reino dos francos, venceu a Batalha de Poitiers em 732, durante a qual expulsou os muçulmanos dos territórios francos e conteve a expansão islâmica na Europa. (N. da T.)

140 Elementos "biográficos" deixados à apreciação do leitor e relatados por Yvonne de Sike, *Histoire de la divination: oracles, prophécies, voyances, op. cit.*, p. 199.

141 Célebre caso judicial do Antigo Regime, que eclodiu em 1785 e lançou grave descrédito sobre a rainha e a autoridade real: o cardeal de Rohan quis comprar para a rainha Maria Antonieta um magnífico colar de diamantes. Entregou-o à condessa de La Motte, que o revendeu em vez de presenteá-lo à rainha. Acusada, a condessa denunciou Cagliostro, seu cúmplice. Ver Jean de Viguerie, *Histoire et dictionnaire du temps des Lumières*, 1715-1789, Robert Laffont, Paris, 1995, pp. 405-09.

Retrato de Antoine Court de Gébelin, 1784, BnF.

Monde primitif [Mundo Primitivo], vol. VIII, primeira página do texto sobre o tarô, 1781, Tarot Museum Belgium.

cursos que cultivavam a cultura e a civilização egípcias e misturavam egiptofilia, alquimia e hermetismo foram editadas ou reeditadas. Entre as mais conhecidas, podemos notar o *Dictionnaire mytho-hermétique* [Dicionário Mito-hermético], de Dom Antoine-Joseph Pernety, em 1758, ou o romance egiptófilo e iniciático do abade Jean Terrasson, *Séthos, histoire ou vie tirée des monuments, anecdotes de l'ancienne Égypte* [Sethos, História ou Vida Extraída de Monumentos, Episódios do Egito Antigo] (1731), que inspirou inúmeros ritos maçônicos, como o dos Arquitetos Africanos (cerca de 1767), o rito egípcio de Cagliostro ou o de Mênfis.

Para concluir, vale notar que esse desejo de um passado mais ou menos misterioso e iniciático é bastante compatível com a sociedade da época. Não se deve acreditar que, de um lado, estivessem os filósofos, arautos da razão, e, de outro, franco-maçons e outros iniciados se reunissem em segredo, ao abrigo da condenação do poder e da Igreja. Na verdade, às vésperas da Revolução, 48 grandes senhores franceses eram franco-maçons, entre os quais o duque de Orleans, o duque de La Rochefoucauld e La Fayette. Cagliostro era muito admirado por Luís XVI antes de se comprometer. A prestigiada *Loge des Neuf Soeurs* [Loja das Nove Irmãs], da qual fazia parte Antoine Court de Gébelin, contava com hóspedes ilustres, como o astrônomo Lalande, o pintor Greuze, o escultor Houdon, o naturalista Lacépède e Benjamin Franklin, que nela iniciou Voltaire, em 1778. Como bem dizia um autor que veremos mais adiante:[142] "Quem não ousasse ver outra coisa além de infantilidades supersticiosas nas práticas do cristianismo, admiraria os malabarismos de Cagliostro; quem preten-

---

142 J.-B. Millet-Saint-Pierre, ver nota 155.

desse não acreditar na existência de Deus, daria crédito à idade trimilenar do conde de Saint-Germain; e esse público, particularmente cético, lotava a loja de horóscopos de Etteilla". Quando Court de Gébelin publicou *Monde primitif* [Mundo Primitivo] de 1773 a 1784, longe de lançar uma obra revolucionária ou vanguardista, difundiu um livro bem representativo de sua época.[143]

♦♦♦ *Court de Gébelin e o* Mundo Primitivo

Antoine Court de Gébelin nasceu provavelmente em Nîmes, por volta de 1725, em uma família protestante. Temendo pela vida dos seus nessa época ainda conturbada para os protestantes, seu pai, que era pastor, decidiu exilar-se na Suíça com a família a partir de 1730. Em Lausanne, Antoine tornou-se doutor em teologia em 1754. Em 1763, após a morte de seus pais, voltou para a França. Um de seus principais objetivos era defender a causa protestante junto a um poder régio mais tolerante, atuando como intermediário de seus correligionários. Logo trilhou seu caminho na alta sociedade parisiense: autor eminente, coroado pela Academia Francesa e membro de outras academias, censor do reino, erudito, gramático e mitólogo, também se tornou franco-maçom, talvez em 1776, da prestigiada *Loge des Neuf Soeurs* [Loja das Nove Irmãs], onde convivia com a elite da sociedade parisiense da época. Em 1768, decidiu publicar um amplo projeto, uma obra "que seria a chave de todos os séculos e de todos os conhecimentos humanos". Lançou as assinaturas em 1772, ano em que foi publicado o último tomo da *Enciclopédia*, mas seu objetivo era outro. Ao contrário de Diderot e d'Alembert, ele não desejava informar sobre os conhecimentos de seu tempo, e sim conseguir encontrar a fonte comum de todos os saberes humanos por meio de uma ampla síntese. O *Mundo Primitivo* é característico de sua época, pois contém a mesma ideia de um retorno a uma fonte primitiva, a uma origem primordial, da qual necessariamente derivariam a história e os saberes humanos, o que explica o sucesso da empreitada. Mais de mil assinantes sustentaram seu projeto, entre os quais Luís XVI, Diderot, d'Alembert e Franklin. Ele queria publicar nove volumes de aproximadamente seiscentas a setecentas páginas, à razão de um volume por ano. A publicação de *Le monde primitif analysé et comparé avec le monde moderne* [O Mundo Primitivo, Analisado e Comparado com o Mundo Moderno] ocorreu de 1773 a 1784. A redação dessa extensa obra, na qual ele trabalhou sozinho (mais de 6 mil páginas!) não o impediu de lançar-se em outros projetos. Em 1780, tornou-se presidente da nova Sociedade Apoliniana, futuro Museu de Paris, e financiou metade dos trabalhos dessa sociedade literária. Apesar de sua notoriedade, ou talvez por causa dela, as dívidas se acumularam. Em 1783, Gébelin adoeceu. Faleceu em 12 de maio de 1784. Teria sucumbido após uma sessão de magnetismo na casa do curandeiro Mesmer, conforme assinala este epitáfio: "Aqui jaz o pobre Gébelin, que falava grego, hebraico e latim. Que todos admirem seu heroísmo; ele foi mártir do magnetismo".[144] Morreu sozinho, sem filhos, pois não era casado. Seus bens foram vendidos para pagar suas dívidas. Em 1793, sua sepultura foi profanada e destruída.

O que nos diz Antoine Court de Gébelin em seu texto a respeito do tarô? Já em seu tomo V, publicado em 1778 e intitulado *Dictionnaire étymologique de la langue française* [Dicionário Etimológico da Língua Francesa], ele define o tarô como segue: "TARÔ (*TARRAUX*), jogo de cartas muito conhecido na Alemanha, na Itália e na Suíça. Trata-se de um jogo egípcio, como demonstraremos algum dia. Seu nome é composto de duas palavras orientais: *tar & ra, ro*, que significam 'caminho régio'". O ponto em comum com a *Enciclopédia* é o fato de ele tam-

---

143 Para mais elementos sobre esses personagens e sua época, ver "Lumières et anti-Lumières", in *Histoire de la divination, op. cit.*, pp. 193-208.

144 Elementos biográficos encontrados em Antoine Court de Gébelin, *Le Tarot, présenté et commenté par Jean-Marie Lhôte*, Berg International, Paris, 1983. Ver a biografia completa de Court de Gébelin, pp. 9-48.

bém escrever que o tarô era mais utilizado no exterior; a *Enciclopédia* cita "Espanha, Alemanha e outros países". Isso confirma a ideia de que o tarô não era muito usado na França da época. O outro elemento da definição é inteiramente de sua autoria: o tarô seria um jogo egípcio, cujo nome é composto por duas palavras orientais. Em 1778, ele anunciava o que demonstraria mais tarde.

Em 1781, publicou o tomo VIII do *Mundo Primitivo*, cujos temas eram "a história, o brasão, as moedas e os jogos" e no qual expôs sua teoria sobre o tarô em um capítulo intitulado "Du jeu des tarots" ["Sobre o Jogo dos Tarôs"] (pp. 365-94). Outro capítulo segue: "Recherches sur les tarots et sur la divination par les cartes des tarots par M. le C. de M.***" ["Pesquisas sobre os Tarôs e a Adivinhação pelas Cartas dos Tarôs por M. le C. de M. ***"] (pp. 395-410). Na realidade, essas letras designam o conde de Mellet (1727-1804), franco-maçom como ele e que Gébelin provavelmente conheceu por volta de 1775-1776, na época em que descobriu o tarô. Com efeito, em seu artigo I, Court de Gébelin narra sua visita a uma amiga, certa *madame* "la C. d'H.", que lhe falara de um maravilhoso jogo de cartas chamado "os Tarôs" (na verdade, Madame Helvétius, que tinha um renomado salão desde 1771, frequentado por outros franco-maçons): "Convidado há alguns anos a visitar uma de nossas amigas, *madame* la C. d'H., que chegara da Alemanha ou da Suíça, nós a encontramos ocupada em jogar esse Jogo com outras pessoas. 'Jogamos um jogo que certamente não conheceis... É possível; trata-se... do Jogo dos Tarôs... Tive a oportunidade de vê-lo quando jovem, mas não faço ideia de como funcione... É uma combinação das figuras mais estranhas, mais extravagantes: eis um exemplo.' Tivemos o cuidado de escolher a mais caricatural dentre as figuras e que não apresentava nenhuma relação com seu nome: o Mundo. Observo-a e logo reconheço a alegoria. Todos deixam seu jogo de lado para ver essa carta maravilhosa, na qual percebo o que os outros nunca viram; cada um me mostra outra carta e, em 15 minutos, o jogo é examinado, explicado, declarado egípcio e, como esse não era o jogo que havíamos imaginado, mas o efeito de suas relações escolhidas e sensíveis com tudo o que conhecemos das ideias egípcias, comprometemo-nos a divulgá-lo algum dia ao público [...] um livro egípcio que teria escapado da barbárie, à destruição pelo tempo, aos incêndios acidentais e aos voluntários, bem como à ignorância ainda mais desastrosa. Efeito necessário da forma frívola e leviana deste livro, que lhe possibilitou vencer todas as épocas e chegar até nós com uma rara fidelidade: a ignorância na qual nos encontramos até agora a respeito do que ele representava foi um feliz salvo-conduto que lhe permitiu atravessar tranquilamente todos os séculos sem que se pensasse em fazê-lo desaparecer".

Eis como tudo começou, de acordo com o relato acima. Ele revela vários pontos muito interessantes. Inicialmente, Court de Gébelin teria deparado com um tarô por ocasião de uma festa e o reconheceu como "um livro egípcio". Até então, todo mundo ignorava o que ele representava. Em outras palavras, se nos perguntarmos se Court de Gébelin teria sido iniciado em uma simbologia qualquer em torno do tarô por outras pessoas, em sua loja maçônica, por exemplo, parece claramente que não. É o que ele próprio diz antes de narrar sua visita à sua amiga e sua descoberta: "Se esse jogo, que sempre permaneceu em silêncio para todos que o conheciam, apresentou-se a nossos olhos, não foi por efeito de alguma profunda meditação nem pela vontade de elucidar seu caos: não pensávamos nisso no instante anterior". Em seguida, ele fala de sua visita, de sua descoberta desse jogo; nele vê alegorias que reconhece e as identifica como "egípcias". Outro indício, ele escreve que ninguém conhece o jogo. Depois disso, é difícil dizer que Court de Gébelin teria recebido a herança de uma longa tradição sobre o tarô; e por que teria assumido a responsabilidade de divulgar um segredo tão bem guardado? Em contrapartida, parece que não foi o único a se entusiasmar com esse "jogo egípcio". Seu texto evoca claramente uma descoberta compartilhada, na qual "em 15 minutos" (a conclusão é rápida!), "o jogo é examinado, explicado, declarado egípcio". De resto, serão dois a retomar e desenvolver essa ideia de um tarô egípcio *no Mundo*

Primitivo, ele e o conde de Mellet. Portanto, não podemos afirmar que ele teve essa ideia sozinho, mas obviamente não foi o depositário de uma ideia compartilhada, por exemplo, por sua loja maçônica. Por outro lado, sabemos que o culto do Egito não fazia parte dos trabalhos essenciais da *Loge des Neuf Soeurs* [Loja das Nove Irmãs]. Sabemos também que não era necessário ser iniciado em um grupo particular para ceder à egiptomania circunstante. Court de Gébelin e seus amigos puderam associar o tarô e o Egito por si próprios. Como evocamos mais acima, o contexto era rico em fontes de inspiração, e os livros sobre o "Egito" eram numerosos.

Felizmente para nós, a biblioteca de Antoine Court de Gébelin foi inventariada e revendida após sua morte, de acordo com um costume bastante difundido na época. Assim, sabemos o que ele lia...[145] É interessante constatar que sua biblioteca, com 775 livros, é menos a de um ocultista do que de um intelectual curioso e erudito. Não contém muitas obras sobre alquimia ou hermetismo. Em compensação, nela encontramos livros sobre "a história do Egito" e os "hieróglifos". Alguns são antigos, como o de Pierre Langlois (Paris, 1583): *Discours des hiéroglyphes egyptiens, emblêmes, devises et armoiries, ensemble LIV tableaux hiéroglyphiques avec interprétations des songes et prodiges* [Tratado sobre Hieróglifos Egípcios, Emblemas, Divisas e Armas, com LIV Quadros Hieroglíficos Contendo Interpretações de Sonhos e Prodígios]; de Jean Pierius Valerian[146] (Lyon, 1576): *Commentaires hiéroglyphiques ou Images des choses* [Comentários Hieroglíficos ou Imagem das Coisas]. Também há livros de história mais recentes, por exemplo, de certo Fourmont (Paris, 1747): *Réflexions sur l'origine, l'histoire, la succession des anciens peuples Chaldéens, Hébreux, Phéniciens, Égyptiens, Grec, etc.* [Reflexões sobre a Origem, a História, a Sucessão dos Antigos Povos Caldeus, Hebreus, Fenícios, Egípcios, Gregos etc.]. Seria difícil fazer uma lista exaustiva. Contudo, é possível ver que tipo de documentos ajudou nosso amigo a elaborar seu *Mundo Primitivo*. Esses títulos foram citados aqui por serem muito reveladores. Neles podemos encontrar a mesma profusão de disciplinas diferentes, que são misturadas em conjuntos nos quais consideramos que têm seu lugar: assim, podemos ver uma combinação de "hieróglifos", divisas e armas em obras elaboradas em uma época na qual a busca pelo saber admitia, ao mesmo tempo, certo rigor (para os trabalhos de tradução, por exemplo) e certa imaginação, uma vez que se tratava de conceber teorias históricas, estudos ou textos sobre as origens dos povos. Na época de Jean Pierius Valerian (século XVI), a história ainda se confundia com os mitos; na de Court de Gébelin, a pretexto de racionalidade, ainda se cultivavam confusões semelhantes. Isso não impediu ninguém de declarar que o tarô era egípcio. Não era algo oculto nem misterioso, tampouco inacreditável. Tratava-se de um conhecimento compartilhado em uma obra de caráter enciclopédico, numa época em que a arqueologia dava seus primeiros passos, os hieróglifos ainda não haviam sido decifrados e o Egito começava a ser explorado.[147]

Nesse caso, como Court de Gébelin pôde ver no tarô um conjunto de hieróglifos egípcios? Para compreendê-lo melhor, vejamos um pouco mais de perto uma dessas obras que ele teve a oportunidade de consultar. Tomemos o *Livre des figures hiéroglyphiques* [O livro das Figuras Hieroglíficas], de Nicolas Flamel (na verdade, apenas atribuído a Nicolas

---

145 Os interessados podem encontrar o catálogo completo da biblioteca de Antoine Court de Gébelin na Biblioteca Nacional da França. No catálogo *on-line* da BnF, ver um preâmbulo intitulado "Vente (Livre). 1786-06-26. Paris.", que pode ser consultado em: http://catalogue.bnf.fr/ark:/12148/cb36533281s.

146 Na realidade, Giovan Pietro Pierio Valeriano (1477-1560), humanista italiano, cuja obra pode ser encontrada sob o título comum de *Les Hiéroglyphiques*.

147 A Pedra de Roseta foi descoberta em 1799, durante a campanha do Egito. Em 1862, o explorador John Hanning Speke pensou ter encontrado a nascente do Nilo ao descobrir o lago Vitória.

Flamel, que nunca teria escrito um livro), publicado na França, em 1612.¹⁴⁸ Nessa obra, o autor propõe dar "a explicação das figuras hieroglíficas expostas por mim, Nicolas Flamel, escritor na quarta arcada do cemitério dos Inocentes".* Em seguida, o autor apresenta uma ilustração das figuras hieroglíficas que pretende explicar:

Os "hieróglifos" mencionados por ele não são nada além de figuras de um modesto pórtico feudal de cemitério,¹⁴⁹ como havia tantos nessa época. Devemos nos surpreender? Não muito. Na realidade, para o autor, as "figuras hieroglíficas" designavam imagens misteriosas, antigas, herméticas (sobretudo porque nesse caso se trata de um livro de alquimia), e não as inscrições encontradas em Luxor. São figuras ligadas a um passado misterioso e distante, a ser interpretado.

Nicolas Flamel, *Le Livre des figures hiéroglyphiques* [O Livro das Figuras Hieroglíficas] (ilustração principal), Paris, 1682, BnF.

Na realidade, o Egito evocado de modo geral e pelo autor é um conceito, uma utopia, é o *Mundo Primitivo* tão exaltado por Court de Gébelin, e não apenas o Egito dos faraós. Dependendo das épocas e dos autores, o "Egito" é relacionado a toda sorte de figuras ou símbolos suscetíveis de conter um saber antigo e oculto: nesse caso, figuras feudais; no século XIX, representações nitidamente mais egípcias, uma vez que os ocultistas viviam em uma época que viu as pirâmides. No tempo de Court de Gébelin, esse Egito primitivo ainda podia cobrir-se de vestes feudais, o que tampouco surpreende: a época feudal era tão distante e inacessível para os literatos que viviam sob o reinado de Luís XVI quanto pode ser para nós, e até mais. Com efeito, como dissemos, seu conhecimento sobre a história dava seus primeiros passos. Em resumo, se o autor desse livro de 1612 conseguiu enxergar nesse pórtico medieval (cuja figura principal é o Juízo Final...) um conjunto de hieróglifos, cujos mistérios ele se propõe a decifrar, não nos surpreenderá a alegação de Court de Gébelin de ver nas cartas a mesma espécie de conjunto. Em contrapartida, em sua época, 1781, o Egito antigo (o "verdadeiro") entrara para o campo histórico: portanto, os autores tinham, ao mesmo tempo, a possibilidade de contemplar os símbolos medievais e discorrer sobre Osíris. Foi exatamente o que fizeram Court de Gébelin e seus descendentes.

Quando continuamos a ler sua obra sobre o tarô, observamos mais esse entusiasmo egípcio do que uma conexão com uma longa tradição ocultista, hermética ou alquímica. Ele parte de uma afirmação, tal como referimos em nossa introdução: "Se ouvíssemos alguém dizer que ainda hoje existe uma obra dos antigos egípcios, um de seus livros que teria escapado das chamas [...] esse fato, entretanto, é muito verdadeiro: esse livro egípcio ainda hoje existente é o único que restou de suas magníficas bibliotecas [...]. Esse livro é composto por LXXVII fólios ou quadros, ou até de LXXVIII, divididos em V classes, cada uma delas oferecendo objetos tão variados quanto divertidos e instrutivos: em poucas palavras, esse livro é o jogo de tarô, ainda ignorado em Paris, mas muito conhecido na Itália, na Alemanha e até na Provença, e tão extravagante pelas figuras apresentadas por suas cartas quanto por sua quantidade". Não se deve esperar encontrar maiores revelações nesse texto. O autor prossegue evocando a antiga origem do tarô, "que se perdeu na noite dos tempos"; no entanto, "a forma, a disposição, o arranjo desse jogo e as figuras que ele oferece são tão manifestamente

---

148 *Le Livre des figures hiéroglyphiques*, Laurent d'Houry, Paris, 1612. Digitalizado em uma obra de 1682, em Gallica: http://gallica.bnf.fr/ark:/12148/bpt6k81627j.

* Como outros cidadãos abastados da época, o escrivão Nicolas Flamel mandou construir uma das arcadas que abrigavam os túmulos do Cimetière des Innocents, em Paris. (N. da T.)

149 O Cimetière des Innocents era um dos principais cemitérios do centro de Paris e foi destruído antes da Revolução.

alegóricos, e essas alegorias são tão conformes com a doutrina civil, filosófica e religiosa dos antigos egípcios, que não podemos deixar de reconhecer em relação à obra desse povo de sábios que apenas eles puderam ser seus inventores, rivalizando a esse respeito com os indianos, que inventaram o jogo de xadrez". Segue uma descrição dos trunfos, acompanhada de gravuras que os representam, "para que nossos leitores possam nos acompanhar". Sabemos que essas gravuras, um tanto desajeitadas, foram feitas a seu pedido por uma de suas amigas. Contudo, elas permitem ver que esse jogo, que tanto surpreendeu Court de Gébelin, era um Tarô de Marselha. Não é possível saber qual. Certo é que ele não pode ter visto um baralho de Nicolas Conver (que ainda não tinha sido criado); e, dada a multiplicidade dos tarôs publicados, só podemos levantar hipóteses, lembrando-nos dos fabricantes de cartas em exercício por volta dos anos 1775: ele pode ter visto um tarô de Jean-François Tourcaty, de François Bourlion...

No que se refere aos comentários sobre os trunfos, encontramos outras afirmações na obra a respeito do Egito. Assim, o Papa e a Papisa são comparados ao "Grão-Sacerdote" e à "Grã-Sacerdotisa", com a conclusão de que, "entre os egípcios, os chefes do sacerdócio eram casados. Se essas cartas fossem invenção dos modernos, não veríamos a Grã-Sacerdotisa e, menos ainda, com o nome de Papisa, como os fabricantes de cartas alemães[150] a nomearam ridiculamente". O Carro é nomeado "Carro de Osíris Triunfante", e os argumentos apresentados revelam: "Osíris avança em seguida; ele aparece sob a forma de um rei triunfante, com o cetro na mão e a coroa na cabeça: está em seu carro de guerreiro, puxado por dois cavalos brancos. Ninguém ignora que Osíris era a grande divindade dos egípcios, a mesma que a de todos os povos sabeus, ou o Sol, símbolo físico da divindade suprema invisível, mas que se manifesta por essa obra-prima da natureza. Perdera-se durante o inverno; reapareceu na primavera com um novo brilho, depois de triunfar sobre todos que guerrearam com ele". Citamos essa passagem na íntegra, escrita pelo autor sobre o Carro, para mostrar com mais clareza que suas descrições sobre o tarô não vão muito além de algumas afirmações. Ele compara o Carro a Osíris, sem dar mais informações. Em seguida, apresenta a descrição dos outros trunfos, com conteúdos semelhantes.[151] As cartas são citadas de acordo com a ordem e as denominações seguintes:

- Nº 0: o Louco.
- Nº I: o Prestidigitador ou Mago.
- Nºs II, III, IV, V: chefes da sociedade; Rei e Rainha, Grão-Sacerdote e Grã-Sacerdotisa.
- Nº VII: Osíris triunfante.
- Nº VI: o Casamento.
- Nºs VIII, XI, XII, XIII (sic): as Quatro Virtudes Cardeais.
- Nº VIIII ou IX: o Sábio ou Aquele que Busca a Verdade e a Justiça.
- Nº XIX: o Sol.
- Nº XVIII: a Lua.
- Nº XVII: a Canícula.
- Nº XIII: a Morte.
- Nº XV: Tifon.
- Nº XVI: a Casa de Deus ou o Castelo de Pluto.
- Nº X: a Roda da Fortuna.
- Nº XX: quadro erroneamente nomeado "o Juízo Final". Designa a Criação.
- Nº XXI: o Tempo, erroneamente nomeado "o Mundo".

---

150 Sabe-se muito bem que nenhum fabricante de cartas alemão nomeou as cartas do tarô.

151 O essencial dos significados dados às cartas por Court de Gébelin é transcrito nesta obra, no Capítulo V ("Pequena História dos Arcanos Maiores").

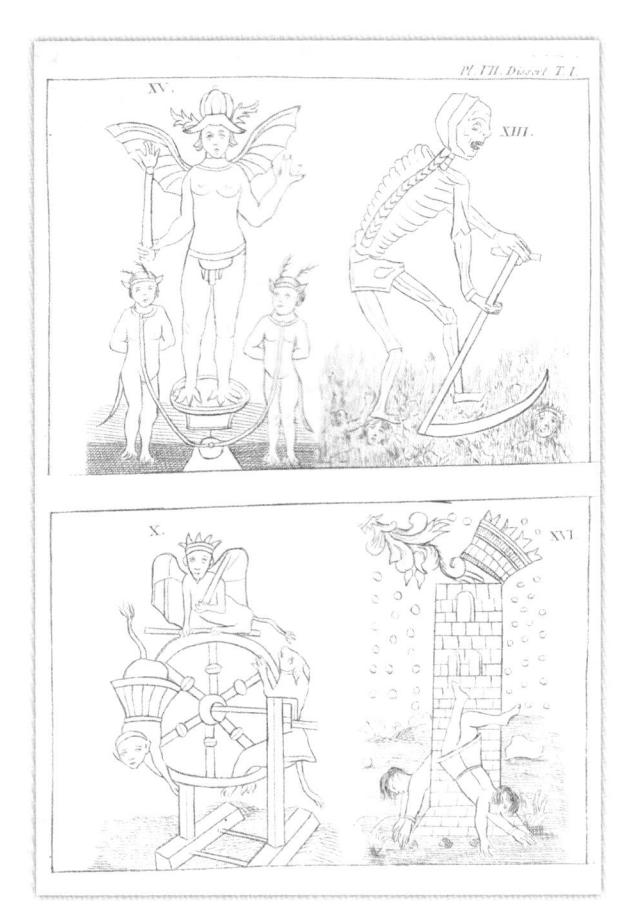

Representações do tarô no *Mundo Primitivo*, 1781, Tarot Museum Belgium.

    Court de Gébelin parece ter escolhido essa ordem de acordo com uma sequência que lhe é própria: desse modo, Osíris sucede ao Papa (ou Grão-Sacerdote), pois o autor descreve a cruz tripla do Papa como um "monumento absolutamente egípcio [...]; ela se relaciona ao Triplo Falo que se carregava na famosa festa das Pamílias, na qual se celebrava a descoberta de Osíris". Em seguida, "Osíris avança". O Sol, a Lua e a Estrela (que o autor chama de "Canícula") sucedem à "lanterna de furta-fogo do Eremita". Porém, ele não explica por que a Roda da Fortuna vem depois da Casa de Deus. Também é difícil saber por que esse filho de pastor que estudou a Bíblia se recusa a ver o Julgamento na carta XX – talvez para permanecer fiel a seu sistema: "Tirai esses túmulos, e esse quadro também serve para designar a Criação, ocorrida no início dos tempos, indicado pelo nº XXI". Contudo, graças a essa declaração, é possível saber que ele tem mais vontade de comunicar suas ideias do que ver o que encontramos com um pouco mais de certeza em um tarô: é difícil negar as representações do Julgamento, do Imperador com o brasão do Sacro Império Romano-Germânico ou do Papa, chefe da Igreja católica Romana, com sua tiara, sua bênção *urbi et orbi* e sua cruz tripla... O autor continua seu texto descrevendo os quatro naipes como se fossem "relativos aos quatro Estados, entre os quais estavam divididos os egípcios": "A espada designava o soberano e toda a nobreza militar; a copa, o clero ou o sacerdócio; o bastão ou a maça de Hércules, a agricultura [qual seria a relação entre o herói grego, o Egito e a agricultura?]; o denário, o comércio simbolizado pelo dinheiro".

Segue-se uma exposição, segundo a qual o jogo é egípcio por estar baseado no número sagrado sete (cada naipe comporta duas vezes sete cartas; os trunfos são em número de três vezes sete; o total é de 77 cartas, uma vez que o Louco é contado como zero): "Portanto, esse jogo só pode ter sido inventado pelos egípcios, uma vez que tem por base o número sete. [...] inventado por um homem engenhoso, antes ou depois do xadrez; unindo a utilidade ao prazer, ele chegou até nós atravessando todos os séculos: sobreviveu à completa ruína do Egito". Por isso, acrescenta o autor, foi levado do Egito a Roma na época do Império Romano: "Para lá levaram suas cerimônias e o culto de Ísis; por conseguinte, o jogo de que se trata". Em seguida, o autor analisa a etimologia egípcia do termo "tarô", antes de descrever de maneira extremamente exotérica de que modo o jogo é jogado. No artigo seguinte, expõe como o tarô também pode ser considerado um jogo geográfico e político: uma vez que a moda eram os jogos de cartas instrutivos para aprender história e geografia, é possível que obras tenham existido para fazer com que as cartas correspondessem aos países. De resto, Court de Gébelin cita um "catálogo de livros italianos", no qual ele viu "o título de uma obra em que a geografia é interligada ao jogo dos tarôs". Em seguida, em várias páginas correlaciona algumas cartas com países da Ásia, da África e da Europa. Continua sua exposição sobre as relações entre o tarô "e um monumento chinês", cuja descrição lhe foi relatada por certo Bertin;[152] depois, evoca alguns vínculos do tarô com torneios de cavalaria, pois, "originariamente, os cavaleiros dos torneios eram divididos em quatro tropas [...] relativas aos quatro naipes dos tarôs". Por fim, conclui descrevendo os baralhos espanhóis (com copas, espadas, bastões e denários) e as cartas francesas.

Pareceu-nos necessário desenvolver aqui o essencial do que foi dito por esse autor tão importante na história do tarô. Tudo parte dele, no entanto, nada é menos esotérico do que essas descrições do tarô. Nelas não há sequer interpretações divinatórias. Com razão podemos nos surpreender com essa posteridade. As únicas lembranças que guardamos de Court de Gébelin hoje se referem ao tarô; o restante de sua obra monumental foi esquecido. Contudo, se considerarmos o tarô, o autor não parece ter escrito informações muito essenciais para compreendê-lo nem revelá-lo.

Então, por que ainda hoje ele é citado nas referências bibliográficas sobre o tema? Como dissemos, o fato é que ele foi o primeiro a falar do tarô de outra forma. Em seguida, e o que é mais importante, outros autores logo tomaram seu lugar para desenvolver essa ideia de que o tarô é algo bem diferente de um jogo de cartas. Se também não tivessem tratado do tema após Court de Gébelin, provavelmente seu texto sobre o tarô teria sido esquecido, tal como aquele sobre os brasões ou seu dicionário etimológico. Além disso, se esses autores desenvolveram a ideia, evocada no primeiro capítulo, de um tarô que, na verdade, é o "Livro de Thot" e conteria conhecimentos ocultos, e se essa ideia pôde crescer e se desenvolver, é porque eles escreveram em uma época, o final do século XVIII, em que esse tipo de concepção podia ser semeada em um terreno bastante fértil: como vimos, os mistérios do Egito eram tão populares quanto a cartomancia. O tarô como "Livro de Thot" tinha um belo futuro pela frente.

◆◆◆ *O conde de Mellet*

Já na mesma época, o conde de Mellet, colaborador de Gébelin, retoma a ideia de um tarô egípcio e escreve sua sequência no *Mundo Primitivo*. No entanto, desta vez ele analisa o caráter ocultista e divinatório do tarô e a maneira como os "Sábios do Egito se serviam de quadros sagrados para prever o futuro". Esse autor foi um tanto esquecido, mas desempenhou um papel no mínimo tão importante quanto o de Court de Gébelin na história do tarô. É bem

---

152 Henri Léonard Jean-Baptiste Bertin (1720-1792), estadista ao qual foram enviados os relatos de missionários na China, registrados em *Mémoires concernant l'histoire, les sciences, les arts, les mœurs, les usages, etc. des Chinois* a partir de 1776.

verdade que não foi ele quem publicou o *Mundo Primitivo* e que aparece nessa obra apenas sob o pseudônimo de M. le C. de M. *** – talvez porque esse militar, antes de tudo senhor e homem da nobreza, não desejasse ser associado publicamente a esse tipo de obra? Nunca saberemos. Louis-Raphaël-Lucrèce de Mellet (1727-1804) era franco-maçom como Court de Gébelin, mas, ao contrário dele, era um aristocrata e militar de alta patente: cavaleiro, senhor, conde, coronel, governador, marechal, tenente-general das armas do rei, grã-cruz da Ordem Real e Militar de São Luís.[153] Foi o primeiro a associar de fato a adivinhação e o tarô. De resto, sua contribuição é intitulada *Recherches sur les tarots et sur la divination par les cartes des tarots*[154] [Pesquisas sobre os Tarôs e a Adivinhação pelas Cartas dos Tarôs] e dividida em oito capítulos: "Livro de Thot; Esse jogo aplicado à adivinhação; Nomes de diversas cartas, conservados pelos espanhóis; Atributos mitológicos de várias outras; Comparação desses atributos com os valores conferidos às cartas modernas para a adivinhação; Modo para consultar a sorte; Era uma grande parte da sabedoria antiga; Cartas às quais os cartomantes atribuem prognósticos".

O que nos diz o conde de Mellet ao longo desses capítulos? Inicialmente, ele também nos afirma que o tarô é egípcio, mas desenvolve a ideia de que é o "Livro de Thot": "O desejo de aprender evolui no coração do homem à medida que sua mente adquire novos conhecimentos: a necessidade de conservá-los e a vontade de transmiti-los fez imaginar caracteres dos quais *Thot* ou Mercúrio seria o inventor. Esses caracteres [...] também eram imagens autênticas, com as quais se formavam quadros que reproduziam aos olhos as coisas de que se queria falar. É natural que o inventor dessas imagens tenha sido o primeiro historiador: com efeito, considera-se que Thot foi o primeiro a pintar os deuses, ou seja, os atos da Onipotência ou a Criação. [...] Esse Livro parece ter sido nomeado A-ROSCH; de A, doutrina e ciência; e de ROSCH, Mercúrio, que, com o artigo T, significa Quadros da Doutrina de Mercúrio. No entanto, como Rosch também significa *Começo*, o termo Ta-Rosch foi particularmente consagrado à sua cosmogonia [...]. Essa antiga cosmogonia, esse livro dos Ta-Rosch, com exceção de leves alterações, parece ter chegado a nós nas cartas que ainda trazem esse nome [...]. Os árabes transmitiram esse livro ou jogo aos espanhóis, e os soldados de Carlos V o levaram para a Alemanha". Também aprendemos que esse livro é constituído de 22 quadros, o que permite perceber que, quando o conde de Mellet se refere ao tarô, ele considera apenas os arcanos maiores. Em seguida, descreve-os de acordo com um sistema completamente diferente daquele de Court de Gébelin (vale notar de passagem sua tentativa de explicação etimológica do termo "tarô", que também difere do autor anterior). Ele divide o tarô em três séries de sete cartas, intituladas "Século de Ouro, Século de Prata, Século de Bronze ou de Ferro". Lembremos que essa divisão cronológica era comum para os historiadores antigos, pois a era de ouro constituía a época mítica do paraíso perdido; a era de prata, o tempo em que as coisas começaram a degenerar; a era de bronze e a do ferro (o autor reduziu os dois períodos a um único para que correspondessem ao tarô) seriam nossa época, aquela em que o mal surgiu (bronze) e pode proliferar (ferro). Nessas três séries, as cartas são descritas a partir da vigésima primeira, "o Universo" (= o Mundo), até a primeira, "o Mago". A vigésima segunda carta, chamada pelo conde de Mellet de "a Loucura", por ser "sem número e sem força", não fazia parte dessa classificação. O autor explica essa progressão em sentido inverso com o fato de que a escrita egípcia era lida da direita para a esquerda; "a vigésima primeira carta, mesmo sendo numerada apenas com algarismos modernos, não deixa de ser a primeira". Desse modo, o conde de Mellet nomeia e classifica as cartas do tarô da seguinte forma:

---

[153] Jean-Marie Lhôte, *Le Tarot, op. cit.*, p. 144.
[154] *Monde primitif, op. cit.*, pp. 395-410.

◆ **Primeira série, Século de Ouro.** A vigésima primeira ou primeira carta "representa o Universo por meio da deusa Ísis em um desenho oval, ou de um ovo, com as quatro estações nos quatro cantos, o Homem ou o Anjo, a Águia, o Boi e o Leão". Vigésima carta: o Julgamento, ou "a Criação do homem". Décima nona: a Criação do Sol, "que ilumina a união do homem e da mulher [...]; posteriormente, esse símbolo tornou-se o signo de Gêmeos". Décima oitava: a Criação da Lua "e dos animais terrestres, expressos por um lobo e um cão". Décima sétima: a Criação das estrelas e dos peixes, "representados pelas Estrelas e por Aquário". Décima sexta: a Casa de Deus derrubada "ou o Paraíso terrestre, do qual o homem e a mulher são lançados pela espada flamejante junto com a queda de granizo". Décima quinta: o Diabo ou Tífon "vem perturbar a inocência do homem e encerrar a era de ouro".

◆ **Segunda série, Século de Prata.** Décima quarta: o anjo da Temperança "vem instruir o homem para poupá-lo da morte à qual ele é novamente condenado". Décima terceira: a Morte. Décima segunda: "Os acidentes que acometem a vida humana, representados por um homem pendurado por um pé; para evitá-los, é necessário caminhar com Prudência neste mundo". Décima primeira: a Força vem em socorro da Prudência e abate o leão, símbolo da terra inculta e selvagem. Décima: a Roda da Fortuna. Nona: o Eremita ou o Sábio "que busca a Justiça na terra". Oitava: a Justiça.

◆ **Terceira série, Século de Bronze ou de Ferro.** Sétima: o Carro de guerra "exprime os combates do Século de Bronze, anuncia os crimes do Século de Ferro". Sexta: o Homem "ilustrado, que flutua entre o vício e a virtude, já não é conduzido pela razão". Quinta: Júpiter, "com o raio na mão, ameaça a terra e lhe dará reis em sua cólera". Quarta: o Rei "armado com uma maça, cuja ignorância constituiu em seguida uma esfera imperial". Terceira: a Rainha. Segunda: "O Orgulho dos poderosos representado pelos pavões, sobre os quais Juno, mostrando o céu e a terra, anuncia uma religião terrestre ou de idolatria". Primeira: o Mago, "segurando a vareta dos magos, ilude a credulidade dos povos".

Note-se de imediato que o jogo aqui descrito não é um tarô de Marselha, mas um Tarô de Besançon, com Júpiter e Juno no lugar do Papa e da Papisa. Portanto, aparentemente, o estudo da mais remota Antiguidade para interpretar o tarô não impediu a busca por um jogo específico; qualquer jogo de tarô teria servido. A fidelidade às cartas comentadas tampouco teria interessado a esses autores, que a renomearam como bem entenderam, desprezando as denominações inscritas e usando o argumento de que essas cartas foram assim nomeadas por erro. Os cartomantes ulteriores agiram do mesmo modo: no século XIX, os livros de cartomancia que propõem a leitura dos tarôs contêm muitos jogos diferentes, alguns reescritos e inteiramente refeitos. O mais célebre deles era o famoso Tarô de Etteilla, que não tinha muito a ver com o tarô de Marselha.

Por ora, retornemos a nosso autor e a seu sistema: a ideia era, ao mesmo tempo, classificar as cartas de tarô, dar-lhes um sentido, mas também fazer delas uma espécie de quadro explicativo do mundo. Porém, como tal cosmogonia, que de resto pode parecer bastante coerente, serviria para a adivinhação? O autor resolve o problema explicando o modo como os egípcios inventaram novos caracteres, inspirando-se em ferramentas que utilizavam em suas cerimônias sagradas: "Para a adivinhação, utilizavam o cálice; operavam milagres com o bastão; consultavam os talismãs ou as pedras gravadas; adivinhavam as coisas futuras por meio das espadas, das flechas, dos machados, enfim, das armas em geral [...]. Uma vez reunidos aos Quadros Sagrados, esses quatro caracteres fariam esperar as maiores elucidações, e a combinação fortuita que se obtinha ao se misturarem os quadros formava frases que os magos liam ou interpretavam como ditames do destino [...], e entre os diferentes quadros havia os favoráveis e os desfavoráveis, que, dependendo da posição, do número dos símbolos e de seus ornamentos, tornavam-se adequados para anunciar a felicidade ou o infortúnio". Dispondo dessa forma as sequências ou os arcanos menores (os "quadros") no sistema, o conde denuncia em seguida a ignorância de seus contemporâneos, que, "por não saberem ler os hieróglifos, deles subtraíram todos os quadros (ou seja, suprimiram os arcanos menores) e mudaram até os nomes de copa, bastão, denário e espada, cuja etimologia e cuja expressão não conheciam, substituindo-os pelos de coração, losango, trevo e lança". Desse modo, o autor pode recuperar os métodos da cartomancia tradicional com baralhos comuns que já existiam em sua época e aplicá-los ao tarô. Assim, ele diz que, de acordo com "nossos cartomantes que não sabem ler os hieróglifos [...], os corações (as copas) anunciam a felicidade; os trevos (os denários), a fortuna; as lanças (as espadas), a infelicidade; os losangos (os bastões), a indiferença e o campo". Ele analisa o sentido das cartas segundo as tradições da época, por exemplo, "o Nove de Lanças é uma carta funesta" (portanto, o Nove de Espadas é uma carta funesta). Em seguida, convida o leitor – e essa é sua grande contribuição – a tirar as cartas dividindo o baralho em dois: os trunfos ou arcanos maiores de um lado, e as sequências ou arcanos menores de outro. Em outras palavras, seu texto demonstra a mais antiga proposta de tiragem de tarô de que se tem conhecimento.

O texto em questão é bastante confuso. Propõe o alinhamento das cartas segundo um método de contagem que vai até 14; depois, que elas sejam interpretadas de acordo com as combinações das figuras e, sobretudo, dos números. Em seguida, uma tiragem é exibida como exemplo, como sugestão para a "interpretação de um sonho". O conde de Mellet aproveita a ocasião para citar José, filho de Jacó, que interpretou os sonhos do faraó usando o Livro de Thot, um exemplo bíblico fácil de encontrar e empregado em benefício de sua arte divinatória egípcia. Ele fornece outros elementos divinatórios a respeito das cartas de tarô citadas em seu exemplo de tiragem, que, portanto, também são os primeiros do gênero relativos ao tarô, uma vez que Court de Gébelin não apresentara nenhum. Contudo, esses elementos são um tanto restritos: "Nesse sentido, o Sol correspondendo a Gimel (Gêmeos) significa retribuição, felicidade. A Fortuna [...] significa regra, lei, ciência. O Louco nada exprime por si só [...], é simplesmente um signo, uma marca. O Tífon (o Diabo) anuncia a inconstância, o erro, a fé violada, o crime. A Morte [...] indica a ação de varrer; com efeito, a Morte é uma varredora terrível". Essas são basicamente as únicas indicações fornecidas, além daquelas dadas para as cartas comuns, que nesse texto são reduzidas ao baralho de 32 cartas. Portanto, não dispomos de elementos suficientes para interpretar um tarô inteiro, pois, como vimos, o sistema exposto pelo autor não é muito útil para dar um sentido divinatório às cartas. Podemos apenas deduzir que algumas talvez sejam positivas (como o Julgamento ou "a Criação do homem") ou negativas (o Mago, que "ilude a credulidade dos povos").

Afinal de contas, não é preciso lembrar que o conde de Mellet, tal como Court de Gébelin, não era um cartomante, mas um aristocrata de alto nível hierárquico e homem de guerra. A esse respeito, podemos nos surpreender que esse militar de carreira tenha sido o primeiro a deixar um texto de Tarô Divinatório. Court de Gébelin, por sua vez, era um homem das letras, cujo entusiasmo pelo ocultismo era recente. Ambos expõem teorias e sistemas em uma obra enciclopédica; portanto, seu objetivo seria aparentemente reunir objetos ou práticas esparsas (jogos, brasões...) e encontrar sua "antiguidade" – esse é o objetivo declarado do *Mundo Primitivo*. O texto também indica que a cartomancia já estava em uso em sua época: o conde de Mellet evoca os cartomantes que teriam perdido o sentido original das cartas e propõe reencontrar esse sentido, mais uma vez no espírito dessa obra. Sabemos que um dos mais célebres deles, Jean-Baptiste Alliette, conhecido como Etteilla, já havia publicado um livro de cartomancia em Paris, em 1770: *Etteilla, ou Manière de se récréer avec un jeu de cartes, par M.**** [Etteilla, ou Modo de se Entreter com um Jogo de Cartas, por M.***]. Quando escreveu esse livro, talvez não conhecesse o tarô mais do que seus contemporâneos. Talvez tenha sentido frustração ao se contentar com um baralho de 32 cartas. A leitura do texto publicado no *Mundo Primitivo*, em 1781, deve ter-lhe parecido repleta de oportunidades. De fato, era uma ideia genial misturar o tarô, jogo de 78 cartas contendo figuras mais ou menos misteriosas, às práticas de cartomancia já em uso... O conde de Mellet teve essa ideia, e Jean-Baptiste Alliette a desenvolveu, introduzindo o tarô diretamente na era de ouro da cartomancia.

Antes de passar para essa era de ouro, pareceu-nos apropriado deixar aqui uma transcrição modernizada (e testada!) da tiragem do conde de Mellet, tendo em vista a confusão de seu texto original, bem como o fato de que se trata da mais antiga tiragem de tarô conhecida. Os entusiastas de tiragens divinatórias poderão apreciá-la.

❖❖❖ *Tiragem de tarô segundo o método do conde de Mellet (1781)*

Essa tiragem necessita de duas pessoas. Uma pega os arcanos maiores, e a outra, os menores. Depois que cada uma misturou suas cartas e deu seu baralho para a outra cortar, elas começam a contar juntas até o número 14. Quem conta os arcanos menores mantém as cartas com a face visível: se "tirar uma carta em sua ordem natural", ou seja, com o número nomeado (por exemplo, ao dizer "três", a pessoa tira um Três de Bastões), deve separar a carta. As cartas da corte têm a seguinte ordem: 11 para os valetes, 12 para os cavaleiros, 13 para as rainhas e 14 para os reis. Quem conta os arcanos maiores mantém as cartas com a face oculta. Portanto, deposita a que saiu quando o arcano menor foi tirado e o vira (em nosso exemplo, seria o arcano que segura ao dizer "três"). O arcano menor é, então, colocado sobre o maior. Nesse caso, é necessário anotar o binômio obtido, pois o arcano maior retirado deve em seguida ser recolocado no baralho "para que o livro do Destino esteja sempre completo", e a contagem continua até 14. A operação deve ser reiniciada três vezes do mesmo modo, portanto, em quatro contagens de 14 no total. Desse modo, ao final é possível obter quatro conjuntos compostos por um número aleatório de binômios – ou até mesmo três, ou dois conjuntos, ou ainda nenhum, se as contagens não derem nada. Nos conjuntos, também é possível ver a repetição do mesmo arcano maior. Depois de terminadas as contagens, para maior comodidade pode-se recolocar todas as cartas na mesa, de acordo com as anotações feitas.

Para a interpretação, o autor especifica em seguida que é necessário:

◆ ler interpretando "a infelicidade ou a felicidade profetizada por elas, combinada com aquela anunciada pela carta que lhe corresponde". Assim, é necessário interpretar cada combinação de um arcano maior e de um arcano menor. Tendo em vista as indicações sumárias de interpretações dadas no texto original, podemos nos referir a um manual de tarô moderno;

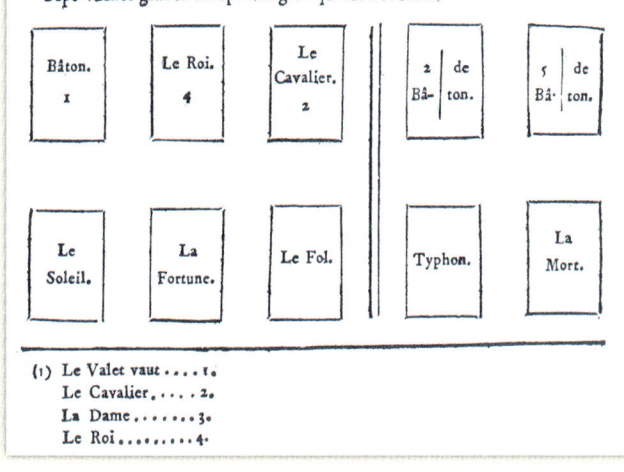

Excerto do *Mundo Primitivo*, exemplo dado com a tiragem do conde de Mellet, tomo VIII, p. 406 (fac-símile).

◆ multiplicar o número do arcano maior pelo do arcano menor correspondente, o que fornece uma indicação sobre "a intensidade maior ou menor" da infelicidade ou da felicidade expressa.

Pela tiragem dada como exemplo, o autor também especifica que podemos ler os números dos arcanos menores tirados e adicioná-los para cada conjunto: a importância do total dá uma indicação sobre a do conjunto. Por exemplo, um conjunto composto por Sete de Bastões, Cinco de Denários e Oito de espadas (ao todo, vinte) deveria ser considerado como sendo mais importante do que outro composto apenas pelo Dois de Denários (portanto, dois ao todo). Essa indicação também pode servir para designar um período: no exemplo dado pelo autor, sete pode corresponder a sete anos. Vale notar que, para calcular esse total, as cartas da corte terão como valores: 1 para os valetes, 2 para os cavaleiros, 3 para as rainhas e 4 para os reis.

Acrescentamos que a ausência de resultados nas contagens, por exemplo se uma questão não der em nada, ou o fato de haver conjuntos mais ou menos importantes em função das questões também podem constituir elementos de interpretação. Ao que parece, o interesse dessa tiragem pode consistir no fato de não se prever antecipadamente o número de cartas que serão depositadas.

3

A ERA DE OURO DA CARTOMANCIA

◆◆◆ *O inapreensível Alliette, vulgo Etteilla*

Na época que abordamos, outro homem além do conde de Mellet escreveu a respeito das cartas. Como dissemos, em 1770, Jean-Baptiste Alliette, vulgo Etteilla, já havia publicado *Etteilla, ou Manière de se récréer avec un jeu de cartes, par M.**** [Etteilla, ou Modo de se Entreter com um Jogo de Cartas, por M.***], nada mais, nada menos do que o primeiro tratado de cartomancia de que se tem conhecimento. A princípio, o anagrama "Etteilla" (seu nome ao contrário) parece ter sido para ele o nome da trigésima terceira carta a ser acrescentada em seu método de leitura dos baralhos de 32 cartas, uma carta branca nos dois lados e que representaria o consulente. Posteriormente, conservou esse pseudônimo. Quem era Alliette? Temos poucas informações a seu respeito. Segundo suas declarações, já em 1753 ele tentava descobrir o segredo das cartas e desde 1757 conhecia o tarô, que intitulara "precioso livro". Às vezes é apresentado como fabricante de perucas ou cabeleireiro, e ele próprio se apresentava como professor de álgebra. As informações a seu respeito não vão muito além disso. No entanto, teve enorme reputação, tanto em vida quanto depois de morto e quase até hoje.

Em 1857, certo J.-B. Millet Saint-Pierre, que fazia pesquisas sobre esse misterioso cartomante, relata que ficou muito despontado por não ter encontrado nenhuma informação sobre ele nas biografias. Porém, também diz que uma noite o acaso o colocou diante de "um ancião em plena forma e muito alegre, um sobrevivente do Antigo Regime, que estivera entre os muitos jovens que carregaram Voltaire nos ombros após a terceira apresentação de *Irène*". Quando conversava com ele a respeito dos cartomantes e das dificuldades destes para receber o consulente em casa devido à sua residência demasiado modesta, o ancião lhe respondeu: "Nisso Etteilla se mostrou excelente, pois soube contornar essa dificuldade. Bastava enviar-lhe, com o preço estabelecido, as quatro indicações prescritas, para receber no dia seguinte um horóscopo de primeira qualidade. – Como? O senhor conheceu Etteilla?", exclamou de imediato nosso autor. "Não", respondeu o ancião, "nunca o vi, mas conheci pessoas que o consultaram pessoalmente e até as que fizeram seu curso de adivinhação. Seus ouvintes eram grandes aristocratas e, convencidos ou não, pareciam bastante satisfeitos com ele". Desse modo, nosso autor conclui que "Alliette ou Etteilla havia atraído a atenção de um público distinto; seu nome profissional era citado como autoridade, e nada pude saber sobre ele!".[155] Sua decepção resume exatamente o destino desse personagem: sua posteridade é próspera, mas quase nada se sabe a seu respeito.

Acredita-se que tenha nascido por volta de 1738, mas não é certo, e seu rastro se perdeu em 1791. Dele restam uma bibliografia bastante confusa e um tarô do qual, até os últimos anos, não se tinha certeza de que realmente fosse dele. O autor de nosso relato prossegue e nos indica que, por sorte, pôde reunir publicações de Etteilla e de sua escola, títulos originais, cartas, horóscopos, manuscritos de autoria do próprio mago ou de alguns de seus discípulos, bem como um caderno de anotações feitas em seus cursos públicos. "Esses papéis haviam sido encontrados após a morte, ocorrida muito antes, de um homem que conheci bem [...]. Somente então se soube que o defunto fizera parte dos adeptos do Livro de Thot." O que mais diz esse autor com base no que encontrou? Que em 1753 vivia em Paris, com certa dificuldade, um professor de álgebra que optou por buscar outra fonte de renda com a tiragem de cartas. A partir desse ano, teria publicado um *Abrégé de la cartonomancie*[156] [Compêndio de Cartonomancia]. No entanto, pouco satisfeito com o que aprendera com uma cartomante, teria começado a buscar a arte da presciência no estudo da Antiguidade. Segundo os textos de um de seus discípulos (Jéjalel, que escreveu *Nécrologie d'Etteilla* [Necrológio de Etteilla]), ele teria feito longas e penosas viagens para conversar com os adivinhos de toda a Europa. Na realidade, segundo nosso autor, durante vários anos, ele se dedicou a suprir a insuficiência de sua formação básica com estudos que pudessem dar-lhe a fisionomia de um mago que se aprofundou na matéria. Informou-se a respeito de tudo o que havia sido escrito até então sobre as ciências ocultas, erigiu-se em filósofo cabalista que praticava a astrologia, a alquimia, a quiromancia e a "cartonomancia", termo inventado por Alliette, pois, segundo ele, os hieróglifos eram pintados em papelões. Alguns autores dizem que ele era franco-maçom, mas não há elementos que o comprovem. Em todo caso, seus estudos deram frutos, pois ele pôde ampliar seu público "por meio de muita audácia, de grande habilidade e, sobretudo, de um modo de se expressar que lhe era particular. Mostrando-se sério e bastante taciturno, raramente concluía a frase que havia começado. Ora, essa maneira de ser, talvez ocasionada por problemas de dicção, ou seja, por fraqueza, passava aos olhos da maioria dos espectadores como prova de profundidade. Mas ele impressionava facilmente tão logo abordasse a questão dos números para estabelecer que não existe acaso nos acontecimentos e que tudo segue uma regra primordial e constante. Além disso, sustentava uma doutrina análoga à de Demócrito e Empédocles, discípulos de Pitágoras, que viam nos números os princípios das coisas. Etteilla sobressaía nos jogos matemáticos, nas combinações de algarismos". No entanto, nosso biógrafo e vários outros autores denunciaram sua falta de instrução, bem como seus livros grosseiros e mal escritos. Éliphas Lévi, outro autor que escreveu sobre o tarô e ao qual voltaremos, clamava seu desprezo por ele: "Preocupado apenas com seu sistema de adivinhação e com o proveito material que dele poderia tirar, Etteilla ou Alliette, esse ex-cabeleireiro que nunca aprendeu francês nem ortografia, pretendeu restaurar e se apropriar do Livro de Thot".[157] Mesmo com os erros de ortografia, seus livros fizeram muito sucesso, talvez em parte por essa razão. Com

---

155 Esse relato pitoresco encontra-se disponível em Gallica, sob o título "Recherches sur le dernier sorcier et la dernière école de magie", por J.-B. Millet-Saint-Pierre in *Recueil des publications de la Société havraise d'études diverses*. Ver o número relativo ao ano de 1857, pp. 431-83. Os principais elementos biográficos citados nesta parte foram extraídos de: http://gallica.bnf.fr/ark:/12148/bpt6k55447214.

156 Citado em "Recherches sur le dernier sorcier et la dernière école de magie", *op. cit.*, p. 439. O título dessa obra proviria de um manuscrito de correspondência particular.

157 Éliphas Lévi, *Dogme et rituel de la haute magie, op. cit.*, p. 341. [*Dogma e Ritual da Alta Magia*. São Paulo, Pensamento, 21ª ed., 2017, p. 318.]

Horóscopo manuscrito de Etteilla, encontrado em "Recherches sur le dernier sorcier et la dernière école de magie" [Pesquisas sobre o Último Mago e a Última Escola de Magia], BnF (fac-símile).

efeito, o *Mundo Primitivo*, do qual Alliette soube tirar partido, era uma obra erudita e ambiciosa, além de cara. Já ele publicava pequenos livros mais acessíveis.

No entanto, ele não era um mago barato; não se contentava com uma clientela de serviçais ou pessoas simples. É o que demonstram as tarifas que mandou publicar nos jornais da época para seus cursos e consultas: "Uma simples consulta com Etteilla era taxada em 3 libras; uma aula de sábia magia, 3 libras. As séries de horóscopos, jogo grande, médio ou pequeno, custavam respectivamente 100, 50 e 24 libras. Se os clientes, depois de conhecerem o horóscopo, quisessem receber informações complementares, seria necessário desembolsar mais 3 libras, ou 6 para questões adicionais. A explicação de um sonho chegava a 6 libras. Doze libras para ter o nome de seu Gênio, sua natureza, suas qualidades, sua força relativa à vida do consulente. A encomenda mais cara era a de um talismã capaz de proteger seu possuidor de um ou outro perigo: dependendo do poder do talismã, eram cobrados de 8 a 10 luíses. Melhor do que isso, Etteilla admitia assinantes por um preço fixo. Por 30 libras mensais, ele se encarregava de ser o médico espiritual da pessoa que a ele fizesse confidências e, mediante essa módica contribuição, o consulente teria quase certeza de que estaria livre de todas as maldades que pudessem ser causadas por um gênio mal-intencionado".[158]

O relator dessa informação conclui: "Como vemos, Etteilla foi um grande homem. Hábil, audacioso, astuto e com muita perícia, rapidamente adquiriu uma reputação universal". Para se ter uma ideia do valor das tarifas cobradas, vale lembrar o salário por jornada de trabalho de um artesão fabricante de cartas de jogos: de 18 a 20 *sous* por dia, sendo que 1 libra equivalia a cerca de 20 a 25 *sous*.[159] Portanto, podemos considerar que, para uma consulta, um operário teria de desembolsar mais de três dias de salário...

---

158 Em *Journal des débats politiques et littéraires*, Paris, 21 de dezembro de 1905. Digitalizado em Gallica: http://gallica.bnf.fr/ark:/12148/bpt6k482162d.

159 D'Allemagne, t. II, *op. cit.*, p. 66.

No entanto, os alunos de Etteilla parecem ter deplorado a morte desse homem que consideravam extraordinário. Seu discípulo Jéjalel escreveu sobre ele em seu opúsculo: "Entre os grandes homens que ilustraram este século XVIII estava nosso mestre... Ele não está mais aqui, irmãos... Etteilla não está mais aqui! Seu espírito paira em torno de seus discípulos desolados; seu gênio paira sobre nossas cabeças; ele observa o uso que faremos das lições que nos transmitiu... Etteilla não está mais aqui: Etteilla acaba de sucumbir sob o peso das vigílias e dos labores. Posteridade! Julgareis se Etteilla merecia ou não as honras do panteão francês!". Nosso biógrafo relata que, nos manuscritos redigidos por seus alunos, encontrava-se uma afeição sincera: "É uma perda real para aqueles que amam as ciências e para todo o gênero humano, em razão das luzes que ele começava a irradiar... Eu já começava a tratar com uma espécie de intimidade esse filósofo único em seu gênero e me orgulhava de em pouco tempo compreender suas obras".[160] Outra carta orienta-se em sentido semelhante: "A morte de Etteilla, homem realmente erudito e bom amigo, é uma perda irreparável".[161] De resto, nosso autor cita o dia exato do falecimento do mestre, 12 de dezembro de 1791, data encontrada em uma carta de 7 de maio de 1792, escrita por um de seus discípulos, conhecido como Hugand (o famoso Jéjalel). Essa informação nos parece confiável e interessante, sobretudo porque a data da morte de Etteilla ainda levanta dúvidas nos dias de hoje.

Que obras ele nos deixou? Como dissemos, sua bibliografia é bastante confusa. Nem todos os autores concordam a respeito das obras que ele teria publicado. De nossa parte, vale a pena nos determos nas que se referem ao tarô e às cartas, pois podemos observar que ele também escreveu livros de astrologia ou sobre remédios.[162] Quanto ao tema que nos interessa, ele publicou principalmente:

– *Etteilla, ou Manière de se récréer avec un jeu de cartes, par M.**** [Etteilla, ou Modo de se Entreter com um Jogo de Cartas, por M.***], Lesclapart, Paris, 1770;

– *Etteilla ou Instruction sur l'art de tirer les cartes* [Etteilla ou Instrução sobre o Modo de Ler as Cartas], Paris, o autor, 1770.

– *Etteilla, ou la Seule Manière de tirer les cartes, revue, corrigée et augmentée par l'auteur sur son premier manuscrit* [Etteilla ou a Única Maneira de Ler as Cartas, Revista, Corrigida e Ampliada pelo Autor em seu Primeiro Manuscrito], Lesclapart, Amsterdã; em Paris pela Segault, 1773;

– *Manière de se récréer avec le jeu de cartes nommées tarots par Etteilla* [Modo de se Entreter com o Jogo de Cartas Nomeadas Tarôs por Etteilla], Amsterdã, encontra-se em Paris. Seu principal livro sobre o tarô foi publicado na forma de quatro cadernos organizados em torno das virtudes: Justiça para o primeiro, Força para o segundo, Temperança para o terceiro, e Prudência para o quarto. Os cadernos 1 e 3 foram publicados em 1783; o 2 e o 4, em 1785.

Teria ele composto um tarô? Seria o autor do jogo atualmente chamado de *le Grand Etteilla* [O Grande Etteilla] e que ele próprio nomeara "Livro de Thot"? Mais uma vez, a resposta não é evidente. Durante muito tempo, todos os tarôs conhecidos eram posteriores à sua morte, em 1791. Sabemos que, inicialmente, ele hesitou em publicar um jogo; em seu terceiro caderno, preferiu explicar ao leitor como elaborar seu próprio jogo com base em suas instruções: "É útil ter sob os olhos o jogo de cartas nomeadas tarôs e, sem se preocupar

---

160 Carta de M... de 21 de março de 1792, citada em *Recueil des publications de la Société havraise d'études diverses, op. cit.*, p. 474.
161 Carta de M. de Bourecueille, de 5 de março de 1792, citada em *ibid.*, p. 475.
162 Ver Jacques Halbronn, *Etteilla, l'Astrologie du livre de Thot (1785) suivie de Recherches sur l'histoire de l'astrologie et du tarot*, La Grande Conjonction, Paris, 1993.

Tarô de Etteilla original, intitulado "Le livre de Thot" [O Livro de Thot], gravura de 1788, BnF.

com a ordem que observo quanto aos números e à interpretação dos hieróglifos, é necessário escrever um e outro em cada carta, seguindo o plano que indico para se ter uma ideia completa desse Livro de Thot, que encerra o universo inteiro".[163] Também se pode ler em um de seus livros: "A intenção do autor era mandar gravar os 78 hieróglifos do Livro de Thot da maneira mais próxima possível dos originais; porém, depois de calcular as despesas, o trabalho, o gosto em geral do século, ele preferiu deixar essa extraordinária empreitada para a posteridade".[164] Em 1789, decidiu mandar gravar um jogo inteiro, criando um clube de assinantes chamado de "Sociedade dos intérpretes do Livro de Thot" (que em 1791 publicou um *Dictionnaire synonimique du livre de Thot* [Dicionário de Sinônimos do Livro de Thot]). Em março de 1789, Etteilla obteve um privilégio geral pelo conjunto de suas publicações e, ao mesmo tempo, entregou a seus correspondentes o Livro de Thot, 78 cartas finamente gravadas em talho-doce e coloridas com pincel. Uma delas, a carta nº 28, traz a inscrição: "Etteilla, Professor de Álgebra, Restaurador da cartonomancia e Redator dos modernos = incorreções desse antigo Livro de Thot; residente à *rue* de l'Oseille, nº 48, em Paris". De fato, isso prova que ele realmente publicou um tarô. O desdenhoso Éliphas Lévi cita essa carta e a descreve em detalhes em 1856; portanto, ele teve o original em mãos – um jogo, cujos exemplares mais antigos e ainda conservados talvez datem de 1791: a carta nº 28 traz exatamente a mesma menção, mas o nome e o endereço foram apagados e substituídos à pena pelos de seu discípulo Odoucet. Em seu lugar, encontramos: "Odoucet, Professor de Álgebra, Restaurador da cartonomancia e Redator dos modernos = incorreções desse antigo Livro de Thot; residente à *rue* Sainte-Anne, nº 11, em Paris". Outra prova de que Etteilla foi mesmo o autor

---

163 *Manière de se récréer avec le jeu de cartes nommées tarots*, terceiro caderno, Amsterdã, Paris, 1783, p. 4.

164 *Ibid.* Cita *Petit avant-tout, ayant quelque rapport à l'art de la divination*, 1773, p. 124, que se encontra no início de seu *Etteilla ou la seule manière de tirer les cartes*.

Grand Etteilla tipo I, a Prudência, H. Pussey, Paris, 1880-1890, BnF.

Grand Etteilla tipo II, a Prudência, Delorme, Paris, 1850-1890, BnF.

Grand Etteilla tipo III, a Prudência, Delarue, Paris, 1890-1900, BnF.

desse jogo é a descoberta recente, no acervo dos gravadores do século XVIII da Biblioteca Nacional da França, de oito estampas de cartas não recortadas, gravadas por Pierre-François Basan e intituladas "Livre de Thot ou Collection précieuse des tableaux de la Doctrine de Mercure dans laquelle se trouve le chemin royal de la vie humaine" [Livro de Thot ou Coleção Preciosa dos Quadros da Doutrina de Mercúrio, na Qual se Encontra o Caminho Régio da Vida Humana]. A carta nº 28 dessa série de gravuras, datada de 1788, traz as mesmas menções referidas acima: "Etteilla, Professor de Álgebra...". As cartas são idênticas às de 1791, mas não coloridas.

Esse tarô de Etteilla acaba gerando uma grande quantidade de imitações. Inicialmente os "Grand Etteilla", que os pesquisadores chamam de Etteilla tipo I, II ou III.[165] O tipo I é mais ou menos equivalente ao original. O tipo II, também chamado de "tarô egípcio, Grand Etteilla II", data da segunda metade do século XIX. O "Grand Etteilla tipo III", conhecido sobretudo como "grande jogo do oráculo das damas", surgiu após 1890. Foi desenhado por Guillaume Regamay e litografado por Haugard-Maugé.[166] O melhor meio de reconhecer esses jogos é observar a iconografia da carta nº 12, a Prudência. O tipo I pode ser identificado por sua iconografia próxima do original, apresentando uma mulher que caminha com prudência, para evitar uma serpente. O tipo II é caracterizado por uma ilustração alterada para a Prudência, que é representada por uma mulher diante do espelho, de acordo com a tradição clássica; também encontramos uma Temperança em conformidade com a tradição iconográfica do século XVII, com o cabresto na mão e acompanhada por um elefante. Essas representações mais clássicas tornam esse jogo mais popular. Por fim, o tipo III pode ser identificado por sua Prudência sobre fundo vermelho ornado (fundo encontrado na carta nº 5).

Qual a contribuição de Etteilla em relação aos autores anteriores? Ao contrário deles, ele era cartomante. Já havia trabalhado com a adivinhação utilizando cartas comuns antes de criar seu próprio sistema. De resto, sua atitude para com Court de Gébelin era ambígua: ele o reverenciava, mas, ao mesmo tempo, fazia questão de deixar claro que não lhe devia tudo. Em contrapartida, em todos os seus livros se encontra a mesma obsessão pelo antigo Egito. Seu tarô também se chama "tarô egípcio", e suas obras logo assumem o título de "Jogo de tarôs ou o Livro de Thot", como ele desejava chamá-las no início, mas que a censura, segundo ele, proibiu. A princípio, teve de admitir *Manière de se récréer avec un jeu de cartes nommées tarots* [Modo de se Entreter com um Jogo de Cartas Nomeadas Tarôs]. Seu

---

165 Thierry Depaulis, *Le Tarot révélé, op. cit.*, p. 61.
166 *Le Tarot, jeu et magie, op. cit.*, pp. 133-37 para Alliette e seus tarôs. Vale notar que o fac-símile publicado nessa época pela Grimaud é um tipo I, em uma reconstituição de 1910. O fac-símile publicado por Dusserre com o nome de "tarô egípcio, grande jogo do oráculo das damas" é um tipo III.

primeiro caderno indica claramente que é a chave dos 78 hieróglifos contidos no Livro de Thot e que o autor "dessa tradução, sabendo desde 1757 que o original é estabelecido com base na ciência dos números praticados pelos povos antigos, achou por bem interromper o silêncio guardado até então para seguir o rastro e apoiar o sentimento de M. Court de Gébelin", o que pressupõe que ele compartilha da opinião deste último, mas que teria conhecido a origem egípcia do tarô antes dele... Segue uma longa análise sobre a criação do tarô pelos sábios egípcios – o tarô ou o Livro de Thot, seu verdadeiro nome, criado por "17 imagens", "no ano de 1828 da Criação, 171 anos após o Dilúvio e finalmente escrito há 3953 anos"; portanto, o tarô teria sido criado em 2170 a. C. (*sic*!). Em contrapartida, Etteilla constatou que "quase todos os hieróglifos foram alterados e que o número estabelecido pelos egípcios é absolutamente incerto" e propôs devolver aos hieróglifos seus verdadeiros números. Eis o ponto em que se distanciava de Court de Gébelin e do tarô tradicional para criar seu próprio jogo.

Ele entrou para a posteridade por ter sido o primeiro a escrever um conjunto completo de interpretações para 78 cartas. Até o século XIX, sua grande influência sobre toda a cartomancia francesa ficou um tanto esquecida. Essa influência diminuiu apenas após as publicações de Paul Marteau, com as quais o Tarô de Marselha "autêntico" assumiu seu lugar de herdeiro das sabedorias ancestrais. De todo modo, durante todo o século XIX e parte do século XX, a maioria dos livros de cartomancia cita diferentes métodos, muitos deles inspirados em Etteilla, tanto para a leitura de cartas comuns quanto para o tarô em si. Ele é muito citado nos jornais e catálogos de venda de livros e de jogos; inúmeros autores se valem dele, como certo Elie Alta (pseudônimo de Gervais Bouchet), que em 1899 escreveu *Le Tarot égyptien, ses symboles, ses nombres, son alphabet. Comment on lit le tarot. L'oeuvre d'Etteilla restituée* [O Tarô Egípcio, seus Símbolos, seus Números, seu Alfabeto. Como se Lê o Tarô. A Obra de Etteilla restaurada] e dizia que o nome de Etteilla era uma garantia de seriedade. Vimos que o tarô de Etteilla existe ao menos em três edições principais, mas não evocamos quantos outros jogos foram inspirados nele, como o "Petit Etteilla"[167] [Pequeno Etteilla], jogo de 33 cartas, na realidade inspirado em seu método de 1770, com um baralho comum de 32 cartas mais uma carta branca.

Como é constituído seu famoso tarô que inspirou tantos (tantas) cartomantes? Os "trunfos" são sempre numerados de 1 a 21, mas segundo uma ordem e nomes completamente diferentes: a primeira carta, que representa o consulente, não tem nenhum equivalente no tarô; o Papa foi simplesmente suprimido (a menos que seja representado pelo consulente); no lugar do nº 13, o autor confessa sem pudor que substituiu a morte pelo matrimônio e a colocou no nº 17, pois, segundo o pensamento dos egípcios por ele traduzido, "o matrimônio é nascimento e, como tal, é o espírito da morte, e esta, da vida",[168] e outros arranjos semelhantes, cujas discordâncias com o Tarô de Marselha são apresentadas no quadro a seguir. Posteriormente, as outras cartas (arcanos menores) foram numeradas de 22 a 77 (por exemplo, o Cinco de Bastões traz o número 31), e o Louco (le Mat ou Le Fou) encerra o jogo com o número 78. As cartas de número 22 a 77 também têm seus significados: por exemplo, o Quatro de Espadas é intitulado "solidão" e traz a menção invertida "economia".[169] Cada carta do jogo original de Etteilla traz duas denominações; uma terceira foi acrescentada em edições posteriores, que já não eram de sua autoria. No quadro a seguir, que retoma apenas 22 cartas para estabelecer as equivalências com os 22 arcanos maiores (tais como o próprio autor as reproduz), registramos em primeiro lugar o significado inscrito na parte superior da carta; em segundo, aquele escrito na inferior e, em terceiro, o nome apresentado nas

---

167 *Le Petit Etteilla ou l'Art de tirer les cartes d'après les plus célèbres cartomanciers, orné de 33 gravures*, Blocquel et Castiaux, Lille, 1826. Digitalizado em Gallica: http://gallica.bnf.fr/ark:/12148/btv1b10527480w.

168 *Manière de se récréer avec le jeu de cartes nommées tarots*, terceiro caderno, *op. cit.*, p. 9.

169 O jogo completo com as instruções originais de Etteilla é mencionado no apêndice ao final desta obra.

laterais em edições posteriores. Também se nota que, em algumas cartas, esse nome manteve-se semelhante ao tarô tradicional, por exemplo, o Diabo ou a Temperança. Em contrapartida, alguns nomes foram completamente inventados; assim, a carta que apresenta uma lua é chamada de "as plantas". Vale observar igualmente que, quando Etteilla descreve as cartas de tarô pela primeira vez em seu livro de 1783,[170] ele não cita todas as menções que mais tarde foram encontradas gravadas nas cartas; no que se refere a essas 22 cartas, ele atribui apenas um significado (o primeiro no quadro), e para as outras 56, dois significados (carta na posição correta e invertida).

Tarô de Etteilla	Tarô de Marselha
1 - Etteilla/o indagador/o caos	Nenhuma carta do tarô equivalente
2 - Esclarecimento/fogo/a luz	XIX - O Sol
3 - Propósito/água/as plantas	XVIII - A Lua
4 - Sobriedade/ar/o céu	XVII - A Estrela
5 - Viagem/terra/o homem e os quadrúpedes	XXI - O Mundo
6 - O dia/a noite/os astros	III - A Imperatriz
7 - Apoio/proteção/os pássaros e os peixes	IIII - O Imperador
8 - Etteilla/a indagadora/descanso	II - A Papisa ou Juno
9 - A justiça/o legista/a justiça	VIII - A Justiça
10 - A temperança/o sacerdote/a temperança	XIIII - A Temperança
11 - A força/o soberano/a força	XI - A Força
12 - A prudência/o povo/a prudência	XII - O Pendurado
13 - Matrimônio/união/o grão-sacerdote	VI - O Enamorado
14 - Força maior/força menor/o diabo	XV - O Diabo
15 - Doença/doença/o mágico ou mago	I - O Mago
16 - O julgamento/o julgamento/o Juízo Final	XX - O Julgamento
17 - Mortalidade/nada/a morte	XIII - A Morte
18 - Traidor/falso devoto/o capuchinho	VIIII - O Eremita
19 - Miséria/prisão/o templo atingido por um raio	XVI - A Casa de Deus
20 - Fortuna/aumento/a roda da fortuna	X - A Roda da Fortuna
21 - Divergência/arrogância/o déspota africano	VII - O Carro
78 - Loucura/loucura/a loucura ou o alquimista	O Louco (*Le Mat, Le Fou*)

Em seu sistema, encontramos uma ideia semelhante à do conde de Mellet: as cartas que iniciam o jogo evocam a criação do mundo e o descanso (o oitavo dia?). São seguidas por um grupo de cartas formado pelas virtudes. O último grupo também parece reunir cartas, bastante funestas, ligadas ao destino humano: doença, julgamento, morte, traidor, miséria... mas também a união e a roda da fortuna. Aparentemente, as virtudes são cartas que fazem a ligação entre a terra e o céu, a humanidade fracassada e Deus. Porém, o objetivo de Etteilla era menos o de promover a cosmogonia do que o de propor um sistema completo de adivinhação. Cada carta de seu tarô traz dois significados divinatórios, a serem utilizados em seguida nos métodos de tiragens propostos por ele em seu terceiro caderno.

---

170 *Manière de se récréer avec le jeu de cartes nommées tarots*, terceiro caderno, *op. cit.*, pp. 5-22.

Tiragens de tarô segundo Etteilla, terceiro caderno (1783)

Os ignorantes realizam mal tudo o que fazem; porém, não se pode dizer a mesma coisa em relação aos homens instruídos. Desse modo, os egípcios pegavam o Livro de Thot, embaralhavam-no em todos os sentidos, sem atentar para os hieróglifos, e mandavam os consulentes cortá-lo em dois. Em seguida, tiravam a primeira carta e a colocavam em B, a segunda em A e a terceira novamente em B. A quarta em B; a quinta em A; a sexta em B; a sétima em B, e assim por diante até o fim, de modo que em A eram depositadas *26* lâminas e, em B, *52*. Com as 52, eles recomeçavam a mesma operação (em D, C). Em C eram depositadas *17* lâminas, e em D, *35*. Além disso, separavam as *17*; e com as *35* restantes, recomeçavam a operação, F e E, de modo que E ficava com 11 lâminas e F, com 24. Como resultado, A = 26, B = 0, C = 17, D = 0, E = 11, F = 24; contudo, as últimas cartas não eram interpretadas (vale notar que em cada operação era preciso sempre embaralhar em sentido inverso e cortar).[171]

Assim, ao pegarem A, liam em cada lâmina (da direita para a esquerda, cujo sentido dependia inteiramente de suas partes) o que elas anunciavam e, em seguida, tiravam a primeira e a deixavam interagir com a vigésima sexta. Depois que A terminava, interpretavam C e, por fim, E.

Sua segunda operação era tirar três vezes sete lâminas, que eles dispunham da seguinte maneira:

    7. 6. 5. 4. 3. 2. 1. A
    7. 6. 5. 4. 3. 2. 1. B
    7. 6. 5. 4. 3. 2. 1. C

Se A não respondesse às suas perguntas, eles retiravam outras sete lâminas de baixo: 7. 6. 5. 4. 3. 2. 1. A. Se mais uma vez não obtivessem resposta, retiravam mais sete lâminas: 7. 6. 5. 4. 3. 2. 1. A para C, caso não encontrassem solução nem prognósticos afirmativos. Se essas repetições não dessem resultado, exortavam os indagadores a orar aos deuses, a mudar de conduta e, por fim, a voltar no dia seguinte ou alguns dias depois.

Sua terceira operação era considerável e a ser considerada. Depois de embaralhar e mandar cortar as 78 lâminas, eles as dispunham em duas colunas, no topo das quais apoiavam um capitel e, em seguida, sem embaralhar novamente as lâminas, formavam uma roda. Nesse procedimento, observavam a regra de retirar o 1 ou o 8, dependendo do sexo que os consultava: 1 se fosse um homem, 8 se fosse uma mulher. Quando tiravam uma dessas cartas, colocavam o primeiro ou o oitavo hieróglifo no centro, como vemos na figura inteira.

Colocavam a primeira carta retirada em 1, e assim por diante até 11. Colocavam a décima segunda carta no número 12 e faziam a mesma coisa com as outras, até 22 etc.

1. 11. 34. 44. era o passado; 12. 22. 45. 55., o futuro; e 23. 33. 56. 66., o presente.

Os egípcios explicavam todas as divisões, uma após a outra, começando pelo passado, passando para o presente e, por último, para o futuro. Portanto, para o passado, tomavam a carta do consulente (8 ou 1), 34 e 1, e seguiam esse procedimento até 8 (ou 1), 44 e 11, do presente e do futuro.

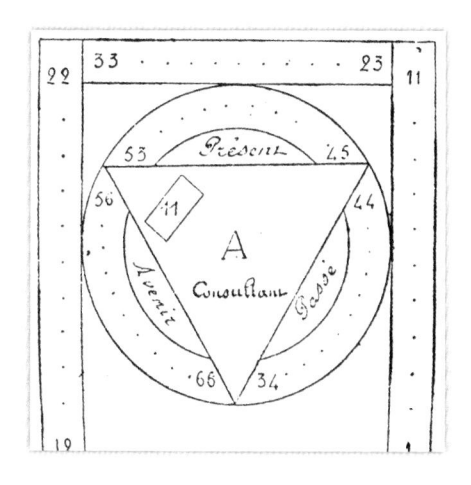

Esquema explicativo da tiragem de Alliette, extraído de seu terceiro caderno (fac-símile).

---

171 Note-se que essa contagem não funciona: a letra E sempre termina com 12; portanto, é preciso tirar a última carta e colocá-la em F.

Porém, ao saírem dessas três operações, refaziam uma quarta se acontecesse de um homem ter apenas uma pergunta a fazer e ela ser legítima (pois eram inimigos de tudo o que fosse falacioso ou pudesse conduzir a tanto). Simplesmente tiravam cinco lâminas, indo de A a E. Se isso não respondesse à pergunta, tiravam outras dez lâminas, dispondo-as da seguinte maneira:

5. 4. 3. 2. 1.
E. D. C. B. A.
10. 9. 8. 7. 6.

E as explicavam, indo de 1 a 5, de A a E e de 6 a 10. Como já mencionado, se essas dez lâminas ainda não dessem a resposta, eles pediam que os indagadores retornassem em outro dia e os exortavam a adorar cada vez mais os deuses e amar seus semelhantes ou seu próximo.

❖❖❖ *A fortuna das cartas*

Os autores que acabamos de mencionar inauguraram duas correntes que tiveram continuidade na história do tarô.

De um lado, após Etteilla, a cartomancia continuou como tal, ou seja, surgiram inúmeras obras que propunham tiragens de cartas para ler o futuro e responder às perguntas dos consulentes. Essas obras eram de vários tipos: havia aquelas que apresentavam tiragens a partir de cartas comuns ou de tarôs (e podemos dizer de imediato que as tiragens a partir de tarôs eram raras no século XIX) ou as que sugeriam tiragens a partir do sistema de Etteilla, por exemplo *Le Grand Etteilla ou l'Art de tirer les cartes par Julia Orsini, sibylle du faubourg Saint-Germain* [O Grande Etteilla ou a Arte de Ler as Cartas por Julia Orsini, Sibila do *Faubourg* Saint-Germain] (Paris, cerca de 1850; Julia Orsini era, na realidade, Simon Blocquel). Na maioria dos casos, os livros de cartomancia propunham uma grande quantidade de tiragens a partir de diversos jogos: cartas, às vezes tarôs, tarôs de Etteilla etc. Também havia novos jogos e oráculos específicos, publicados com as obras correspondentes, criadas especialmente para a cartomancia. O mais célebre era o de Marie-Anne Adélaïde Lenormand (1772-1843), a famosa "sibila dos salões" – pois, aparentemente, a cartomancia era uma prática especificamente feminina. A maioria das obras se dirige a um público feminino, como diz de maneira graciosa esta introdução do *Petit Oracle des dames* [Pequeno Oráculo das Damas]: "Como o amor e a ternura deram origem à cartomancia, o acesso a ela deveria ocorrer, necessariamente, pelo belo sexo".[172] Alguns autores não hesitavam em assumir um pseudônimo feminino (o que era bastante raro nessa época e muito revelador da feminilização dessa prática!), como o já mencionado Simon Blocquel, que se fazia passar por uma sibila do *faubourg* Saint-Germain.

De outro lado, após Court de Gébelin, vemos surgir todo um movimento ocultista e especulativo em torno do tarô iniciático, de sua verdade e de qual ensinamento ele conteria que pudesse ser transmitido aos discípulos – um movimento cujos autores não necessariamente se interessam pelas "cartomantes" e até as consideram com certo desdém. Nesse caso, a busca da verdade e da sabedoria é uma questão de homens, de iniciados, de mestres e de

---

172 *Le Petit Oracle des dames ou Récréation du curieux*, contendo 75 figuras coloridas que formam o baralho completo de 52 cartas, com o modo de lê-las tanto com esse baralho quanto com cartas comuns, Veuve Gueffier, Paris, 1807. Digitalizado em Gallica: http://gallica.bnf.fr/ark:/12148/btv1b10520841s.

magos. Nesse contexto, o tarô se torna suporte para considerações ocultistas e filosóficas: Éliphas Lévi, um dos primeiros a escrever sobre o caráter ocultista do tarô após Court de Gébelin, não fornece nenhuma indicação divinatória; contenta-se em especular longamente o "Livro de Hermes". De resto, o eminente Papus escreve duas obras sobre o tarô, uma que o aborda em um sentido "iniciático, esotérico", *Le Tarot des Bohémiens* [O Tarô dos Boêmios] (1889), e outra sobre *Le Tarot divinatoire* [O Tarô Divinatório] (1909). Nesse segundo título, sua introdução é clara quanto ao desprezo dos ocultistas pelas "cartomantes". Ele chega a dizer: "É possível ler as cartas com o tarô!", como se isso não fosse evidente. E acrescenta: "Estudar a tiragem das cartas para um escritor que se diz sério! Que horror!". Isso revela muito sobre o estado de espírito dos ocultistas em relação à cartomancia. Papus é exceção ao acrescentar o seguinte comentário, que exprime o tema de seu livro: "Nenhum estudo é um horror, e aprendemos muitas coisas curiosas ao estudar o tarô divinatório".[173]

Podemos dizer que essas duas abordagens se reúnem na segunda metade do século XX, quando a maioria dos autores tende a fazer do tarô um instrumento, ao mesmo tempo, de adivinhação e/ou reflexão. Até então, também já se pode dizer que os autores que escreveram sobre tarô ocultista ou iniciático são bem pouco numerosos na França: no século XIX e no início do século XX, Éliphas Lévi, Paul Christian, Papus e Oswald Wirth constituem os raros autores importantes na área. Voltaremos a eles mais adiante. Enquanto isso, vejamos o que aconteceu com a cartomancia.

Como dissemos, as obras surgidas na época não são consagradas especificamente ao tarô. Na realidade, a prática da adivinhação apenas pelo tarô é tardia. Durante todo o século XIX, as obras de cartomancia misturam as práticas. Existem até as que tratam da cartomancia em um texto mais amplo, no qual outras práticas são evocadas, como este título publicado em 1899: *Les Sciences mystérieuses: les lignes de la main, l'écriture, la physionomie, l'étude de la tête, les secrets des cartes, étude nouvelle*[174] [As Ciências Misteriosas: As Linhas da Mão, a Caligrafia, a Fisionomia, o Estudo da Cabeça, os Segredos das Cartas, Novo Estudo]. Como diz o autor da obra, "é muito raro conseguir os verdadeiros tarôs e as cartas tão especiais das verdadeiras cartomantes, e nosso objetivo é capacitar cada uma de nossas leitoras para lerem cartas em qualquer lugar". Mais uma vez, vemos que a cartomancia e as outras práticas divinatórias eram endereçadas a um público feminino, mas também que nem sempre se privilegiava o tarô, uma vez que cartas simples de jogo eram oferecidas com mais frequência. Em alguns livros, escreveu-se até que o tarô era de difícil acesso, caro e, sobretudo, que a prática desse jogo "difícil, secreto e às vezes perigoso"[175] estava reservada às videntes profissionais.

Portanto, a maioria das obras propõe tiragens para baralhos de 32 e 52 cartas. Com o de 32, são apresentados sobretudo três métodos: o francês, o italiano e o de Etteilla. O primeiro sugere várias tiragens, por meio de 3, 7 ou 15 cartas (esse seria o método mais empregado) ou de 21 cartas. Esses métodos de tiragens vêm acompanhados de longas páginas de significados, ao mesmo tempo para cada carta ("o oito de lanças significa [...] em posição correta e invertida") e para as associações de cartas. No caso das associações, páginas igualmente longas são apresentadas para esclarecer o sentido das combinações ("sete de corações e dez de lanças significam...") ou coincidências de cartas de mesmo valor ("três valetes significam..."). Note-se de imediato que esses significados são extremamente variados, uma vez que cada autor tem os seus: para alguns, um Rei de Losangos pode ser "um homem altivo e arrogante" e, para outros, "um homem do campo ou um homem louro". Isso demonstra a grande quantidade de informações e a complexidade com a qual rapidamente se pode carac-

---

173 Papus, *Le Tarot divinatoire*, Librairie hermétique, Paris, 1909, p. 2.

174 *Les Sciences mystérieuses, op. cit.* Essa obra é muito proveitosa para quem quer descobrir esses antigos métodos de cartomancia. O texto encontra-se digitalizado em Gallica: http://gallica.bnf.fr/ark:/12148/bpt6k204009w.

175 Delpha, *Le Nouvel Art de tirer les cartes*, Guy Le Prat, Paris, 1946.

terizar esse tipo de texto. Em alguns livros, encontram-se até tabelas de significados que mudam para as mesmas cartas, conforme as tiragens sejam feitas com baralhos de 52 ou 32 cartas, ou ainda com tarôs. Isso remete à já mencionada obra *L'Art de tirer les cartes* [A Arte de Ler as Cartas], de Méry, que propõe três séries de significados diferentes. Desse modo, para o Rei de Corações, na lista de significados do baralho de 52 cartas, ele nos dá um homem casado, e na lista do baralho de 32, um casamento, o que é bem diferente! Para o Rei de Corações do tarô, ele evoca um homem louro, bem como um rico e belo matrimônio. Esse livro também fornece as tabelas de significados para as combinações de cartas e as coincidências de naipes...

Portanto, é difícil estimar essa grande quantidade de tiragens de cartas e significados. Em parte, isso explica o fato de que, após os anos 1970, grande parte das tiragens divinatórias se voltou para o tarô, com uma preferência para as tiragens com os arcanos maiores. Atualmente, ainda se encontram manuais para ler as cartas comuns, mas eles são bem mais raros. Acrescente-se aqui que alguns autores, como Papus, propunham utilizar os arcanos menores de tarôs correspondentes para realizar todas essas tiragens.

Como exemplo, apresentamos a tiragem que seria a mais empregada dentre todos esses métodos. Ela fornece uma ideia de como eles funcionavam.

Método francês, interpretação por 15

Essa tiragem é realizada com um baralho de 32 cartas. Os 32 arcanos menores de tarô correspondentes podem ser utilizados, ou seja, os sete, oito, nove, dez, ás, os reis, as rainhas e os valetes dos quatro naipes. As copas substituem os corações; os bastões, os trevos; as espadas, as lanças; e os denários, os losangos.*

Depois de embaralhar e mandar cortar, forme dois maços de 16 cartas. Peça para o consulente escolher um dos maços. Para efeito de surpresa, separe a primeira carta desse maço e mostre as outras 15, da esquerda para a direita. Se a carta que representa o consulente não estiver entre elas, recomece, pois essa carta pode ser o Rei de Corações ou de Losangos para um homem louro, o Rei de Lanças ou de Trevos para um homem moreno, os valetes para os jovens, a Dama de Corações ou de Losangos para uma mulher loura, e a Dama de Lanças ou de Trevos para uma mulher morena.

Em primeiro lugar, observe o conjunto e considere as cartas semelhantes: reis, damas etc. Em seguida, conte de sete em sete a partir do consulente e interprete cada sétima carta até voltar ao ponto de partida.

Conclua formando com as 15 cartas três maços de cinco cada um. Pegue a primeira carta de cada maço e junte essas três cartas àquela colocada de lado para a surpresa. Agora você tem quatro maços de quatro cartas cada. O consulente designará um para ele, outro para o imprevisto, outro para sua casa e outro para a surpresa. Interprete cada maço separadamente.

Para a interpretação das 32 cartas, é possível utilizar os significados correspondentes no apêndice A. Do contrário, o livro *Les Sciences mystérieuses* [As Ciências Misteriosas], digitalizado em Gallica (ver as referências na bibliografia no apêndice C) propõe interpretações das cartas e das associações. Na falta dele, podem ser utilizadas as interpretações dos arcanos menores de um manual de tarologia.

---

* Nas cartas francesas, corações, trevos, lanças e losangos correspondem, respectivamente, aos naipes de copas, paus, espadas e ouros. (N. da T.)

Baralho de cartomancia conhecido como "Petit Etteilla" [Pequeno Etteilla], dama de trevos, Grimaud et Chartier, Paris, 1860, BnF.

Baralho de cartomancia conhecido como "Petit Etteilla" [Pequeno Etteilla], Sete de Corações, Grimaud et Chartier, Paris, 1860, BnF.

Baralho Divinatório Revolucionário, o Rei, Paris, 1791, BnF.

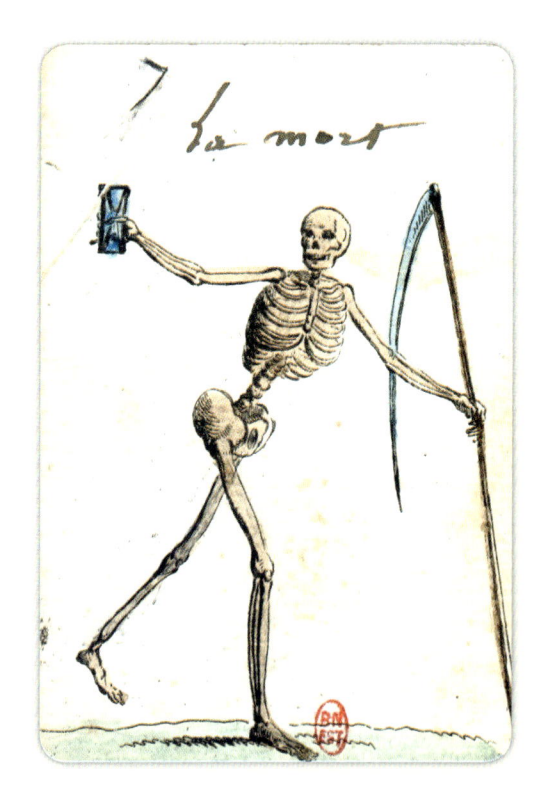

Baralho Divinatório Revolucionário, a Morte, Paris, 1791, BnF.

Baralho Divinatório de 1830,
Dama de Corações, BnF.

Baralho Divinatório de 1830,
Dama de Trevos, BnF.

❖❖❖ *Variedade e sucesso dos baralhos divinatórios*

Além dos livros de cartomancia a partir de baralhos comuns e às vezes (raramente) de tarôs, também vemos surgir muitos baralhos unicamente destinados à adivinhação. Conhecemos o *Grand Etteilla* [Grande Etteilla], ou Livro de Thot, o *Petit Etteilla* [Pequeno Etteilla], mas há muitos outros, nos quais reconhecemos em grande parte a influência de Etteilla. Esses baralhos apareceram a partir da Revolução. Em 1791, havia um "baralho divinatório revolucionário", com figuras de rei (em Luís XVI), traidor, moça, carpideira ou arrivista...[176] Podemos nos perguntar qual seria o significado das figuras de Ulisses ou Aquiles, mas encontramos algumas que nos são familiares: a Morte e seu eterno esqueleto com a foice, a Justiça e a Fortuna. Outras são diferentes, mas fáceis de interpretar: a Vitória, a prisão, a fartura, o banquete... Esse admirável baralho está longe de ser o único. Existem outros, com títulos sugestivos: *Baralho do Pequeno Oráculo* (Paris, 1795-1799), o *Pequeno Oráculo das Damas ou Recreação dos Curiosos* (Paris, 1807), o *Adivinho das Idades: Explicação para Saber a Idade de uma Pessoa* (1800-1850), o *Livro do Destino* (1865), *Baralho do Pequeno Mago* (1870-1880), o *Destino Antigo* (1865-1880), *Oráculo Simbólico* (1890), o *Baralho do Pequeno Oráculo* (1890-1900)... Há muitos outros, sem títulos particulares: a Biblioteca Nacional da França catalogou 68, que vão de 1789 a 1920, e certamente não é a única a tê-los, muito pelo contrário.

---

176 *Baralho divinatório revolucionário*, Paris, 1791. Digitalizado em Gallica: http://gallica.bnf.fr/ark:/12148/btv1b10510967c.

Isso significa que a moda dos oráculos e de outros jogos específicos de adivinhação, tão difundida atualmente, não é de ontem... Muitos deles se propõem a facilitar o trabalho do cartomante, associando uma imagem que carrega um sentido, uma menção que fornece seu significado e uma pequena carta que permanece como ícone. Desse modo, esse admirável baralho divinatório dos anos 1830-1880, que seria reeditado por Grimaud com o título de *Livre du destin* [Livro do Destino] (1890-1899), associa uma imagem que representa uma mulher, intitulada "uma mulher loura", e uma dama de corações, bem como outra imagem de mulher, intitulada "uma mulher morena", e uma dama de trevos. Nele se encontram ainda significados tradicionais de cartomancia: uma carta intitulada "doença" representa um pobre homem acamado, com um nove de lanças; uma carta intitulada "presente ou surpresa" mostra um galanteador trazendo flores, acompanhado de um oito de trevos. Outros pequenos baralhos do tipo associam imagens divinatórias, imagens de cartas e figuras inspiradas no tarô, na maioria das vezes no Tarô de Etteilla. Desse modo, no *Petit Oracle des dames* [Pequeno Oráculo das Damas] vemos uma curiosa mistura: por exemplo, quando na posição correta, a carta nº 10 traz uma Temperança associada a um quatro de corações e, na posição invertida, uma representação da Noite. A carta nº 1, intitulada "Viagem" e na qual reconhecemos a figura do Mundo cercada pela águia, pelo homem, pelo leão e pelo touro, é acompanhada pelo oito de losangos e pela menção "Terra". Na realidade, essas figuras características do tarô são diretamente inspiradas no Tarô de Etteilla, mas em uma ordem e com significados diferentes no caso de algumas.

Nessa parte consagrada aos oráculos, não podemos omitir o de Belline. Marcel Belline (1924-1994) era um vidente conhecido, que exerceu sua atividade em Paris a partir de 1955. De acordo com sua declaração, ele teria encontrado essas cartas em um cofre no sótão de uma de suas consulentes. As cartas teriam sido desenhadas entre 1845 e 1865 por Jules Charles Ernest Billaudot, conhecido como "Mago Edmond" (1829-1881). Belline as publicou em 1961 pela casa Grimaud, dois anos depois de seu livro *Comment je suis devenu voyant* [Como Me Tornei Vidente] (1959). Belline publicou muitas outras obras nos anos 1970 (*Histoires extraordinaires d'un voyant* [Histórias Extraordinárias de um Vidente], *Un voyant à la recherche du temps futur* [Um Vidente em Busca do Tempo Futuro], entre outras). Tudo o que se refere a ele e ao baralho que traz seu nome surgiu após 1959. Por enquanto, preferimos deixar-lhe a paternidade desse baralho, talvez um dos oráculos mais conhecidos na França hoje. No entanto, vale notar que Belline legou seus arquivos ao Museu das Artes e Tradições Populares de Paris e que atualmente eles estão disponíveis no Mucem* de Marselha. Nesses arquivos há documentos que fazem referência ao Mago Edmond e, entre eles, alguns que talvez lhe tenham pertencido. Por certo, esses arquivos permitem encontrar os desenhos originais de Edmond e observar melhor como ele pôde inspirar Belline, seu oráculo e seu tarô.[177]

◆◆◆ *Mademoiselle Lenormand, a sibila dos salões*

Se por um lado alguns pequenos baralhos divinatórios almejam esclarecer os significados das cartas, por outro, é curioso constatar que o mais célebre dentre eles, o de Mademoiselle Lenormand, não é nada obscuro quando se tenta, à primeira vista, examinar em uma carta duas imagens divinatórias e um ícone de carta associados a representações de constelações celestes e uma planta, tudo isso sem menção ao significado. No entanto, esse baralho faz muito sucesso até hoje, talvez em razão da personalidade notável da célebre cartomante, que substituiu Alliette para fazer suas previsões na alta sociedade parisiense. Marie-Anne

---

* *Musée des Civilisations de l'Europe et de la Méditerranée* [Museu das Civilizações da Europa e do Mediterrâneo]. (N. da T.)

177 Encontramos essa documentação no site do Mucem: www.mucem.org. Na aba "Collections", basta digitar "Belline" para ver todas as referências. Dada a descoberta muito recente dessa informação, não pudemos explorar esse acervo antes da entrega do manuscrito.

Pequeno Oráculo das Damas, a Temperança, Veuve Gueffier, Paris, 1807, BnF.

Pequeno Oráculo das Damas, Viagem (o Mundo), Veuve Gueffier, Paris, 1807, BnF.

Grande Baralho de Mademoiselle Lenormand, Rainha de Corações, Paris, 1835, BnF.

Grande Baralho de Mademoiselle Lenormand, Cinco de Trevos, Paris, 1835, BnF.

Adélaïde Lenormand ganhou credibilidade como grande adivinha graças à imperatriz Josefina, que a consultava. Contudo, começou de baixo. Em 1790, aos 19 anos, essa "moça corpulenta, de educação descuidada"[178] foi a Paris para fazer fortuna e conquistou uma reputação: "De tanto embaralhar o *jeu de piquet*, ler dia e noite livros variados com explicações sobre o jogo de cartas, os horóscopos e os sonhos; de tanto estudar os devaneios publicados por Alliette, referentes à cartomancia e à arte de descobrir coisas ocultas nos tarôs, ela conseguiu compor um palavrório imponente". Essa época revolucionária e intensamente conturbada, em que todos, tanto os perseguidos pelos revolucionários quanto os representantes do novo regime, buscavam na adivinhação as respostas para suas incertezas, era um período ideal. Como Alliette, que havia lançado essa moda, falecera em 1791, não poderia haver melhor oportunidade para tomar seu lugar! De acordo com suas memórias, Mademoiselle Lenormand teria conhecido Josefina, futura imperatriz, em um cárcere revolucionário, onde teria previsto seu fabuloso destino. Aparentemente, após a Revolução, a imperatriz não a esqueceu e a convidou para ir ao Castelo de Malmaison, em 2 de maio de 1801. A adivinha lhe teria profetizado uma glória extraordinária graças a seu esposo, que em seguida a trairia. Após Josefina, toda a elite da época, incluindo o próprio Napoleão, teria consultado a sibila de Saint-Germain, que de tanto aconselhar personalidades poderosas, entre as quais Talleyrand, teria exercido uma influência política. Fouché mandou prendê-la em 11 de dezembro de 1809, depois que ela profetizou a Josefina seu divórcio. O boletim de ocorrência da polícia, de 16 de dezembro de 1809, mencionava que "ela lia o horóscopo das mais importantes personalidades e, com esse ofício, ganhava mais de 20 mil francos por ano". Sua popularidade também se explica por uma atividade de publicação bem intensa: um baralho divinatório, inúmeros livros, um jornal e o anúncio de profecias bastante perturbadoras. Em seu livro publicado em 1814, no qual ela relata a história e as razões de sua prisão, *Les Souvenirs prophétiques d'une sibylle, sur les causes secrètes de son arrestation, le 11 décembre 1809* [As Lembranças Proféticas de uma Sibila, sobre as Causas Secretas de sua Prisão em 11 de Dezembro de 1809], ela anuncia a Restauração, profecia que lhe teria sido inspirada pelo "gênio protetor da França". Ora, a Restauração começou em 6 de abril do mesmo ano. Ninguém pode dizer quando exatamente ela escreveu essa profecia... O que é certo é a repercussão que essa e suas outras revelações tiveram. Quando Mademoiselle Lenormand morreu, em 1843, sua popularidade era enorme.

Podemos ver que, com exceção do "Tarô" de Etteilla, o tarô é relativamente ausente da cartomancia do século XIX. Entretanto, às vezes aparece de maneira indireta. É o que ocorre com um exemplar muito interessante de tarô, a princípio gravado por François Isnard (cerca de 1695-1765) e modificado durante a Revolução. Essas modificações, diga-se de passagem, podem nos informar sobre o destino dado aos tarôs nessa época: as denominações de "reis", "rai-

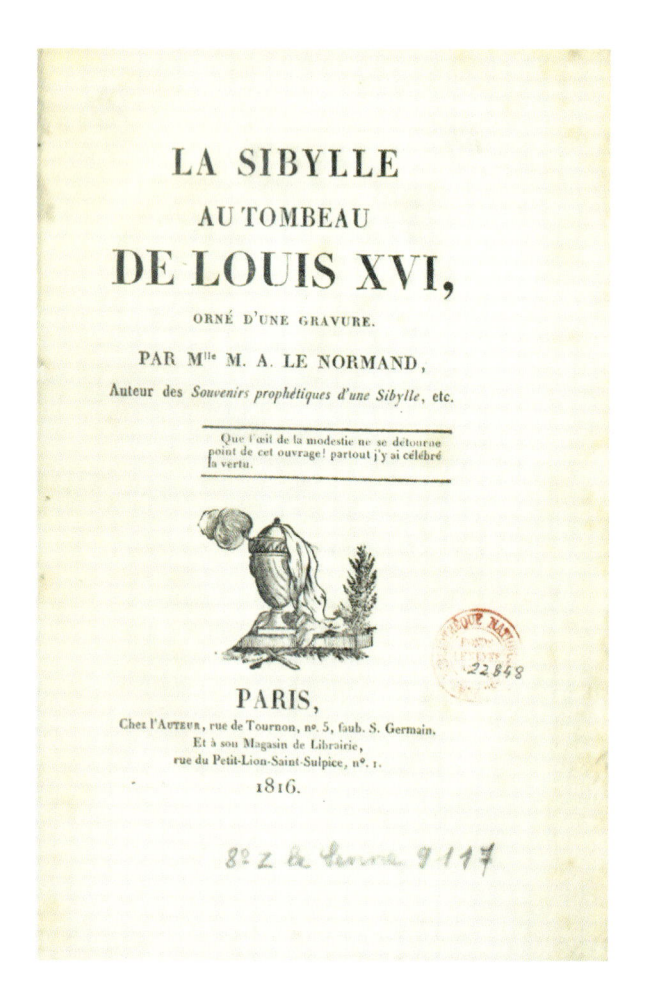

Livro publicado por Mademoiselle Lenormand, Paris, 1816, BnF.

---

178 De acordo com Yvonne de Sike, *Histoire de la divination: oracles, prophéties, voyances, op. cit.*, pp. 214-15, de onde extraímos os elementos biográficos da adivinha.

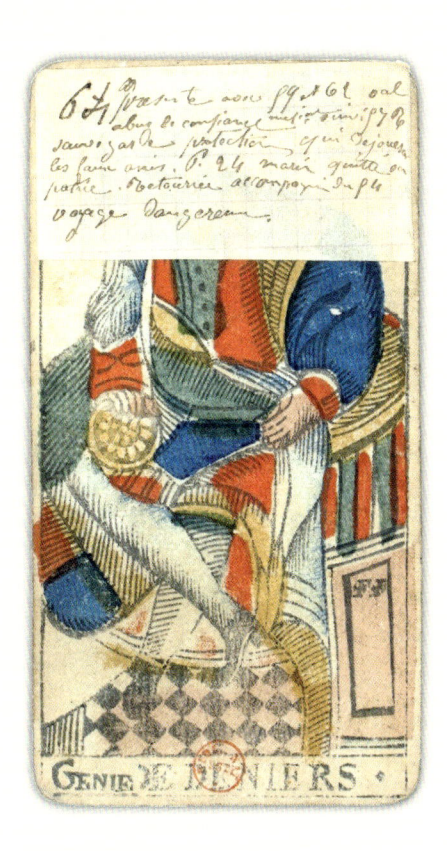

Baralho de François Isnard, retocado durante a Revolução, rei transformado em gênio, 1792-1799, BnF (acréscimo de menções divinatórias).

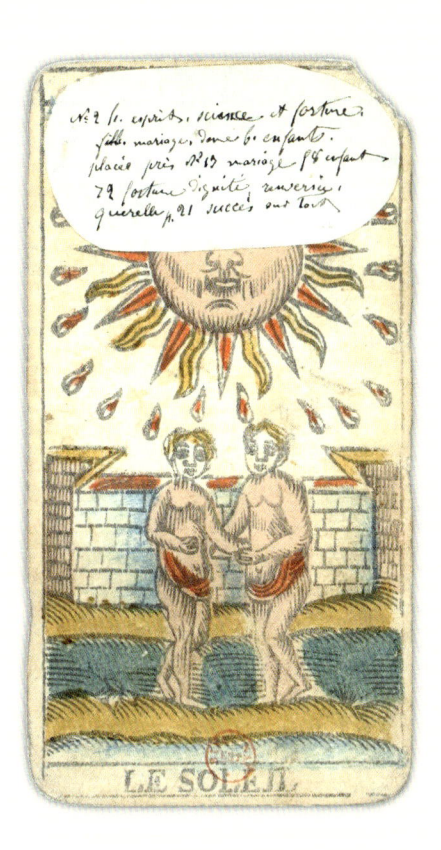

Baralho de François Isnard, retocado durante a Revolução, o Sol, 1792-1799, BnF (acréscimo de menções divinatórias).

Baralho de François Isnard, retocado durante a Revolução, a Lua, 1792-1799, BnF (acréscimo de menções divinatórias).

Baralho de François Isnard, retocado durante a Revolução, Valete transformado em Igualdade, 1792-1799, BnF (acréscimo de menções divinatórias).

nhas", "Imperador" e "Imperatriz" foram apagadas e substituídas por "gênio", para os reis, "liberdade", para as rainhas, e "igualdade", para os valetes; o Imperador torna-se o "avô", e a Imperatriz, a "avó". Júpiter e Juno, encontrados nos Tarôs de Besançon, aparecem para substituir o Papa e a Papisa já antes da Revolução. Esse tarô também traz menções divinatórias. E, quando o observamos mais de perto, descobrimos o sistema de numeração do eterno Alliette, que vai de 1 a 78 e se conclui com o Louco. Na realidade, talvez o usuário que o anotou tenha seguido as instruções do cartomante, que recomendava a numeração e a nomeação de qualquer conjunto de 78 pedaços de papelão, fossem eles tarôs ou fragmentos recortados. Porém, em seguida, as menções à interpretação parecem ter seguido mais a inspiração de quem as escreveu. Também é possível ver que elas predominam nas imagens, que, de resto, parecem receber pouca consideração. Estamos muito distantes do apego contemporâneo à máxima "autenticidade" das imagens.

Esse tarô com menções divinatórias é uma raridade. Na realidade, durante todo o século XIX, o tarô seguiu um caminho diferente daquele da cartomancia: os ocultistas se apropriaram dele e escreveram muito a seu respeito. Transformado em livro sagrado, detentor de uma verdade oculta, foi com essa nova identidade que, em seguida, ele se voltou para as práticas divinatórias. O primeiro autor a tratar o tarô desse modo no século XIX foi Éliphas Lévi. Antes de abordá-lo e de analisar o aspecto ocultista do tarô, citaremos uma tiragem tradicionalmente empregada desde o século XIX.

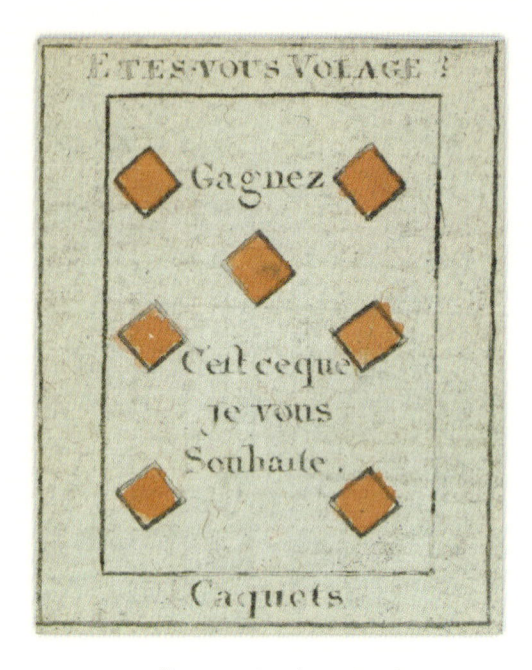

Baralho Divinatório de 1770-1820, Sete de Losangos, BnF.

Baralho Divinatório de 1770-1820, Rei de Lanças, BnF.

Tiragem de tarô segundo o método das boêmias (de acordo com *El Libro Negro* [O Livro Negro], Hortensio Flamel, 1866)

Esse método dos boêmios é uma adaptação das casas astrológicas ao tarô.

"Pegue o baralho completo e, depois de embaralhá-lo bem, faça 12 montes de quatro cartas. As restantes devem ser colocadas de lado.

Atribua ao primeiro monte todas as perguntas referentes à vida humana, a sua constituição, seu temperamento, seu corpo, seus costumes e à duração da vida.

Ao segundo monte: sua riqueza ou pobreza, suas posses, seus comércios ou suas empresas.

Ao terceiro monte: sua família, seus parentes ou aliados.

Ao quarto monte: os bens imóveis, as heranças, os tesouros ocultos e os lucros esperados.

Ao quinto monte: o amor, a gravidez, o nascimento, o sexo e o número de filhos, as correspondências amorosas e os roubos cometidos por empregados domésticos.

Ao sexto monte: as doenças, suas causas, seu tratamento e sua cura.

Ao sétimo monte: o matrimônio e as inimizades.

Ao oitavo monte: a morte.

Ao nono monte: as ciências, as artes, os empregos e as diferentes profissões do homem.

Ao décimo monte: tudo o que estiver relacionado ao governo e à administração do Estado.

Ao décimo primeiro monte: a amizade, a caridade e os sentimentos generosos.

Ao décimo segundo monte: os males, os sofrimentos e as perseguições de todo tipo.

Para resolver uma questão, não basta escolher apenas um monte; são necessários três para formar o trígono. Os trígonos são em número de quatro:

1	5	9
2	6	10
3	7	11
4	8	12

Suponhamos, por exemplo, que a pergunta seja: 'Tal pessoa é amada por tal outra?'. Essa pergunta pertence ao quinto monte. Pegue-o e enfileire as quatro cartas. Em seguida, pegue o nono monte e disponha suas cartas embaixo das do quinto. Por fim, pegue o primeiro monte e coloque suas cartas embaixo das do nono, na terceira linha."

Falta a interpretação.

O conteúdo das 12 casas foi citado aqui de acordo com o autor da tiragem, e o leitor poderá enriquecer sua interpretação a respeito delas com outras indicações, inspirando-se em um manual de astrologia, por exemplo.

Paul Marteau (1949) propõe o aprofundamento da tiragem das 12 casas astrológicas (que ele denomina "tiragem horoscópica") da seguinte maneira:

"Essa tiragem emprega as 78 lâminas do tarô.

Faça 12 montes de quatro cartas cada: a partir de todas as lâminas, embaralhadas desde o início, peça para o consulente tirar 12 cartas, uma para cada casa astrológica, e isso sucessivamente, quatro vezes seguidas, o que faz com que cada casa contenha quatro lâminas.

As casas devem ser dispostas de acordo com o seguinte esquema:

8	7	6	5	4	3	2	1
12		11		10		9	

Cada uma dessas séries de quatro lâminas determina o aspecto de cada casa, ou seja, o reflexo do estado em que se encontra o consulente em relação a elas. Partindo das cartas de baixo, cada série de 12 cartas sobrepostas corresponde:

1 – à parte física;
2 – à parte passional;
3 – à parte psíquica;
4 – à parte mental.

Em seguida, pede-se ao consulente que tire 12 lâminas, a serem depositadas sempre da direita para a esquerda, a fim de se obterem as relações de uma casa com as outras. Esse procedimento também revela os movimentos e acontecimentos que podem surgir.

Em resumo, as 48 primeiras lâminas formam o estado estático; as lâminas suplementares revelam os eventos que as atravessarão. 48 + 12 = 60. As 18 lâminas restantes deverão ser tiradas à medida que forem feitas exposições úteis sobre as casas de interesse. Uma regra capital a ser observada é a reação das casas, umas em relação às outras. Para tanto, é indispensável aprofundar-se no significado das 12 casas. Para que a interpretação das lâminas seja realizada da maneira mais minuciosa possível, é necessário estudar a atitude dos personagens, que refletem sua atividade ou passividade, os naipes que intensificam uma resposta por suas correspondências com os aspectos físicos, psíquicos, mentais etc.".

4

QUANDO O TARÔ SE TORNA OCULTISTA

◆◆◆ *Éliphas Lévi, o tarô e a cabala*

Éliphas Lévi, cujo verdadeiro nome era Alphonse-Louis Constant (1810-1875), é o principal autor da tradição esotérica do tarô. De fato, foi ele quem fez do tarô um objeto do ocultismo. Mais acima explicamos a razão pela qual, em nossa opinião, Antoine Court de Gébelin não era ocultista, embora tenha lançado a ideia de um tarô egípcio. De resto, o termo "ocultismo" surgiu apenas em 1842 no *Dictionnaire des mots nouveaux* [Dicionário de Palavras Novas], de Jean-Baptiste Richard de Radonvilliers. Isso significa que é um conceito recente. Por muito tempo indiferenciado do termo "esoterismo" (surgido em 1828),[179] ele poderia ser definido como uma corrente de pensamento, cujo principal objetivo seria dar vida nova às antigas iniciações, aos antigos conhecimentos (dos egípcios, dos hebreus...), para além das rupturas históricas e como reação a uma modernidade racionalista e materialista.

Por certo, essa ideia de uma era de ouro, único berço autêntico da ciência e da religião, não é nova e é justamente a de Court de Gébelin. No entanto, com Éliphas Lévi, ela assume plenamente seu sentido e se realiza. Na verdade, Lévi pode ser designado como um dos fundadores do movimento ocultista francês. Mais tarde, Papus e outros autores o transformam em um conjunto complexo e elaborado, no qual alquimia, astrologia, hermetismo, cabala e tarô se misturam. Esse movimento, que atinge seu pleno desenvolvimento nos anos 1880, também se ancora na sociedade da época, marcada pelo romantismo, pelo socialismo, pelo feminismo, pelo espiritismo, pelo iluminismo etc. O leitor poderá ficar surpreso com a aproximação de todas essas tendências na mesma frase, mas a ideia é a seguinte: diante das visões tradicionais – materialismo, catolicismo –, o século XIX assiste a uma profusão de pensamentos, textos ou ainda movimentos e grupos novos em todas as áreas – ciências, política, arte, literatura e religião. Nunca se viram tantas ideias, igrejas, correntes artísticas ou partidos políticos novos. Sem dúvida, nossos ocultistas, que sonham

---

179 O termo *ésotérisme* [esoterismo], que surgiu na língua francesa em 1828, poderia significar "conhecimento secreto, reservado a uma elite e transmitido de maneira oculta". Para mais informações sobre esses dois vocábulos, ver "Occultisme, Occident moderne" e "Occident moderne" *in Dictionnaire critique de l'ésotérisme, op. cit.*, pp. 964-67 e 961-63, artigos dos quais foram retiradas as definições acima.

em formar um mundo novo, em conformidade com as sabedorias ancestrais, encontram seu lugar nesse movimento. A mesma coisa pode ser dita de seus escritos, o que novamente explica o destino do tarô, desta vez visto como uma porta para as luzes do passado. Ex-eclesiástico que deixou a Igreja quando se apaixonou, em 1836 (no seminário estudou hebraico, grego e latim), Lévi encarna muito bem todas essas tendências que parecem contraditórias: inspirado por seu amor por Flora Tristan, dedica toda a sua vida ao feminismo e ao socialismo (nessa época chamado de "igualitarismo"), o que não o impede de se tornar um fervoroso ocultista a partir de 1854. Nessa data, refugia-se em Londres, após o naufrágio de seu segundo casamento e de várias prisões em razão de textos considerados escandalosos: em sua *Bible de la liberté* [Bíblia da Liberdade], o Diabo é absolvido por permitir que o homem conquiste sua liberdade. Confiscado e inteiramente destruído, esse livro nunca foi publicado durante a vida de seu autor. Alphonse-Louis Constant imergiu, então, nos ambientes ocultistas e deles saiu transformado, passando a adotar o nome de Éliphas Lévi Zayed, tradução hebraica de seu nome.

Em 1856, publica seu *Dogme et rituel de la haute magie*.* Com essa obra, é o primeiro a associar todas essas tradições ao tarô, desejando ir bem mais longe do que Alliette, que, segundo ele, era um "ex-cabeleireiro que pretendeu restaurar e se apropriar do Livro de Thot" e cujos "trabalhos relegaram ao campo da magia vulgar e das cartomantes o livro

Dogme et rituel de la haute magie [Dogma e Ritual da Alta Magia], o Carro de Hermes, Chacornac frères, Paris, BnF (cópia de uma edição de 1930).

Dogme et rituel de la haute magie [Dogma e Ritual da Alta Magia], Chave Apocalíptica, Chacornac frères, Paris, BnF (cópia de uma edição de 1930).

---

* *Dogma e Ritual da Alta Magia*. São Paulo, Pensamento, 21ª ed., 2017, p. 318. (N. da T.)

antigo, descoberto por Court de Gébelin". Percebemos nessa observação o desprezo dos ocultistas pela cartomancia e a alta consideração que nutrem pelo tarô. Lévi chega a dizer que, "sem o tarô, a magia dos antigos é um livro fechado para nós; é impossível penetrar nos grandes mistérios da cabala". Vale notar de passagem que, quando ele fala do tarô, não sabemos a qual se refere. Seu livro é pouco ilustrado; acredita-se que ele desejasse publicar um tarô, mas não concluiu seu projeto. Existem apenas duas representações inspiradas nele, o Carro e o Diabo, que, por sua vez, inspiraram muito os ocultistas posteriores, sobretudo Oswald Wirth em seu tarô. Vemos que, como para os outros autores que abordamos, Lévi se interessa pouco pelo Tarô de Marselha. Antes de tudo, trata-se de criar imagens que correspondam a seu sistema.

Portanto, Éliphas Lévi foi o primeiro a associar o tarô e a cabala. Antes de continuarmos, voltemos um pouco à definição de cabala. Em sua origem, o termo deriva do hebraico *qabbala*, que significa "tradição transmitida". Ele remonta a dois textos principais: *O Livro da Iluminação ou Sefer ha-Baḥir*, também chamado de *O Baḥir* (as primeiras citações remontam ao último terço do século XII), e *O Livro do Esplendor ou Sefer ha-Zohar*, popularmente chamado de *O Zohar*, obra em parte de Moisés de Leão,* que data do último quarto do século XIII. Em *O Baḥir* são evocadas as propriedades do divino e os *logoi* (ou *ma'amarot*, as "palavras"), ou como em dez *logoi* Deus criou o Universo. Em *O Zohar* são evocadas as famosas *sefirot* (mais tarde associadas por alguns autores ao tarô), que constituem a essência ou os órgãos, os atributos da Divindade. Se quisermos dar uma definição simples da cabala, podemos dizer que ela trata da natureza de Deus e das emanações divinas.[180]

No século XV, os humanistas cristãos integraram o hebraico a seus estudos em busca das fontes originais. Também buscaram uma compreensão mais aprofundada do Antigo Testamento. Foi Pico della Mirandola (1463-1494) quem lançou esse movimento de estudos da cabala, logo chamada de "cabala cristã". Inúmeros autores se sucederam na abordagem do tema. Contudo, Éliphas Lévi foi o primeiro a fazer a ligação com o tarô. De resto, no século XIX, apenas os representantes do ocultismo francês ainda estudavam a cabala, que, no entanto, tiveram muitos concorrentes na Europa a partir do século XV. Segundo a cabala, o mundo foi criado com dez algarismos e 22 letras, as 22 letras sagradas do alfabeto hebraico. Daí a fazê-las corresponder aos 22 arcanos do tarô foi apenas um passo. Pode parecer curioso que esse passo só tenha sido dado em 1856 por Éliphas Lévi. De fato, os múltiplos autores antigos, cabalistas ou não, não evocam o tarô. Court de Gébelin e Alliette fizeram dele um receptáculo de saberes ocultos só depois de 1781; portanto, vale lembrar que ele só foi plenamente considerado como objeto de estudo após... Lévi.

É possível imaginar que o autor do tarô no século XV – provavelmente um humanista letrado, próximo das cortes principescas, conforme vimos – tenha podido inspirar-se em um manuscrito cabalístico para ter a ideia de criar 22 trunfos. Mais uma vez, cada um é livre para lançar teorias, que infelizmente não podem ser sustentadas por nenhuma fonte. No entanto, parece-nos arriscado fazer essa aproximação entre um elemento tão sagrado quanto as 22 letras do alfabeto hebraico, atributos do divino, e alegorias populares e cristãs tipicamente ocidentais. Vale lembrar que no século XV o tarô era desprezado nos sermões. Só foi considerado com o atributo da divindade após o século XIX por nossos ocultistas. Somente então a aproximação se torna possível...

Ainda é necessário especificar a quais aproximações nos referimos. Podemos afirmar que os 22 arcanos maiores correspondem às 22 letras do alfabeto hebraico, mas essa correspondência varia de acordo com os autores. Éliphas Lévi, depois Papus e Oswald Wirth começam a lista com *aleph* e o Mago, colocam o Louco na vigésima primeira posição e o

---

* Moisés de Leão (1250-1305): escritor cabalista originário da Espanha. (N. da T.)
180 Informações encontradas no *Dictionnaire critique de l'ésotérisme*, *op. cit.*, p. 702.

Mundo na vigésima segunda. Outros autores, como Arthur Edward Waite e, depois dele, toda a tradição anglo-saxã, começam a lista com *aleph* e o Louco, o que desloca toda a lista de correspondências: a segunda letra, *beth*, designa a Papisa entre os franceses, o Mago em Waite e assim por diante... Cabe ao leitor considerar, então, qual correspondência faz mais sentido para ele.

Depois de Éliphas Lévi, muitos autores retomaram suas teorias. Sua extensa obra foi um pouco esquecida; seus textos se sucederam, ao todo em cerca de quarenta títulos: *Histoire de la magie*[*] (1860), *La Clef des grands mystères*[**] (1861), *Philosophie occulte* [Filosofia oculta] (1862), *Le Livre des splendeurs*.[***] Influenciou outros autores ocultistas, mas também os românticos: Baudelaire, Nerval, Hugo. No que se refere a nosso tema, vale notar sua influência sobre seu discípulo Paul Christian, na realidade Jean-Baptiste Pitois (1811-1877), que em 1863 publicou *L'Homme rouge des Tuileries* [Homem Vermelho das Tulherias] e, em 1870, *Histoire de la magie* [História da Magia]. A ele devemos o emprego do termo "arcano", que seria amplamente difundido em seguida. Christian também elaborou um imaginário

Robert Falconnier, Les XXII Lames hermétiques du tarot divinatoire [As XXII Lâminas Herméticas do Tarô Divinatório], o Imperador, Librairie de l'art indépendant, Paris, 1896, BnF.

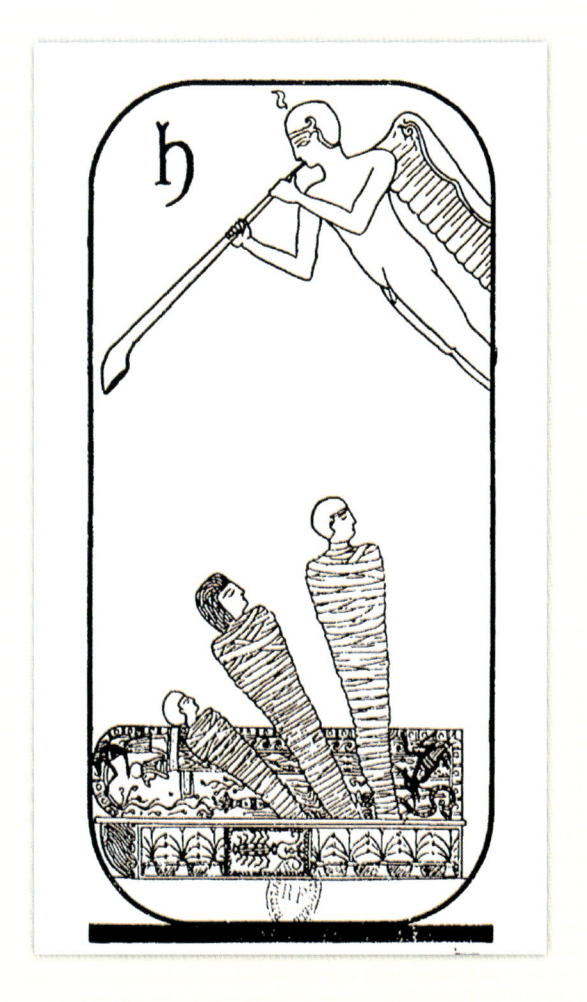

Robert Falconnier, Les XXII Lames hermétiques du tarot divinatoire [As XXII Lâminas Herméticas do Tarô Divinatório], o Julgamento, Librairie de l'art indépendant, Paris, 1896, BnF.

---

[*]   *História da Magia*. São Paulo, Pensamento, 2ª ed., 2019. (N. da T.)
[**] *A Chave dos Grandes Mistérios*. São Paulo, Pensamento, 12ª ed., 2018. (N. da T.)
[***] *As Origens da Cabala. O Livro dos Esplendores*. São Paulo, Pensamento, 1ª ed., 1977. (N. da T.)

egípcio do tarô, que influenciou seus leitores, entre os quais, Robert Falconnier. Ator na Comédie Française, Falconnier publicou em 1896 *Les XXII Lames hermétiques du tarot divinatoire: exactement reconstituées d'après les textes sacrés et selon la tradition des mages de l'ancienne Égypte* [As XXII Lâminas Herméticas do Tarô Divinatório: Reconstituídas Exatamente de Acordo com os Textos Sagrados e a Tradição dos Magos do Egito Antigo]. Esse livro vem acompanhado de um tarô inteiramente desenhado pelo autor, segundo ele de acordo com "os caracteres cuneiformes assírio-caldaicos e os textos de papiros antigos". Com efeito, no fim do século XIX, a egiptologia havia se desenvolvido. Os museus se enchem de antiguidades egípcias, os hieróglifos haviam sido traduzidos. Longe de ver nisso um possível questionamento das origens egípcias do tarô, Robert Falconnier enxergou uma oportunidade suplementar: a de criar um tarô o mais próximo possível de suas antigas raízes. Visitou o Louvre e o British Museum para estudar a fundo papiros, tabuletas e estátuas. Criou seu tarô seguindo seus esboços e acreditou sinceramente que havia descoberto o tarô autêntico... De fato, é possível se divertir com esse belo jogo que associa desajeitadamente duas iconografias nem um pouco afins. Um faraó de pernas cruzadas; um esqueleto (que, no entanto, nunca foi representado no tempo dos faraós) continua a varrer o mundo; um Julgamento com um anjo tocando trombeta desperta dos mortos, envolvidos em faixas...

Podemos constatar que, mais tarde, esse desenvolvimento da egiptologia moderna talvez tenha impactado as origens "egípcias" do tarô. Surgem cada vez menos cartas com uma iconografia egípcia, e o Tarô de Marselha faz seu grande retorno... Enquanto isso, as teorias de Éliphas Lévi continuam a atrair concorrentes. Entre eles, Oswald Wirth, outro nome importante na história do tarô.

❖❖❖ *Oswald Wirth*

Oswald Wirth (1860-1943) é conhecido por ter publicado, em 1927, *Le Tarot des imagiers du Moyen Âge* [O Tarô dos Pintores e Escultores da Idade Média], seu livro mais célebre, em meio a uma bibliografia prolífica (quase 19 títulos), em grande parte consagrada à franco-maçonaria. Esse livro acompanhava um tarô desenhado pelo próprio autor. Esse tarô é encontrado desde 1889; foi publicado em Paris em 350 exemplares com o título "Les 22 arcanes du tarot kabbalistique" [Os 22 Arcanos do Tarô Cabalístico]. É reproduzido no livro de Papus *Le Tarot des Bohémiens* [O Tarô dos Boêmios]: para cada parte que descreve um arcano, uma gravura representando o tarô desenhado por Oswald Wirth acompanha uma gravura do Tarô de Marselha, pois o jovem, além de seus talentos como desenhista, tinha uma boa posição nos círculos ocultistas parisienses. Franco-maçom a partir de 1884, secretário do ocultista Stanislas de Guaïta (1861-1897) a partir de 1886, inspirou-se ao mesmo tempo nos conselhos de seu mestre e amigo e nos textos de Éliphas Lévi para reconstituir um tarô "autêntico". Nele se notam em especial as letras do alfabeto hebraico, mencionadas em cada arcano; isso pode explicar o fato de que, para Wirth, o tarô era constituído de apenas 22 arcanos maiores. Ele também retomou as duas ilustrações que representam o Carro, o Diabo e a Roda da Fortuna, publicadas por Lévi em seu *Dogma e Ritual da Alta Magia*. Etteilla também quis publicar um "tarô autenticamente egípcio", mas é em Wirth que encontramos a primeira edição de um tarô ocultista.

Em 1926, Oswald Wirth reeditou uma versão ampliada desse tarô, que acompanharia seu livro. Ele também é um dos primeiros autores a ter reconciliado a parte "ocultista" e a parte "divinatória" do tarô. Com efeito, em seu livro encontramos inicialmente seus comentários ocultistas ou filosóficos, em especial algumas seções sobre as correspondências entre alquimia, símbolos maçônicos e tarô, mas também uma seção intitulada "Interprétations divinatoires" ["Interpretações Divinatórias"] no final do capítulo dedicado a cada arcano.

Oswald Wirth, Baralho de Tarô Cabalístico, também conhecido como dos pintores e escultores da Idade Média, o Carro, 1889, BnF.

Oswald Wirth, Baralho de Tarô Cabalístico, também conhecido como dos pintores e escultores da Idade Média, o Diabo, 1889, BnF.

Oswald Wirth, Baralho de Tarô Cabalístico, também conhecido como dos pintores e escultores da Idade Média, a Roda da Fortuna, 1889, BnF.

Oswald Wirth, Baralho de Tarô Cabalístico, também conhecido como dos pintores e escultores da Idade Média, a Temperança, 1889, BnF.

No capítulo intitulado "Le tarot appliqué à la divination" ["O Tarô Aplicado à Adivinhação"], descobrimos sobretudo a famosa "tiragem em cruz", que se tornou célebre entre os praticantes do tarô. Celebridade justificada quando se vê o grau de complexidade que as tiragens de cartas poderiam alcançar... Portanto, nessa obra, a complexidade das interpretações cabalísticas parece beirar um método de consulta do tarô "que ao mesmo tempo se distingue por sua lógica e por sua extrema simplicidade", como diz o próprio autor. Ele também relata que esse método lhe fora indicado por Stanislas de Guaïta, que por sua vez o recebera de Joseph Péladan.

Tiragem em cruz de Oswald Wirth (1927)

Fazer corretamente a pergunta é de suma importância quando a adivinhação deve basear-se em determinado tema em vez de se lançar no nebuloso campo da previsão do futuro. "Diga-me o que vai acontecer comigo" não é uma fórmula aceitável. O consulente deve, sempre que possível, trazer sua pergunta para o presente. Deseja receber informações para saber qual decisão tomar? Está certo ou errado em perseverar neste ou naquele projeto? Pode nutrir a esperança de ser bem-sucedido naquilo que acabou de empreender? Deve temer um fracasso e tomar as medidas cabíveis? Tal pessoa merece sua confiança?

Depois que a questão é decidida de comum acordo com o adivinho, ele embaralha um jogo de apenas 22 arcanos. A resposta é dada por quatro arcanos, extraídos um após o outro do tarô. Exposta diante do consulente, ela assume a forma de uma cruz. O primeiro arcano tirado é considerado como afirmativo, defensor da causa e, de maneira geral, indica o que é *a favor*. Em contraposição, o segundo arcano tirado é negativo e representa o que é *contra*. O terceiro arcano tirado representa o juiz que discute a causa e determina a sentença; ele é colocado no topo da cruz. A sentença ou solução é pronunciada pelo arcano tirado por último e colocado na parte inferior da cruz. Um quinto arcano termina de esclarecer o oráculo e o sintetiza, pois depende dos quatro arcanos tirados: basta adicionar os números desses quatro arcanos para obter, diretamente ou por redução teosófica, o número do quinto. Se o total obtido foi igual a 22, o arcano de síntese é o Louco; se a soma ultrapassar 22, seus dois algarismos adicionados designam o arcano sintético, por exemplo, 23 corresponde a 2 + 3 = 5.

Paul Marteau (1949) propõe para a tiragem em cruz as seguintes disposições:

A primeira carta, à esquerda, é a do consulente.
A segunda carta, à direita, representa o mundo externo.
A terceira carta, em cima, simboliza a ajuda psíquica ou moral.
A quarta carta, embaixo, corresponde à realização com a qual podemos contar.
A quinta carta central reflete a pergunta.

◆◆◆ *Papus*

Em 1889, Papus publica suas próprias teorias sobre o tarô em *Le Tarot des Bohémiens* [O Tarô dos Boêmios], ilustrado por Oswald Wirth. Há muito o que dizer sobre esse "Balzac do ocultismo", expressão oriunda de seu filho Philippe Encausse, que escreveu sua biografia em 1949. De fato, Papus, cujo verdadeiro nome era Gérard Encausse (1865-1916), foi um autor muito prolífico: deixou 260 títulos, dos quais os mais importantes são *Traité élémentaire de science occulte* [Tratado Elementar de Ciência Oculta] (1888) e *Traité méthodique de science occulte* [Tratado Metódico de Ciência Oculta] (1891). Tirou seu pseudônimo do *Nuctemeron*, livro secreto de Apolônio de Tiana, que Éliphas Lévi dizia possuir e reproduziu em seu *Dogma e Ritual da Alta Magia*: Papus era o gênio da medicina. Nosso autor o escolheu porque ele próprio se tornou médico em 1894. De resto, considerava o célebre curandeiro Nizier-Anthelme Philippe, vulgo *Maître* Philippe (1849-1905), como "seu mestre espiritual". Papus também se identificava com Alexandre Saint-Yves d'Alveydre (1842-1909), um "mestre intelectual" e ocultista eminente.

Além de sua extensa produção editorial, Papus acumulava títulos e atividades: grão-mestre da Ordem de Mênfis-Misraim em 1908, presidente da Ordem Cabalística da Rosa-Cruz, martinista (1882), teosofista (1887, demitiu-se em 1890), fundador do Grupo Independente de Estudos Esotéricos de Paris (1890), da Ordem Martinista (1891) e de várias revistas, dentre as quais *L'Initiation* [A Iniciação] e *Le Voile d'Isis* [O Véu de Ísis].[181] Como vimos anteriormente, para não excluir nada de seu estudo, ele publicou dois livros sobre o tarô: *Le Tarot des Bohémiens* [O Tarô dos Boêmios] (1889) e *Le Tarot divinatoire* [O Tarô Divinatório] (1909). Com efeito, junto com sua obra, ilustrada por Jean-Gabriel Goulinat, deixou à disposição do leitor um tarô, que podia ser recortado e colado em pedaços de papel para ser usado. Ao analisarmos esse jogo, vemos que Papus reuniu todas as considerações possíveis a respeito dele. Em seu centro se encontra "a figura hieroglífica, reconstituída de acordo com os documentos mais antigos que pudemos reunir". Vemos a influência de Robert Falconnier nos desenhos. No alto, encontramos o número do arcano; à esquerda, suas correspondências com o signo do arcano nos alfabetos francês (assim, o arcano VIII corresponderia à letra *h*), hebraico, sânscrito e egípcio, bem como "o signo do (*alfabeto*) vatan de acordo com o arqueômetro* de Saint-Yves"; por fim, na parte inferior, o nome do arcano seguido dos três sentidos "espiritual, moral, alquímico e físico", sendo a última menção a utilizada para a adivinhação. Papus "reordenou" o tarô: vemos os 22 arcanos maiores na ordem habitual, seguido dos menores, porém, sempre numerados conforme as indicações do indispensável Etteilla, com suas menções divinatórias a ele. E não é para menos: Papus foi o único ocultista a considerá-las. No que se refere a seu tarô, vale notar que é mais um criado pelo autor e que, mais uma vez, estamos longe do Tarô de Marselha.

Tarô de Papus em *Le Tarot divinatoire* [O Tarô Divinatório], o Carro, Librairie hermétique, Paris, 1909 (fac-símile).

---

181 Elementos biográficos encontrados em Pierre A. Riffard, *L'Ésotérisme, op. cit.*, p. 807.

* Referência ao estudo do ocultista francês Alexandre Saint-Yves d'Alveydre (1842-1909), intitulado *L'Archéomètre, clef de toutes les religions et de toutes les sciences de l'antiquité* [*O Arqueômetro: Chave de Todas as Religiões e de Todas as Ciências da Antiguidade.*] Nessa obra, o arqueômetro é apresentado como um círculo dividido em zonas concêntricas e triângulos móveis, no qual letras de diversos alfabetos antigos formam infinitas combinações com símbolos, números, signos do zodíaco, cores e notas musicais. (N. da T.)

Tiragens de tarô de acordo com o método de Papus (1909)

Procedimento rápido

Pegue os arcanos menores e separe do conjunto o naipe que se refere ao gênero de consulta requerida. Se se tratar de um negócio a ser iniciado, escolha os bastões. Se for uma questão amorosa, selecione as copas; para um processo judicial ou luta qualquer, as espadas; para questões financeiras, os denários.

Embaralhe as cartas escolhidas e peça para o consulente cortá-las.

Em seguida, pegue as quatro primeiras cartas do baralho e, sem olhá-las, disponha-as em cruz da seguinte maneira, tal como indicam os números:

```
    2
  1   3
    4
```

Pegue, então, os arcanos maiores (que devem permanecer sempre separados dos menores), embaralhe-os e peça para o consulente cortá-los. Feito isso, peça-lhe para escolher aleatoriamente sete cartas dentre esses arcanos maiores, que ele deverá lhe entregar sem olhá-las. Embaralhe as sete cartas e peça-lhe para cortá-las. Pegue as três primeiras cartas do baralho e, sem olhá-las, disponha-as em triângulo, na seguinte ordem:

```
  I   II
   III
```

Desse modo, você obterá a seguinte figura:

```
      2
   I    II
  1      3
     III
      4
```

Reúna as cartas para vê-las e leia o sentido dos oráculos.

A carta colocada no número 1 indica o *começo*; a colocada no número 2 indica o *apogeu*; a do número 3, os *obstáculos*; e a do número 4, a *queda* (aqui, sinônimo de conclusão). O arcano maior colocado em I indica o que influenciou o *passado* do caso; o colocado em II indica o que influi em seu *presente*. Por fim, o colocado em III corresponde ao que influenciará seu futuro e o determinará.

Tarô de Papus em *Le Tarot divinatoire* [O Tarô Divinatório], a Estrela, Librairie hermétique, Paris, 1909 (fac-símile).

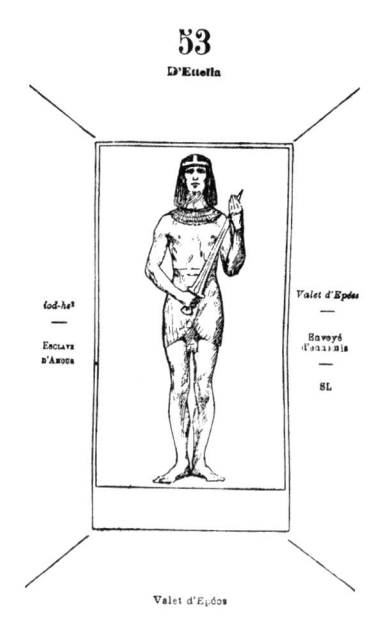

Tarô de Papus em *Le Tarot divinatoire* [O Tarô Divinatório], Valete de Espadas, Librairie hermétique, Paris, 1909 (fac-símile).

Procedimento amplo

Embaralhe todos os arcanos menores e peça para o consulente cortá-los.

Pegue as 12 primeiras cartas do baralho e disponha-as em círculo, como abaixo:

```
            10
         11     9
       12         8
      1             7
        2         6
           3    5
              4
```

Embaralhe os arcanos maiores e peça para o consulente cortá-los. Em seguida, peça-lhe para escolher sete cartas. Pegue as quatro primeiras dessas cartas e disponha-as diante das lâminas colocadas nos números 1, 10, 7 e 4; suas posições são I, II, III e IV. Por fim, coloque as três últimas em triângulo no meio da figura, nas posições V, VI e VII. No centro dessa figura, disponha a carta que representa o consulente (posição +): o Mago para o consulente, a Papisa para a consulente. Se essa carta sair na tiragem, coloque-a no centro e a substitua por uma nova carta dos arcanos maiores, escolhida pelo consulente. Assim, você obterá a figura geral abaixo:[182]

Os 12 arcanos menores indicam as diferentes fases pelas quais passa a vida do consulente ou a evolução do acontecimento durante os quatro grandes períodos: o começo, indicado pelo arcano maior I, que mostra seu caráter; o apogeu (arcano II); o declínio ou obstáculo (arcano III); a queda (arcano IV). Por fim, os três arcanos maiores, dispostos no centro, indicam o caráter especial do horóscopo no passado (V), no presente (VI) e no futuro (VII). O futuro é indicado nos arcanos menores pelas lâminas colocadas de 7 a 12; o passado, por aquelas dispostas de 1 a 4; e o presente, por aquelas ordenadas de 4 a 7.

Resumimos e adaptamos aqui a tiragem tal como ela aparece no livro de Papus, para que o leitor a conheça no modo como ela foi criada pelo autor. Contudo, talvez fosse bem mais eloquente dispor e ler os arcanos menores não no sentido indicado acima, mas no sentido inverso: assim, passado, presente e futuro para os arcanos maiores e menores se situariam nos mesmos lugares. A tiragem pode ganhar em qualidade de interpretação.

O sentido das cartas segundo Papus é dado ao final desta obra. Para os arcanos maiores, consulte o capítulo sobre sua história (Capítulo V). Para os arcanos menores, veja no final da obra a interpretação das 78 cartas segundo Alliette (Apêndice A; Papus retomou os mesmos significados para esses arcanos).

---

182 Esquema original, proveniente de um fac-símile do *Tarot divinatoire* [Tarô Divinatório] de Papus, Librairie hermétique, Paris, 1909.

Podemos citar outras criações dessa época, como o tarô hieroglífico egípcio de Madame Dulora de La Haye (1897), no qual se encontram alegorias cuidadosamente acompanhadas de explicações e cujo estilo, não obstante o título, se afasta da inspiração voltada à Antiguidade. Jean Chaboseau desenhou um tarô que ele publicou ao mesmo tempo que seu livro em 1946: *Le Tarot, essai d'interprétation selon les principes de l'hermétisme* [O Tarô, Ensaio de Interpretação de Acordo com os Princípios do Hermetismo]. Segundo ele, como os autores anteriores se detiveram muito nos arcanos maiores e em suas relações com a cabala, ele decidiu desenvolver as explicações sobre o tarô em relação à alquimia e ao hermetismo, acompanhadas de um baralho de 78 cartas. Desta vez, as ilustrações do baralho evocam a Idade Média. Chegamos a uma época em que a moda egípcia do tarô começa a perder fôlego na França.

Em contrapartida, as ideias dos ocultistas franceses se difundem amplamente entre os autores anglo-saxões.

Tarô Hieroglífico Egípcio de Madame Dulora de La Haye, a Estrela, Paris, 1897, Tarot Museum Belgium.

Tarô Hieroglífico Egípcio de Madame Dulora de La Haye, o Diabo, Paris, 1897, Tarot Museum Belgium.

Tarô hermético de Jean Chaboseau, a Papisa, Paris, 1946, Tarot Museum Belgium.

Tarô Hermético de Jean Chaboseau, o Louco, Paris, 1946, Tarot Museum Belgium.

◆◆◆ *A tradição anglo-saxã*

Costuma-se esquecer a influência considerável da tradição anglo-saxã do tarô no mundo, o modo como ela foi influenciada pelos ocultistas franceses do século XIX e como posteriormente começou a brilhar por conta própria com seus autores e tarôs, dentre os quais o mais célebre, o Tarô de Rider-Waite, é bem mais difundido do que o de Marselha.[183]

Tudo começou na Inglaterra do século XIX. Em 1888, um pequeno grupo de teósofos, dirigido por Samuel Liddell Mathers, vulgo MacGregor, William Wynn Westcott e William Robert Woodman, fundou a *Hermetic Order of the Golden Dawn* (Ordem Hermética da Aurora Dourada). A Golden Dawn sintetizou uma ampla gama de informações provenientes de inúmeras fontes: a cabala, a astrologia, o neoplatonismo, o cristianismo esotérico, a franco-maçonaria, a magia medieval, os mitos pagãos e muitas outras. Tudo isso com a ideia de elevar o nível de consciência do homem para que ele pudesse se tornar um verdadeiro mágico, no sentido de mago, de homem que adquiriu certo poder sobre as coisas por meio do conhecimento e da consciência. Segundo Paul Christian, os arcanos maiores forneceriam as grandes linhas do desenvolvimento de um mago. A Golden Dawn desenvolveu essa ideia em larga escala e criou rituais poderosos e complicados, que misturavam todas essas noções ao uso do tarô. Desse movimento surgiu a figura de **Arthur Edward Waite (1857-1942)**: tradutor de Éliphas Lévi e de Papus e ex-membro da Golden Dawn, que dirigiu durante certo tempo, é autor de um livro intitulado *The Pictorial Key to the Tarot* [A Chave Ilustrada do Tarô], publicado em 1910 com um baralho inteiramente redesenhado. Ele desejava um tarô adaptado ao modelo anglo-saxão e em conformidade com sua própria visão. Esse conjunto de cartas costuma ser designado com o duplo nome de Waite e de seu editor inglês, Rider. No entanto, sua realização foi confiada a Pamela Colman Smith, outro membro da Golden Dawn, que, apesar de seu trabalho, não recebeu nenhum direito sobre esse tarô, embora ele tenha passado por múltiplas reedições até hoje. Nos Estados Unidos, por muito tempo ele foi um dos únicos editados. Uma autora americana explica até que se iniciou no tarô nos anos 1970 com o baralho de Rider-Waite, não apenas por gosto, mas também porque praticamente era o único disponível na época.[184] De fato, da Inglaterra, o movimento ocultista se estabeleceu nos Estados Unidos, onde fez um sucesso sem precedentes. Outro tarô emblemático é o de Thot, também chamado de "Tarô de Crowley". Embora tenha sido publicado apenas em 1969, reproduz 78 telas pintadas entre 1938 e 1942 por Frieda Harris (1877-1962), esposa de um membro do Parlamento britânico, *sir* Percy Harris. Esse baralho seria mais próximo dos trabalhos da Golden Dawn do que o Tarô de Rider-Waite. No entanto, este último é citado por alguns autores como "o baralho mais influente de nosso tempo". Não dispomos de muitos elementos para julgar. Certo é que na França, pátria do Tarô de Marselha, essa produção anglófona não é muito conhecida.

Tarô de A. E. Waite, o Carro e o Três de Denários, © AGM-Urania Koenigsfurt-Urania Verlag.

---

183 Para os interessados, a melhor obra sobre a tradição anglo-saxã do tarô ocultista é, sem dúvida, a de Ronald Decker e Michael Dummett, *A History of the Occult Tarot*, Duckworth, Londres, 2002.
184 Rachel Pollack, *La Bible du tarot*, ADA, Varennes, 2010 para a tradução em francês.

◆◆◆ *A profusão editorial francesa a partir dos anos 1980*

A França realmente se tornou o "conservatório" do Tarô de Marselha tradicional, desde a publicação do Antigo Tarô de Marselha de Paul Marteau, diretor da casa Grimaud, em 1930, acompanhada de seu livro *Le Tarot de Marseille* [O Tarô de Marselha], em 1949. A partir desse momento, a maioria da produção editorial francesa gira em torno desse "Tarô de Marselha", inicialmente o de Grimaud, que por muito tempo conservou seu monopólio. Mais tarde, outros autores partem em busca do "Tarô de Marselha autêntico". Alejandro Jodorowsky foi um dos primeiros entre eles. Em 1997, publicou com Philippe Camoin um Tarô de Marselha "restaurado", na realidade, uma criação feita por computador com base em dezenas de modelos de tarôs antigos. Ao se afastar definitivamente dos antigos ocultistas e da adivinhação, ele instaurou uma abordagem original do tarô, abrindo o caminho para novas práticas, que podemos qualificar como "psicológicas", junto com seu livro *La Voie du tarot* [O Caminho do Tarô], escrito em parceria com Marianne Costa e publicado em 2004. Outros autores criaram métodos originais de prática tarológica ou tarôs, como Georges Colleuil, que publicou um guia prático, o *Référentiel de naissance* [Referencial de Nascimento], a partir de 1984, e o Tarô de Marrakesh. Esses autores inauguraram uma época em que a prática do tarô se libertou por completo. Hoje, qualquer pessoa pode criar seu jogo, seu método e abrir sua própria escola. O tarô é utilizado para prever o futuro, mas também para muitas outras coisas: meditar;[185] praticar psicologia,[186] administração[187] ou tai chi;[188] narrar; produzir música; escrever poemas; pintar etc. Cabe dizer que a psicanálise passou por esse caminho. Estuda-se o tarô à luz dos arquétipos junguianos e tenta-se explorar o inconsciente com cartas que, ao serem extraídas, sofrem o fenômeno da sincronicidade. O tarô se tornou uma ferramenta de desenvolvimento pessoal. Alguns títulos de obras são muito reveladores sobre esse fenômeno: *Tarot, les clés du féminin sacré, un outil d'éveil pour explorer l'âme féminine* [Tarô, as Chaves do Sagrado Feminino, uma Ferramenta de Despertar para Explorar a Alma Feminina]; *Le Tarot, voie de l'amour, s'accepter, se comprendre et s'aimer grâce au tarot* [O Tarô, Caminho para o Amor, Aceitar-se, Compreender-se e Amar-se Graças ao Tarô]; *Le Tarot, outil de développement personnel* [Tarô, Ferramenta de Desenvolvimento Pessoal].[189]

No entanto, a inspiração ocultista e esotérica do tarô continua a existir e é representada, por exemplo, pela obra *Méditations sur les 22 arcanes majeurs du tarot* [Meditações sobre os 22 Arcanos Maiores do Tarô], publicada pela primeira vez na Alemanha, em 1972, por um autor "anônimo", que na verdade é Valentin Tomberg (1900-1973). Apesar do título, esse livro é menos uma obra sobre o tarô do que uma coletânea de meditações, inspirada no gnosticismo cristão. Podemos citar igualmente Edmond Delcamp e *Le Tarot initiatique, symbolique et ésotérique* [O Tarô Iniciático, Simbólico e Esotérico] (1962). A inspiração divinatória também sempre foi muito vigorosa: ainda representa a maioria das obras publicadas sobre o tarô, que chegou a se tornar o instrumento de adivinhação mais importante utilizado atualmente, muito distante de práticas ancestrais como a quiromancia. São dezenas de títulos: *Votre destinée par les tarots* [Seu Destino Através dos Tarôs]; *Le Tarot et votre avenir* [O Tarô e seu Futuro]; *Tarot: prédiction et divination* [Tarô: Previsão e Adivinhação].[190]

---

185 Gisèle Freyssinet, *Le Tarot de Marseille, exercices et méditations, pratiques personnelles*, Ari Zal, Paris, 1994.

186 Simone Berno, *Tarot et psychologie des profondeurs*, Dangles, Sainit-Jean-de-Braye, 1995.

187 Michel Giffard, *Le Tarot: outil de management*, Éditions Artulen, Paris, 1990.

188 Maître Long e Valérie Baudin, *Taï chi, qi-gong et tarot énergie*, Livres & images, Cannes, 1998.

189 Lorraine Couture, *Tarot, les clés du féminin sacré, un outil d'éveil pour explorer l'âme féminine*, Éditions Trajectoire, Toulouse, 2011. Claude Darche, *Le Tarot, voie de l'amour, s'accepter, se comprendre et s'aimer grâce au tarot*, Éditions du Rocher, Paris, 2000. Nina Montangero, *Le Tarot, outil de développement personnel*, Indigo Montangero, Montreux, 2003.

190 Louise Beni, *Votre destinée par les tarots*, De Vecchi, Paris, 1994. Didier Colin, *Le Tarot et votre avenir: 5.000 réponses immédiates à vos questions*, Hachette, Paris, 1990. Susyn Blair-Hunt, *Tarot: prédiction et divination, trois niveaux de sens dévoilés*, ADA, Varennes, 2012.

Por todas essas razões, a produção editorial em torno do tarô tornou-se considerável. Há nada menos do que 566 livros catalogados pela Biblioteca Nacional da França sob as palavras-chave "tarô adivinhação" e publicados na França entre 1970 e 2015. A cada ano, surgem entre dez e 15 novos títulos consagrados ao tarô – e, mais uma vez, estamos falando apenas da França e da produção impressa. Quando pesquisamos as mesmas palavras-chave no catálogo da BnF, incluindo as publicações estrangeiras, encontramos 629 títulos, e o recorte por datas se torna muito significativo: para 1700-1799, dois títulos; 1800-1899, 14 títulos; 1900-1999, trezentos títulos (dos quais apenas 17 antes de 1980); 2000-2099, 314 títulos. Ou seja, no início dos anos 2000 publicou-se quase a mesma quantidade de livros que nos séculos XIX e XX – e nem estamos falando dos conteúdos de outras grandes bibliotecas, como as anglo-saxãs.

Há um movimento semelhante no que se refere aos baralhos. Cada vez mais autores ou editores publicam tarôs, edições que se tornaram possíveis graças ao fim do monopólio dos fabricantes de cartas em 1945. Desde essa data, qualquer pessoa é livre para editar cartas. Na França e na Itália, os fac-símiles de tarôs antigos ou as reconstituições de tarôs históricos são cada vez mais procurados: todos querem ter os tarôs mais antigos nas melhores reproduções possíveis, demonstrando uma preocupação com a autenticidade, desta vez mais próxima da história. As edições de fac-símiles de Tarôs de Marselha antigos de Yves Reynaud, complementadas com notas históricas sobre os fabricantes de cartas, são um bom exemplo disso.[191] Há outros editores, como Il Meneghello, que publica fac-símiles de tarôs históricos italianos. Além disso, são muitas as criações originais de tarôs, tanto esotéricas quanto artísticas: tarô persa, tarô maçônico, psicológico, extravagante, sacerdotal, telúrico, de James Bond, dos construtores do santuário, da Igreja da Luz etc.[192] Se além disso evocarmos os oráculos, a lista pode alongar-se indefinidamente: oráculo dos anjos, dos arcanjos, dos arcanjos e mestres ascensionados, e assim por diante.[193]

O que dizer de tamanha produção? Poderíamos considerar que ela se alinha com a grande popularidade da cartomancia no século XIX e, ao mesmo tempo, é completamente de nosso tempo. Com efeito, de um lado, a atual profusão do tarô é uma herança desses autores antigos que acabamos de evocar. Sem eles, talvez o tarô divinatório, simbólico, iniciático e esotérico não existisse; poderíamos pensar que se trata de uma evidência, mas não chega a tanto. Como vimos nessa viagem pela história do tarô, esse baralho italiano não estava automaticamente predestinado a se tornar um instrumento de adivinhação tão popular hoje. Poderíamos até contrariar um pouco a história e nos perguntar: teríamos conhecido o tarô se Court de Gébelin e Alliette não tivessem existido? Por outro lado, a obra de ambos se tornou um pouco ultrapassada, ou seja, aos poucos, sua principal ideia sobre as origens egípcias do tarô foi questionada; ao mesmo tempo, porém, a maioria dos usuários do tarô continua a considerar que ele veicula um saber muito antigo e misterioso, que proviria de sábios iniciados. Mesmo que o tarô não seja o Livro de Thot, ele não deixa de ser um veículo que conduz à sabedoria.

Com base nessa ideia, nossa época, ávida de conhecimento ancestral, multiplicou as interrogações no estilo que lhe é próprio: seu questionamento se enriqueceu com uma grande quantidade de conhecimentos, noções e compreensões de coisas que não existiam na época de Court de Gébelin ou de Papus. Rico de um saber renovado por disciplinas que antes não existiam (psicanálise, etnologia, entre outras), o homem tenta explorar a si mesmo. Com tudo isso, abriu-se em uma perspectiva mais global do mundo e até mesmo do universo. Em um plano mais metafísico, os dogmas e as concepções antigos foram varridos

---

191 Ver seu *site Tarot de Marseille Heritage*: www.tarot-de-marseille-heritage.com.
192 Referências encontradas em Stuart L. Kaplan, *La Grande Encyclopédie du tarot, op. cit.*
193 Citamos três oráculos de Doreen Virtue, autora muito prolífica nessa área.

para dar lugar a um vazio de sentido vertiginoso, em que tudo é possível. Por isso, depois de ter sido desprezado, o acesso aos conhecimentos ancestrais se renovou com essa abertura: fala-se de antropólogos que se tornaram xamãs ou de psicanalistas que fazem retiros espirituais.

Busca de sentido, acesso ilimitado ao saber: tudo isso se repercute na história do tarô. Como dissemos, tudo lhe é perguntado: o conhecimento de si mesmo, do inconsciente, do karma, a cura, a sabedoria, a inspiração... E, para responder a essas perguntas, escreve-se a seu respeito vasculhando tanto quanto possível essa base desigual de saber, amplamente difundida pela tecnologia contemporânea. Tudo isso explica a grande produção editorial, e nem chegamos a evocar o mundo digital, ou seja, a caixa de Pandora. A multiplicidade de sites, blogs, bases de dados, fóruns, artigos, estágios e cursos disponíveis também demonstra a imensa fortuna contemporânea do tarô e contribui para nutri-la.

Atualmente, o tarô prospera em uma época que procura a si mesma. Portanto, ele tem uma bela jornada pela frente.

No que se refere à sua história, o que podemos concluir aqui? Para retomar uma linguagem contemporânea: nossos objetivos foram alcançados? Esperamos que sim para uma parte deles. Gostaríamos de transmitir os conhecimentos dos historiadores sobre o tarô, relatar o que poderia ser reconhecido como verdadeiro ou provável nesse âmbito, a fim de instruir todo amigo do tarô com bases mais seguras.

Desse modo, qualquer pessoa que ler este livro saberá de quando datam os mais antigos tarôs conhecidos e quem foram os primeiros autores que tanto contribuíram para fazer dele um pilar do ocultismo moderno. Poderá explorar pistas possíveis quanto à sua origem ou a dos símbolos que ele veicula e enriquecerá seu questionamento com noções mais amplas, tomadas de empréstimo da história do jogo ou ainda do esoterismo. Também poderá admirar autênticos tarôs antigos e, portanto, conhecê-los melhor, bem como as épocas nas quais

Tarot Museum Belgium de Guido Gillabel, seção dos tarôs contemporâneos.

eles surgiram. Por fim, poderá descobrir as antigas tiragens, extraídas dos primeiros livros sobre o tarô. Em contrapartida – e esse é o limite da história como disciplina que escolhemos como base –, o leitor não encontrará resposta para a seguinte pergunta persistente: sabemos, afinal, de onde vem o tarô, quem o criou e por quê? Não, pois não há nenhum conhecimento certo a esse respeito, por falta de fontes seguras. Portanto, cabe-nos apenas confiar nos ensaístas e nas hipóteses por eles propostas e deixar que assumam o comando. Assim, as respostas encontradas serão de outra ordem.

A quem pratica ao mesmo tempo a história e o tarô só resta resignar-se em suportar por mais tempo esse irritante mistério. No entanto, o mistério atiça a curiosidade e a imaginação. Desperta o desejo de sempre procurar mais longe, estimula a reflexão, a vontade de compreender, de propor ideias, de criar sistemas de representação. Se um documento histórico comprovado existiu, revelando o autor do tarô e sua intenção, como aquele dos anos 1420, que descreve outro jogo aparentemente bastante próximo no tempo e no espaço, o que faríamos com esse jogo mítico? Não seria melhor continuar a se questionar sobre ele e, assim, sempre criar e aprender com ele? Não seria essa a fonte de todo o interesse?

Tarô de Conver reeditado por Camoin, Marselha, 1890-1900, Tarot Museum Belgium.

Die door den guychelsack wonder connen brouwen
En doen tvolck spouwen met hare loose vonden
Wonder op de tafele waer dore sij huys houwen
daer oen betrouwe niet tot gheene stonden
Want Verloor di ooc v borse tsoude vrouwen

IHERONIMVS · BOSCH · INVNTOR

Capítulo V
Pequena história dos arcanos maiores

Balthasar van den Bosch, cópia de O Ilusionista, de Hieronymus Bosch, Rijksmuseum.

Este capítulo tem como objetivo, um pouco à guisa de conclusão, deixar de lado elementos significativos para que se possa compreender melhor as informações existentes sobre os 22 arcanos maiores. Detalhar a iconografia, a simbologia, a evolução e o significado de cada carta à luz dos documentos históricos demandaria um livro inteiro. Propomos aqui uma ficha de dados para cada carta, contendo vários elementos. Inicialmente, na iconografia, dois tarôs são apresentados para cada arcano. Pesquisamos a maior diversidade possível com um objetivo certo: lançar luz sobre baralhos de tarô esquecidos e mostrar sua infinita diversidade em imagens, naipes, símbolos e representações. Em seguida, serão dadas as diferentes denominações encontradas para a carta, desde as mais antigas (a primeira será sempre a do texto mais antigo que citou os trunfos do tarô de que tratamos) até a do Tarô de Marselha. Indicaremos os diferentes números presentes nas cartas, nas diferentes ordens de tarô encontradas, sempre começando por citar o texto mais antigo que menciona a ordem dos trunfos, depois as ordens A, B e C, que detalhamos a título de indicação no Capítulo II: desse modo, nem sempre a Papisa foi o arcano II; ela ocupa a posição IV no mais antigo texto sobre os trunfos e a posição III na ordem B. Essas ordens são citadas apenas se a ordem variar em relação à que nos é familiar; por exemplo, a ordem C não é citada por ser a que nos serve de referência. Em seguida, pareceu-nos importante apresentar a etimologia e o significado principal do nome da carta, tal como ele é dado no Tarô de Marselha: muitas vezes, o estudo das palavras foi negligenciado em benefício das imagens e dos símbolos; no entanto, elas podem ser muito significativas.

Seguimos com explicações históricas para a melhor compreensão do conteúdo da carta. Vale notar que a abordagem do significado de alguns símbolos nessa parte também se dá em um contexto histórico: portanto, esses símbolos poderão ser descritos sob um aspecto unicamente negativo ou positivo, pois assim eram percebidos em determinada época. A ideia é esclarecer o significado da carta, mas tal como ele pode ter sido para os criadores do tarô, e não para nós. No mesmo sentido, um conjunto de significados divinatórios, tais como foram escritos pelos principais autores (quisemos respeitar da melhor forma possível os textos originais), encerra a ficha e permitirá compreender melhor como estes últimos consideravam a carta. Esses significados poderão acompanhar, por exemplo, as tiragens antigas que apresentamos neste livro; em parte, elas até foram selecionadas com esse objetivo. Escolhemos esses autores ao mesmo tempo por sua importância histórica e para acompanhar as tiragens que eles próprios propõem. Assim, citamos aqui as interpretações dadas por Court de Gébelin e pelo conde de Mellet no *Monde primitif* [Mundo Primitivo], em 1781, as de Alliette em *Manière de se récréer avec un jeu de cartes nommées tarots* [Modo de se Entreter com um Jogo de Cartas Nomeadas Tarôs] (terceiro caderno, publicado em 1783), as interpretações de Papus em *Le Tarot divinatoire* [O Tarô Divinatório] (1909), as de Oswald Wirth em seu *Tarot des imagiers du Moyen Âge* [O Tarô dos Pintores e Escultores da Idade Média] (1927) e as de Paul Marteau em *Le Tarot de Marseille* [O Tarô de Marselha] (1949). Vale notar que Court de Gébelin nem sempre atribui significados às cartas que descreve, porém, dada sua influência, preferimos conservar seu texto, acompanhado pelas raras interpretações divinatórias deixadas pelo conde de Mellet para explicar uma tiragem. Quanto a Alliette, com suas interpretações encontramos os números por ele atribuídos às cartas, que preferimos manter em prol da fidelidade a seu texto, embora possa parecer curioso, por exemplo, o fato de o Carro trazer o número XXI.

O Louco (Le Mat)

Diferentes denominações: il Matto, le Fou, le Fol, le Mat.

Outras posições ocupadas no tarô: nenhuma, sem numeração.

Etimologia e significados do termo *mat*: vem do árabe *māt*, que significa "morte" e designa o rei no xadrez, que já não pode deixar seu lugar sem ser pego, segundo a célebre fórmula "xeque-mate" ou, mais raramente, "mate". Por extensão, o adjetivo *mat*, surgido no século XII, significa "abatido, aflito". Viria do baixo-latim *mattum* (século XI): "abatido, vencido, aflito, humilhado". "*Qui gisoit à la tiere, à mort navré et mas*"* (*Roman d'Alexandre* [Romance de Alexandre], 1180). Quem nomeou as cartas do tarô em francês provavelmente fez confusão entre a tradução do *Matto* italiano, que significa "louco", e o termo *mat*, que designa o rei posto em xeque. Ou então a confusão é deliberada entre a loucura e a noção de morte, de perdição e de aflição. O termo *fou*, por sua vez, vem do latim clássico *follis* (surgido por volta de 1080 em *La Chanson de Roland* [A Canção de Rolando]): "Fole para atiçar o fogo, odre inflado; balão cheio de ar; bolsa de couro", que metaforicamente assumiu o sentido de "idiota, tolo, irracional". Vale lembrar a expressão "Quel ballot!"** Em francês moderno, *mat* também tem o significado bastante eloquente de "inexpressivo, que não é brilhante, que tem pouca ressonância".

Tarô conhecido como de Carlos VI, o Louco, norte da Itália, século XV, BnF.

Tarô miniatura, conhecido como "Tarô Arnoult", o Louco, 1850-1900, BnF.

---

*   Que jazia no chão, mortalmente ferido e vencido. (N. da T.)

** "Que idiota!" O termo *ballot* também significa "pequeno fardo". (N. da T.)

◆◆◆ *Sobre o Louco (Le Mat)*

Se as representações dos loucos são muito comuns na arte, nos manuscritos e nas gravuras, essa iconografia do bufão isolado, que caminha sozinho no campo com um cão, um bastão e roupas rasgadas, parece própria do Tarô de Marselha. Ela nem chega a aparecer nos tarôs anteriores. De um lado, vemos uma mistura entre a figura do bufão, com o gorro munido de orelhas de burro e os guizos e, de outro, o homem errante. A miséria e a errância costumavam ser figuradas por personagens com roupas rasgadas, alforje e bastão e acompanhados de cães, tal como vemos nas representações do filho pródigo, por exemplo. Porém, curiosamente, nosso homem errante usa uma roupa de bufão, embora os bufões nunca fossem representados dessa maneira. Em ambos os casos, a loucura, ou seja, a perda da razão e do senso comum, ocupa um lugar de destaque, e o personagem não é convencional, quer no sentido mais positivo (o bufão), quer no mais negativo (o homem errante).

Os bufões só aparecem depois do século XIV, quando são encontrados em todos os lugares, junto a reis e príncipes, mas também ao lado de senhores e bispos. Alguns deles na realidade são atores (profissão, aliás, reprovada) e prestam serviços a algum burguês ou a alguma confraria para a festa de um santo padroeiro. São sempre vistos com sua roupa típica, com capuz e guizos. Na corte, o bufão é aquele que tem poder sobre o rei, o privilégio de proferir o que os outros não estão autorizados a lhe dizer, e faz o contraponto à cortesã. Embora não fosse sempre caracterizado por uma deformidade (anão, corcunda, como eram vistos na época), era apresentado vestido de forma grotesca, usando guizos, bastão de bobo da corte e gorro com orelhas de burro (o burro simbolizava a ignorância e os baixos instintos do homem). De maneira mais genérica, esses atributos acompanham todo personagem que representa a desorientação, a irracionalidade. Muitas bíblias dos séculos XIV-XV apresentam o louco, chamado de "insensato", para ilustrar o Salmo 52: "Diz o insensato em seu coração: 'Não há Deus'". Por extensão, todo personagem vestido desse modo também poderia representar as imperfeições humanas, a estupidez, como no célebre livro *A Nau dos Insensatos* (*Das Narrenschiff*, 1494), de Sebastian Brant, ou ainda o homem de costumes desregrados, que escandaliza por seu apetite sexual. De resto, essa associação entre o louco e a sexualidade se encontra em alguns tarôs. O louco se torna, então, um personagem habitado pelo mal, por Satanás. Torna-se assustador por seu aspecto, pela aparência que sua doença lhe inflige: já não dispõe de trajes convenientes e às vezes sai nu de suas crises. Nele se jogam pedras e detritos. Vale notar que o cão que o acompanha acentua esse aspecto: simbolicamente, o lado nefasto prevalecia, e ele era visto como um animal impuro, sujo, que causava doenças. Sua simbologia coincide com a do bode expiatório, culpado pelos erros da comunidade e depois rejeitado. O cão costuma aparecer perto de andarilhos na arte do Renascimento, maneira realista de mostrar que eram utilizados para afugentar quem se aproximasse das casas para mendigar ou roubar. Os mitos do judeu errante, do filho pródigo, de Roberto, o Diabo,* ou ainda de São Roque podem ser associados a essa carta.

Portanto, as representações do louco são essencialmente negativas, tal como vemos na maioria dos significados divinatórios antigos dessa carta. Com efeito, a rara interpretação positiva, segundo a qual "o que é loucura aos olhos dos homens é sabedoria aos olhos de Deus", transparece muito pouco na época em que o tarô foi criado. Apenas os autores contemporâneos a retomaram.

---

* Personagem de uma lenda medieval, segundo a qual um cavaleiro normando descobre ser filho do Diabo. Essa lenda teria inspirado diversas obras literárias e dramáticas, entre elas a ópera *Robert le Diable*, de Giacomo Meyerbeer. (N. da T.)

◆◆◆ *Significados divinatórios*

1781, Court de Gébelin: nº 0, Zero, o Louco (*le Fou*)

"Ele caminha com muita rapidez, como louco que é, carregando às costas sua pequena trouxa e imaginando que assim escapará de um tigre que morde seu traseiro; quanto ao saco, ele é o emblema de seus erros que ele não quer enxergar; e o tigre representa seu remorso, que o segue a galope e salta atrás dele. [...] Quanto a esse trunfo, nós o chamamos de Zero, embora no jogo ele seja colocado após o XXI, pois não conta nenhum ponto quando está sozinho e só recebe o valor que confere aos outros, justamente como o zero: desse modo, mostra que nada existe sem sua loucura."

1783, Alliette: nº 0, o Louco (*le Fol*) ou a Loucura

"Essa carta é a única que, de fato, nunca teve um número, o que equivale a dizer que é praticamente impossível atribuir um número às nossas caras loucuras. Significa loucura."

Para Alliette, se a carta estiver invertida, o prognóstico é menor. Assim, se o Louco (*le Fol*) significa "loucura", o Louco invertido significa uma loucura menos importante. Essa indicação vale para as outras 22 cartas.

1909, Papus: nº 0 ou 21, o Morto

Sentido espiritual: ruptura das comunicações divinas. Sentido moral ou alquímico: cegueira moral. Sentido físico (que também pode ser utilizado para a adivinhação): a matéria. Sentido divinatório: ação irrefletida. Loucura.

1927, Oswald Wirth: XXII, o Louco (*le Fou*)

Impulsividade, inconsciência, alienação, influência passiva da Lua.

PARA O BEM. Passividade, abandono absoluto, repouso, renúncia a qualquer resistência, despreocupação, inocência, irresponsabilidade. Mediunidade, instinto. Abstenção, nada a fazer.

PARA O MAL. Nulidade, incapacidade de raciocinar e se orientar, abandono aos impulsos cegos, automatismo. Perturbação inconsciente, extravagância. Punição inelutável de atos insensatos, remorso inútil. Aniquilação.

1949, Paul Marteau: o Louco (*le Mat*)

Essa lâmina deve ser considerada como o número XXII em caso de adição.

SENTIDO ELEMENTAR. O homem que trilha o caminho da evolução com despreocupação e sem pausa, carregando o peso de suas aquisições boas ou ruins, estimulado pelo tilintar dos pensamentos, das preocupações do momento ou dos instintos inferiores, até o momento em que souber realizar o equilíbrio denotado pela lâmina "o Mundo".

SENTIDO CONCRETO. A denominação "o Louco" (*le Mat*) que lhe foi atribuída tem o mesmo sentido dado ao xadrez, ou seja, "enclausurado". Com efeito, ele é sobrecarregado por seu fardo, que não pode depositar no chão, é empurrado pelo cão, estimulado pelos guizos, atormentado pelas preocupações do trajeto, pela obrigação de caminhar e pela coerção das circunstâncias que encontra pelo caminho. É também despreocupado, no sentido de que não tem consciência dos obstáculos da vida e de que só os verá posteriormente.

MENTAL (a inteligência). Indeterminação devida à multiplicidade das preocupações que se apresentarão e das quais têm apenas uma semiconsciência. Ideia em curso de transformação. Conselhos incertos.

ANÍMICO (as paixões emotivas). Adversidade de sentimentos, incertezas nos compromissos, sentimentos vulgares e sem duração.

FÍSICO (o lado utilitário da vida). Inconsciência, falta de ordem, falta de comprometimento com a palavra dada, insegurança, partida ou deslocamento. Abandono voluntário de bens materiais. Negócio em declínio. Saúde: apatia, inchaço, abscesso.

EM POSIÇÃO INVERTIDA. Como o Louco (*le Mat*) é um personagem em marcha, significa que caiu ou foi detido em sua caminhada. Abandono forçado de bens materiais e queda sem retorno nem esperança. Complicações, desordem, incoerência.

I. O Mago (Le Bateleur)

Diferentes denominações: il Bagatella, il Bagatello, Le Bateleur, Le Magicien.

Outras posições ocupadas no tarô: sempre I.

Etimologia e significados do termo *bateleur*: vocábulo surgido no século XIII, proveniente do francês antigo *baastel*, que significa "instrumento e truque de ilusionista". Designa uma pessoa que realiza truques de acrobacia, ilusionismo e façanhas nas feiras e praças públicas. Sinônimo de "prestidigitador" e "saltimbanco", por extensão resultou em "mágico" – de resto, esta última denominação foi selecionada para os tarôs anglo-saxões, mas com um sentido diferente. Em três dicionários antigos (1694, 1787, 1798), a definição dada é "praticante de truques de prestidigitação". Furetière vai mais longe, e a primeira definição que dá para *Basteleur/basteleuse* é "charlatão", depois "funâmbulo, bufão", e indica que esse vocábulo poderia provir do gaulês *baste*, que significaria "enganação". Quanto ao termo italiano "Bagatella", ele pode ser traduzido por "algo sem importância" (uma bagatela).

Tarô de Grimaud, o Mago, Paris, 1891, BnF.

Tarô de A. G. Zoya, o Mago, 1834-1852, BnF.

✦✦✦ Sobre o Mago

O que se depreende dessas definições é o caráter pejorativo – charlatão, enganador, fanfarrão. Como muito bem diz a inscrição que comenta uma representação do ilusionista do século XVI (que, por sua vez, copia o célebre quadro *O Ilusionista*, de Hieronymus Bosch, pintado entre 1475 e 1480 e reproduzido no início deste capítulo): "Aqueles que fazem maravilhas graças à sua astúcia e a seus truques enganadores levam o povo a cuspir coisas curiosas na mesa. Nunca lhes dê ouvidos, ou te arrependerás".

Como no caso do louco, estamos diante de um personagem desacreditado nas sociedades da Idade Média e da época moderna. De resto, como para todas as profissões ligadas ao divertimento, trata-se de um ofício reprovado desde a Antiguidade: já o direito romano considerava que atuar em cena com um objetivo lucrativo era uma ocupação infamante. Os malabaristas, atores e saltimbancos eram associados às categorias mais baixas da população, tanto quanto as prostitutas, os deficientes e os mendigos. Para Santo Tomás de Aquino, não havia dúvida de que os magos, os contadores de histórias e os atores seriam condenados e conheceriam os suplícios do inferno. Com se não bastasse, no que se refere ao nosso mago, vemos que sua atividade consiste em deslizar uma bolinha sob um, dois ou três copos e convidar uma pessoa a encontrá-la, depois de feitas as apostas. Porém, quando uma soma importante é posta em jogo, as mãos do malabarista se movem com muito mais rapidez, escamoteando a bola, e a pessoa perde o que apostou. As apostas também são feitas com dados: se o mago já exerce uma profissão reprovada, a atividade que praticava não é diferente, pois fazer apostas com dados é igualmente condenável.

Desse modo, o Grande Mago ou Mágico de alguns tarôs modernos tem suas raízes no animador público ou até mesmo no golpista. De resto, nos tratados de astrologia do Renascimento, nos quais as atividades humanas são associadas aos planetas, o mago é um "filho da Lua", astro enganador. Mais tarde, a imagem do mago no tarô de Marselha se torna mais aperfeiçoada: sozinho à sua mesa de jogo, cujos símbolos se tornam a representação dos quatro naipes, ele adquire um grande chapéu, associado pelos ocultistas à lemniscata, símbolo do infinito. No entanto, vale notar que esse símbolo surgiu na história da matemática em 1655, e o tarô de Jean Noblet com o mago de chapéu, por volta de 1650. Os mesmos ocultistas o transformam em mágico e, posteriormente, em mago; assim ele é apresentado no tarô de Etteilla e nos tarôs anglo-saxões.

Essa ascensão do tarô se encontra nos significados divinatórios. Em 1807, o *Pequeno Oráculo das Damas* faz dele uma carta de mau agouro, emblema do tédio e da doença, indicando que a vida não passa de uma ilusão, de um truque de prestidigitação. Porém, a imagem do mago logo é melhorada...

◆◆◆ *Significados divinatórios*

1781, Court de Gébelin: nº I, o Prestidigitador ou Mago

"É reconhecido graças à sua mesa repleta de dados, copos, facas, esferas etc.; à sua balestilha ou à sua vareta de Mago, à esfera que segura entre os dedos e que vai escamotear. Diante de todas as situações, ele indica que a vida inteira não passa de um sonho, de um truque de ilusionismo; que ela é como um perpétuo jogo de azar ou o choque de mil circunstâncias que nunca dependeram de nós e cuja administração geral tem, necessariamente, muita influência."

1783, Alliette: nº 15, o Mago

"Significa doenças; em outras épocas, ao contrário, era visto como Mago e significava saúde. Esse hieróglifo foi bastante alterado; era um mago."

1909, Papus: 1, o Mago

Sentido espiritual: princípio-essência divino. Sentido moral ou alquímico: a terra. Sentido físico (que também pode ser utilizado para a adivinhação): o homem, o pai. Sentido divinatório: o consulente.

1927, Oswald Wirth: I, o Mago

Ponto de partida, causa primeira, influência de Mercúrio.

PARA O BEM: destreza, habilidade, diplomacia, eloquência, arte de convencer, espírito alerta, inteligência rápida, homem de negócios dinâmico.

PARA O MAL: fanfarrão persuasivo, manipulador, ilusionista, intriguista, arrivista, político, charlatão, impostor, mentiroso, escroque, explorador de ingênuos. Agitação ineficaz, ausência de escrúpulos.

1949, Paul Marteau, lâmina I, o Mago

SENTIDO ELEMENTAR. O Mago representa o homem em presença da natureza, com o poder de manipular seus cursos.

SENTIDO CONCRETO. Significa a possibilidade de fazer malabarismos com vários objetos, ou seja, manipular as circunstâncias com habilidade e fazer uma escolha pertinente.

MENTAL (a inteligência). Facilidade de combinações, apropriação inteligente dos elementos, dos temas que se apresentam à mente.

ANÍMICO (as paixões emotivas). Psíquico material, ou seja, propenso à busca de sensações, representado pelo vigor do personagem e por sua qualidade de criador. Generosidade aliada à gentileza. Fecundidade em todos os sentidos.

FÍSICO (o lato utilitário da vida). Tendência à dispersão na ação, à falta de unidade nas operações. Hesitação. Indecisão. Incerteza nos acontecimentos. Saúde: forte vitalidade e poder sobre as doenças de ordem mental ou nervosa, obsessão ou neurastenia. Essa lâmina revela uma tendência favorável, porém, por não ser formal, não indica a cura. Para conhecê-la, é preciso considerar a lâmina vizinha.

INVERTIDA. Discussões, altercações que podem tornar-se violentas. Orientação ineficiente na ação, operações inconvenientes.

II. A Papisa

Diferentes denominações: la Papessa, la Papesse. La Pances (Tarô de Dodal, 1701), Junon [Juno] (Tarô de Besançon), Capitaine Fracasse [Capitão Fracassa] (Tarô de Bruxelas), le Printemps [a Primavera] (Tarô Revolucionário), la Grande Prêtesse [a Grã-Sacerdotisa], Ísis, l'Orgueil [o Orgulho].

Outras posições ocupadas no tarô: número IV na lista mais antiga dos trunfos e número III na ordem B.

Etimologia e significados do termo *papesse*: surgido por volta de 1450, do latim medieval *papissa*, vem de *papa*, que significa "papa". Papisa: mulher papa.

Tarô de Visconti-Sforza, a Papisa, Milão, cerca de 1452 (fac-símile).

Tarô de Dodal, a Papisa, Lyon, 1701-1715, BnF.

◆◆◆ *Sobre a Papisa*

As múltiplas denominações revelam a perplexidade que essa carta, talvez a mais controversa do tarô, pode suscitar. Não é para menos; afinal, não existe papisa. De imediato, poderíamos objetar que a Justiça e a Força são alegorias e tampouco existem. Mas por que essa figura, que também poderia ser uma alegoria da fé, da Igreja ou até da prudência (todas representadas com frequência na forma de uma mulher religiosa segurando um livro), recebeu aqui o nome de papisa? Em referência ao mito da Papisa Joana? Com efeito, segundo a tradição popular, uma mulher teria ocupado o trono de São Pedro com o nome de João VIII, em 854, durante dois anos, cinco meses e nove dias, entre os papas Leão IV e Bento III. Sigebert de Gemblours (cerca de 1030-1112) dizia que "esse João foi uma mulher". Martinho de Opava (mais conhecido como Martinus Polonus) a evoca em seus escritos, que teriam valor de crônica oficial do papado e estabeleceram essa lenda apesar da ausência de fundamentos históricos, pois não houve lacuna entre Leão IV e Bento III. Essa lenda prosperou por toda a Idade Média; um busto de papisa figurava na Catedral de Siena entre os dos dois papas. Uma estátua teria sido erguida em Roma no exato local onde, grávida de um familiar, ela deu à luz em pleno dia durante uma procissão, o que revelou seu subterfúgio. O povo furioso e o clero a condenaram à morte junto com o fruto de sua impostura e a teriam sepultado ali mesmo. Em 1548 e 1550, guias "turísticos" de Roma indicavam o local e a estátua, da qual Lutero teria zombado ao visitar a capital romana em 1510: "Surpreende-me que os papas tolerem tais estátuas, mas Deus os cega para que todos possam ver o que é o papado: uma farsa, uma simples enganação e obra do diabo". Como ele, também podemos nos surpreender com o fato de a Igreja ter permitido que se abordasse essa história e nos perguntar se a Papisa do tarô é uma alegoria da fé, da Igreja ou, diferentemente, uma imagem satírica contra ela. Pois a essa imagem de mulher segurando um livro e carregando símbolos religiosos poderiam ter sido atribuídas denominações bem menos perturbadoras: fé, prudência, sabedoria... Com efeito, as representações de papisas propriamente ditas (dentre as quais as mais antigas remontam ao século XIII) são raras na arte medieval e renascentista, pois eram consideradas blasfematórias. Aparecem apenas em raras crônicas, como a mencionada acima. Paralelamente a isso, vemos representações da Igreja como uma mulher de tiara, carregando chave e livro, tal como é exibida na Basílica de São Pedro, em Roma. De resto, há representações semelhantes nos mais antigos tarôs.

Ela também pode representar a prudência: a quarta virtude cardeal que faltava ao tarô é ilustrada em algumas obras na figura de uma mulher segurando um livro; assim, um manuscrito do século XV contendo as indicações para o miniaturista, referentes às quatro virtudes cardeais, indica que é necessário representar a prudência em "uma mulher sentada em uma cátedra com um livro aberto".[194] A arte dos séculos XV e XVI também figurava muito a Virgem Maria dessa maneira. Essa carta poderia igualmente representar a fé, personificada no Tarô dos Visconti por Santa Inês de Praga, religiosa da Ordem das Clarissas (a mulher na carta usa o traje dessa Ordem) e precursora de Bianca Maria Visconti.

Seja como for, a Papisa perturba. Como vimos, nos tarôs da Europa protestante e nos de Besançon ela se torna Juno; nos tarôs de Flandres, ela se torna uma figura da *commedia dell'arte*, o Capitão Fracassa, o que favoreceria uma representação da fé ou da Igreja, dada a diligência dos protestantes em apagá-la. Os tarôs ocultistas a mantêm, mas fazem dela uma grã-sacerdotisa. Court de Gébelin foi o primeiro a nomeá-la desse modo em seu *Monde Primitif* [Mundo Primitivo], talvez mais em razão de seu forte apego à causa protestante do que em referência ao Egito; no entanto, foi como devota de Ísis que ela prosperou no mundo anglo-saxão (igualmente protestante). Atualmente, a Papisa sobrevive apenas no Tarô de Marselha.

---

194 Frei Laurent d'Orléans, *Le Livre des vices et des vertus ou Somme le Roi*.

✦✦✦ *Significados divinatórios*

1781, Court de Gébelin: n^{os} V e II, Grão-Sacerdote e Grã-Sacerdotisa, os Chefes espirituais da sociedade

"O n^o V representa o chefe dos hierofantes ou o Grão-Sacerdote; o n° II, a Grã-Sacerdotisa ou sua esposa. Sabemos que, entre os egípcios, os chefes do sacerdócio eram casados. Se essas cartas tivessem sido inventadas pelos modernos, não veríamos nelas a Grã-Sacerdotisa, menos ainda com o nome de Papisa, como os fabricantes de cartas alemães a nomearam ridiculamente. Ao difundirem esse jogo em seu meio, os fabricantes de cartas italianos e alemães deram a esses dois personagens – que os antigos nomeavam Pai e Mãe e que hoje seriam chamados de abade e abadessa – termos orientais significando a mesma coisa e os transformaram em um Papa e uma Papisa. A Grã-Sacerdotisa está sentada em uma poltrona. Veste um hábito longo com uma espécie de véu atrás da cabeça e cruzado na altura do estômago. Tal como Ísis, tem uma dupla coroa com dois chifres e um livro aberto sobre os joelhos."

1783, Alliette: n° 8 – o autor não nomeia a carta

"Essa carta, ou melhor, esse hieróglifo, como os dois anteriores, já não se assemelha em nada ao que era entre os primeiros egípcios. Nessa carta vemos hoje uma *Juno*, uma *Papisa* ou uma *Donzela espanhola*. Significa *a mulher a quem interrogamos os oráculos do* Livro de Thot."

1909, Papus: 2, a Papisa

Sentido espiritual: a substância divina. Sentido moral ou alquímico: o ar. Sentido físico (que também pode ser utilizado para a adivinhação): a mulher, a mãe. Sentido divinatório: a consulente.

1927, Oswald Wirth: II, a Papisa

Mistério, intuição, piedade, influência passiva de Saturno.

PARA O BEM. Reserva, discrição, silêncio, meditação, fé, paciência, espera confiante, sentimento religioso, resignação, coisas ocultas favoráveis. Inércia necessária.

PARA O MAL. Intenções ocultas, dissimulação, hipocrisia, ajuda esperada sem razão, inação, preguiça. Devoção exagerada, rancor, disposições hostis ou indiferentes, absorção mística.

1949, Paul Marteau: lâmina II, a Papisa

SENTIDO ELEMENTAR. A Papisa representa a natureza com suas riquezas misteriosas, que o homem tem de elucidar e interpretar.

SENTIDO CONCRETO. O princípio superior da natureza, ou seja, a matéria santificada.

MENTAL (a inteligência). Essa lâmina é muito rica para contribuir com ideias. Ela resolve os problemas, mas não os sugere.

ANÍMICO (as paixões emotivas). Ela é fria, amigável, acolhedora, mas não afetiva.

FÍSICO (o lado utilitário da vida). Situação assegurada, força sobre os acontecimentos, revelação de coisas ocultas, garantia de triunfar sobre o mal. Saúde: boa saúde, peso.

INVERTIDA. Ela se torna mais pesada, mais passiva; já não é possível recorrer a ela, que se torna um fardo. As intuições trazidas por ela invertem seu sentido e se mostram falsas. Atraso, parada, dificuldade de realização.

III. A Imperatriz

Diferentes denominações: Imperatrix, L'Impératrice, Linperatry (Tarô de Viéville), Lemperatris (Tarô de Noblet), la Grande Mère [a Avó] (Tarô Revolucionário).

Outras posições ocupadas no tarô: número II na lista mais antiga dos trunfos e na ordem B.

Etimologia e significados do termo *impératrice*: surgido na língua francesa em 1482, esse vocábulo provém do latim *imperatrix* e significa "esposa de um imperador" ou ainda "soberana de um império".

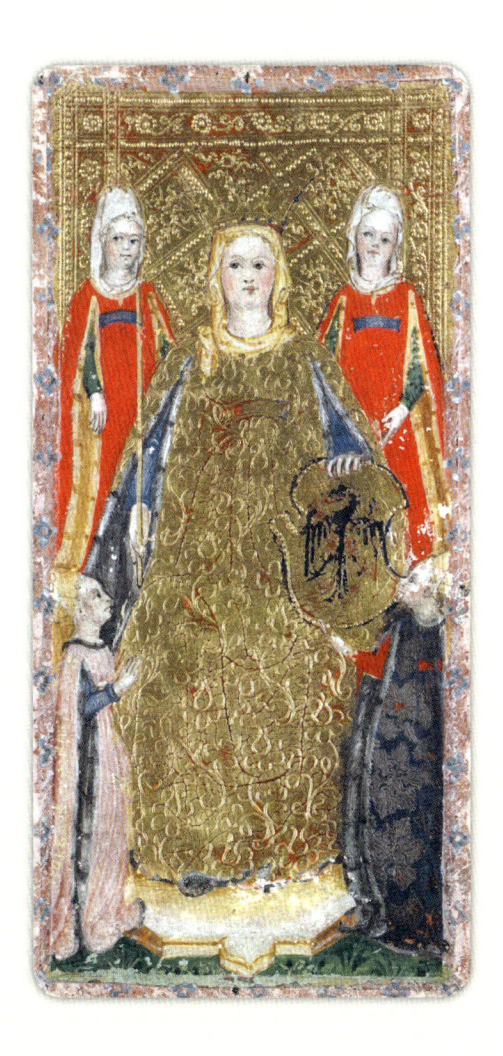

Tarô Visconti di Modrone, a Imperatriz, Milão, 1441, Biblioteca Beinecke.

Tarô de Grimaud, a Imperatriz, Paris, 1930, BnF.

◆◆◆ *Sobre a Imperatriz*

Se por um lado há muito que dizer sobre o rico conteúdo ao mesmo tempo histórico, simbólico ou controverso de algumas cartas, por outro, no caso da Imperatriz só se pode dizer uma coisa: ela é a esposa do Imperador. Do ponto de vista histórico e na mentalidade da época, ela não tem outros significados importantes. Nos tarôs, poderíamos dizer que é representada de maneira bastante padronizada: uma mulher jovem, ricamente vestida (sobretudo nos Tarôs Visconti) e ornada com os atributos de seu marido, ou seja, a coroa, o escudo com a águia e o cetro com o globo encimado por uma cruz (ver a seção sobre o Imperador para as explicações sobre esses elementos). Com essa carta tão carente de sentido histórico, o que por si só já é revelador, poderíamos evocar a condição da mulher nas épocas medieval e moderna: uma mulher só tem valor em relação à família da qual provém e por aquilo que leva à família à qual se une. Um homem se casa com uma mulher pela vantagem de aliar-se à sua família, por seu dote e pelos potenciais herdeiros que ela poderá lhe dar. As imperatrizes históricas, ou seja, as que se casaram com imperadores do Sacro Império Romano-Germânico e, por extensão, todas as mulheres de famílias nobres dessa época, eram destinadas a se casar já na puberdade com um esposo muitas vezes mais velho do que elas, segundo os acordos vantajosos para ambas as famílias. Era preciso desposá-las desde cedo, dados os riscos ligados à procriação (uma mulher mais velha teria menos chances de ter filhos saudáveis, e 30 anos na época já era uma idade bastante avançada). Há registros de matrimônios com meninas de 9 anos. Em seguida, a vida de uma imperatriz consistia em duas coisas: dar à luz e ser vista. As obras de alguns historiadores mostraram de forma admirável o destino dessas mulheres que passavam metade da existência grávidas e dando à luz sucessivamente, correndo risco de vida a cada parto.[195] Houve imperadoras extraordinárias, que governaram de fato. A mais célebre foi Maria Teresa da Áustria (1717-1780), mas na maior parte do tempo, como muitas princesas da época, elas não fizeram história. Alguém por acaso se lembra de Bárbara de Cillei, princesa eslovena, vinte e quatro anos mais nova que seu marido, o imperador Sigismundo, coroado em 1433?

Vale notar que a Imperatriz vista nos dois Tarôs Visconti talvez seja um retrato de Bianca Maria Visconti, que representa uma mulher rica de sua época: com traje dourado e joias, teve de se casar com Francesco Sforza aos 14 anos. Para sua sorte, seu matrimônio foi excepcionalmente feliz. Era uma mulher inteligente, instruída e de temperamento forte, que soube conduzir bem seu casamento – um belo retrato para uma Imperatriz.

As representações do tarô refletem um pouco essa consideração reduzida: elas evoluem pouco. É o que também se vê nos significados bastante limitados, conferidos a essa carta. Os de Paul Marteau são particularmente significativos.

◆◆◆ *Significados divinatórios*

1781, Court de Gébelin: nos IV e III, Rei e Rainha, os Chefes temporais da sociedade

"O nº IV representa o Rei, e o III, a Rainha. Ambos têm como atributo a águia em um escudo e o cetro encimado por um globo coroado com uma cruz, chamada de Tau, o símbolo por excelência. O Rei é apresentado de perfil, e a Rainha, de frente: ambos estão sentados em um trono. A Rainha aparece em um vestido longo, e o espaldar de seu trono é elevado. O rei aparece como se estivesse em uma poltrona ou cadeira em forma de concha, com as pernas cruzadas. Sua coroa é um semicírculo encimado por uma pérola com uma cruz. A da Rainha termina em ponta. O rei traz o símbolo de uma ordem de cavalaria."

---

195 Ver, sob a coordenação de Georges Duby e Michelle Perrot, *Histoire des femmes en Occident*, Plon, Paris, 1991.

1783, Alliette: nº 6, a Imperatriz

"Significa que os males vêm para bem ou que aquilo que nos prejudicou se tornará ou se torna útil para nós. Nosso inestimável estudioso da Antiguidade poderá constatar que se enganou: esse hieróglifo é moderno. Em um dos outros três cadernos, demonstrarei que ele era primitivamente o quarto dia da Criação."

1909, Papus: 3, a Imperatriz

Sentido espiritual: a natureza divina. Sentido moral ou alquímico: a água, o mercúrio dos sábios. Sentido físico (que também pode ser utilizado para a adivinhação): a geração. Sentido divinatório: ação. Iniciativa.

1927, Oswald Wirth: III, a Imperatriz

Sabedoria, discernimento, idealidade, influência intelectual do Sol.

PARA O BEM. Compreensão, inteligência, instrução, charme, afabilidade, elegância, distinção, gentileza. Dominação pela mente, fartura, riqueza. Civilização.

PARA O MAL. Afetação, pose, pedantismo, vaidade, pretensão, desdém, frivolidade, luxo, prodigalidade. Sensibilidade a elogios, falta de refinamento, comportamento de novo-rico.

1949, Paul Marteau: lâmina III, a Imperatriz

SENTIDO ELEMENTAR. A Imperatriz representa a força fecunda da matéria colocada à disposição do homem para suas criações.

SENTIDO CONCRETO. A força passiva do mundo matéria.

MENTAL (a inteligência). Penetração na matéria pelo conhecimento das coisas práticas.

ANÍMICO (as paixões emotivas). Penetração na alma dos seres. Pensamento fecundo, criador.

FÍSICO (o lado utilitário da vida). Esperança, equilíbrio. Soluções para os problemas. Melhora e reviravolta da situação. Força de ação irresistível e contínua.

INVERTIDA. Divergências, discussões em todos os níveis, tudo se embaralha e se torna confuso. Atraso no cumprimento de um evento qualquer, que, no entanto, é inevitável.

IIII. O Imperador

Diferentes denominações: Imperator, Imperatore, l'Empereur. Lanpereur (Tarô de Viéville), Lemperur (Tarô de Noblet), le grand père [o avô] (Tarô Revolucionário).

Outras posições ocupadas no tarô: número III na lista mais antiga dos trunfos. Se não, sempre em IIII.

Etimologia e significados do termo *empereur*: termo surgido na língua francesa em 1080 (na *Chanson de Roland* [Canção de Rolando]), vem do latim *imperator*. De resto, é com esse nome latino que às vezes aparece nas denominações dos trunfos. Trata-se do título dado a partir do imperador Augusto (63 a.C. – 14 d.C.) ao detentor do poder supremo no Império Romano. Desde Carlos Magno, esse título designa o chefe do Império do Ocidente, ou seja, do Sacro Império Romano-Germânico.

Tarô de Bourlion, o Imperador, Marselha, 1760, BnF.

Tarô de Carrajat, o Imperador, 1834-1852, BnF.

◆◆◆ Sobre o Imperador

A carta acumula todas as representações tradicionais que designam um imperador segundo o espírito da época. Assim, apesar desse título bastante concreto, temos aqui uma figura alegórica que representa o poder absoluto no mundo. Com efeito, nosso imperador reúne todos os símbolos do poder possível. Inicialmente, tem uma barba e é de meia-idade. A partir da Idade Média, assim costumava ser representado Carlos Magno, o imperador por excelência, embora ele fosse imberbe. Em seguida, o escudo amarelo com a águia em preto é claramente o brasão do Sacro Império Romano-Germânico e aparece em todos os tarôs antigos. Nicolas Conver muda sua cor no século XIX e apresenta um escudo azul com águia amarela. Depois dele, Grimaud faz a mesma coisa, e o sentido preciso do brasão representado nesse escudo acaba sendo esquecido. Desde a Antiguidade, a águia é o pássaro associado ao poder, o pássaro dos reis, o rei dos pássaros; é o atributo de Zeus. Por essa razão, torna-se o emblema de César e um importante símbolo militar do Império Romano. Chega a ser associada a Deus na Bíblia, junto com as figuras do boi, do homem e do leão, na visão de Ezequiel, e posteriormente em todas as representações da glória. Esse brasão aparece em alguns tarôs italianos, como os dos Visconti, mas não em outros, como o tarô de Carlos VI. Isso ocorria simplesmente em função das alianças das famílias principescas com o Sacro Império: os Visconti haviam comprado seu título ducal do imperador a preço de ouro e quiseram homenageá-lo; já Ferrara, de onde provêm alguns tarôs, era um Estado Pontifício e, portanto, inimigo – estava fora de cogitação ilustrar o brasão do Império! Portanto, nesses tarôs a representação imperial é mais abstrata. De resto, o globo pode ser suficiente: trata-se de um símbolo de poder exclusivo do imperador, pois representa o globo terrestre, o mundo que o imperador segura nas mãos... Como bem diz o historiógrafo de Otão III, um dos primeiros imperadores medievais: "Pelo dom de Deus, augusto imperador do mundo, senhor dos senhores do mundo". Nunca veremos um rei segurando esse globo. Em contrapartida, o cetro é um atributo partilhado com os reis, como símbolo de poder, e tem por origem o bastão de comando. A coroa, por sua vez, outro atributo em comum com os reis, é fechada nesse caso. No tarô, ela assume uma forma curiosa, que parece representar um capacete de guerra, caindo para trás para proteger a nuca como o capacete de Minerva. Por fim, as pernas cruzadas também caracterizam os homens de poder, sejam eles reis ou imperadores. No exercício de determinadas funções, elas simbolizam a força judiciária dos reis. Ao que parece, o uso provém da posição prescrita em ritual para os altos magistrados no antigo direito alemão. Desse modo, em um código antigo, lê-se: "O juiz deve sentar-se em seu assento magistral como um leão em fúria e colocar a perna direita sobre a esquerda. Quando não conseguir formar um julgamento preciso sobre um caso, cruzará a perna esquerda sobre a direita, depois a direita sobre esquerda, e isso uma, duas, três vezes seguidas". Essa postura aparece apenas no século XII. De maneira mais ampla, poderia simbolizar um monarca em ação no exercício de seu poder quando se enfurece, quando condena um culpado ou apresenta uma espada a um cavaleiro. Pois também se encontram figuras régias em majestade, cujos pés repousam naturalmente no solo, na serenidade de sua onipotência. Entretanto, os tratados de decoro insistem no fato de que colocar uma perna sobre a outra é incivil, "só cabe aos grandes senhores e mestres".

Com todos esses elementos, podemos considerar que talvez esse trunfo fosse percebido como uma "boa carta". De resto, como vimos com a astrologia, uma figura imperial semelhante pôde simbolizar o meio do céu, ou seja, o apogeu de uma vida, enquanto o imperador se encontra como filho do Sol com outras figuras de poder e riqueza.

◆◆◆ *Significados divinatórios*

1781, Court de Gébelin: n°s IV e III, Rei e Rainha, os Chefes temporais da sociedade
Ver a Imperatriz.

1783, Alliette: nº 7, o Imperador
"O Imperador significa apoio."

1909, Papus: 4, o Imperador
Sentido espiritual: a forma. Sentido moral ou alquímico: o fogo, a cruz filosófica. Sentido físico (que também pode ser utilizado para a adivinhação): a autoridade, a proteção. Sentido divinatório: vontade.

1927, Oswald Wirth: IV, o Imperador
Firmeza, positivismo, poder executivo, influência de Saturno e Marte.
PARA O BEM. Direito, rigor, certeza, imobilidade, realização, energia perseverante, vontade inabalável, execução do que foi decidido. Protetor poderoso.
PARA O MAL. Oposição persistente, obstinação, opinião preconcebida e hostil, adversário obstinado, iniciativa contrariada, governo contra si, grande risco de fracasso. Tirania, absolutismo.

1949, Paul Marteau: lâmina IIII, o Imperador
SENTIDO ELEMENTAR. O Imperador representa as energias materiais necessárias ao homem para dar às suas criações fugazes uma realidade momentânea.
SENTIDO CONCRETO. A denominação da lâmina "o Imperador" indica quem julga a ação e tem o poder de realização. Do ponto de vista utilitário, é uma carta que traz contribuições práticas e conselhos úteis.
MENTAL (a inteligência). Inteligência equilibrada, que não ultrapassa o nível utilitário.
ANÍMICO (as paixões emotivas). Acordo, paz, entendimento, união de sentimentos.
FÍSICO (o lado utilitário da vida). Os bens passageiros, a força passageira. Assinatura de contrato, fusão de sociedades, situação conciliada. Saúde: equilibrada, mas com tendência ao excesso.
INVERTIDA. Resultados contrários ao que antecede; tudo é invertido; ruptura do equilíbrio. Queda, perda de bens, de saúde ou de domínio.

V. O Papa

Diferentes denominações: il Papa, le Pape. Le Grand Prêtre [o Grão-Sacerdote], Júpiter, Bacchus [Baco].

Outras posições ocupadas no tarô: sempre no número V.

Etimologia e significados do termo *pape*: termo do fim do século XI que vem do latim *papa* e designa sem equívoco possível o chefe da Igreja Católica Romana. Trata-se do mesmo vocábulo que designa afetuosamente o pai, que no século III se tornou o título de honra dos bispos e, a partir do século VI, o do único bispo de Roma.

Tarô de Jean-François Tourcaty, o Papa, Marselha, 1734-1753, BnF.

Tarô de Vergnano, o Papa, Itália, 1830, BnF.

❖❖❖ *Sobre o Papa*

Após o Imperador, figura do poder temporal absoluto, surge o Papa, figura do poder espiritual absoluto, pelo menos para os europeus do fim da Idade Média. É difícil dizer mais sobre o sentido dessa carta. Podemos, então, detalhá-lo tal como ele foi proposto no Tarô de Marselha, pois ali é representado com uma iconografia que não é a mesma de todos os papas. Barbudo, usa a tiara dupla ou tripla, ou seja, com duas ou três coroas (tudo depende dos tarôs), marca de sua autoridade ao mesmo tempo temporal e espiritual (a tiara tripla designaria os três poderes: pontifício, imperial e régio). Portanto, esse objeto litúrgico, cuja forma variou ao longo dos séculos, situa o sumo pontífice tal como é representado no tarô após 1303, data de surgimento da tiara dupla. O uso de luvas como objeto litúrgico é posterior ao século X, e elas são mencionadas pela primeira vez em 915. Sobretudo a barba é um elemento importante. Desde Clemente XI (portanto, a partir de 1700), todos os papas são barbeados. Entre Clemente VII (1523-1534) e Inocêncio XII (morto em 1700), todos os papas têm barba, ao passo que antes, entre 1362 e 1503, eles ainda eram barbeados, exceto Clemente VII de Avignon (1387-1394). Antes ainda, no século XIII, eram barbudos. Esses detalhes poderiam permitir situar a iconografia do nosso papa do tarô: um papa do século XVI ou do XVII, portanto, uma imagem elaborada nessa época? Ou então, como no caso do Imperador, a barba é uma representação simbólica de poder e maturidade, bem como sinal de virtude e sabedoria, de resto encontrado nas representações de Deus Pai e, posteriormente, de Cristo, que às vezes também eram representados com uma tiara papal. O Papa do tarô dá a bênção latina com o indicador e o dedo médio, e os outros dedos ficam dobrados. Essa bênção, também chamada de *urbi et orbi*, é reservada ao sumo pontífice, pois exprime uma universalidade e se dirige aos cristãos de Roma (nesse caso, *urbs, urbis*, "cidade", designa Roma, a cidade por excelência, capital do mundo) e do mundo (*orbs, orbis*, "círculo", designa o mundo, em referência à forma circular da Terra).

No que se refere ao tarô, a figura do Papa, constrangedora nos países protestantes, foi substituída pela de Júpiter (de resto, em *De sphaera* [Da Esfera] e outros tratados astrológicos que associam as atividades humanas aos planetas, o papa é associado a Júpiter) ou pela de Baco. Também nesse caso, no que se refere ao tarô, ninguém poderia pôr em dúvida o aspecto benéfico da carta.

❖❖❖ *Significados divinatórios*

1781, Court de Gébelin: n^{os} V e II, Grão-Sacerdote e Grã-Sacerdotisa, os Chefes espirituais da sociedade

Ver a Papisa para a introdução comum a ambos.

"O Grão-Sacerdote aparece em hábito longo, com um manto preso por um broche. Usa a tiara tripla. Com uma das mãos, apoia-se em um cetro com cruz tripla; com a outra, dá a bênção com dois dedos esticados a dois personagens que vemos a seus pés. Quanto ao cetro com cruz tripla, trata-se de um monumento absolutamente egípcio, visto na Tábua de Ísis sob as letras TT; um monumento precioso, já gravado em toda a sua extensão para algum dia ser oferecido ao público. Está relacionado ao Triplo Falo carregado na famosa festa das Pamílias, na qual se celebrava a descoberta de Osíris e que era o símbolo da regeneração das plantas e da natureza inteira."

1783, Alliette

Essa carta não aparece em nenhum lugar no sistema de numeração inventado por Alliette. Como ele designa uma carta nº 1 que representa o consulente e não é nomeada (enquanto a carta nº 8, para ele, representa a consulente e designa a Papisa ou Juno), na falta de mais informações podemos utilizar o Papa para essa carta se desejarmos empregar um tarô completo e numerá-lo de acordo com as instruções do autor. Nesse caso, atribuímos a ele o número 1 e o intitulamos "o consulente"; depois, numeramos a sequência de acordo com as instruções deixadas por Alliette, que podemos encontrar integralmente no Apêndice A no final desta obra.

1909, Papus: 5, o Papa

Sentido espiritual: o magnetismo universal (ciência do bem e do mal). Sentido moral ou alquímico: a quintessência. Sentido físico (que também pode ser utilizado para a adivinhação): a religião. Sentido divinatório: inspiração.

1927, Oswald Wirth: V, o Papa

Dever, moralidade, consciência, influência de Júpiter.

PARA O BEM. Autoridade moral, sacerdócio social, observação do decoro, respeitabilidade, ensinamento, conselhos imparciais, benevolência, generosidade indulgente, perdão. Mansidão.

PARA O MAL. Pontífice sentencioso, moralista rigoroso, metafísico dogmático, professor que exerce uma autoridade excessiva sobre sua classe, teórico limitado, herege, pregador enfático. Conselheiro desprovido de senso prático.

1949, Paul Marteau: lâmina V, o Papa

SENTIDO ELEMENTAR. Para o homem, a obrigação de se reportar em suas ações aos ensinamentos divinos e de se subordinar às leis divinas.

SENTIDO CONCRETO. A denominação da lâmina "o Papa" representa aquele que recebe a inspiração divina, julga e ensina com equidade absoluta.

MENTAL (a inteligência). O Papa representa uma forma ativa da inteligência humana e oferece apenas soluções lógicas.

ANÍMICO (as paixões emotivas). Sentimento forte, afeição sólida, solicitude que não se deixa levar para o sentimentalismo; indica o sentimento normal, tal como deve ser na circunstância que o acompanha.

FÍSICO (o lado utilitário da vida). Equilíbrio, segurança na situação e na saúde. Segredo revelado. Vocação religiosa ou científica.

INVERTIDA. A lâmina invertida do Papa é muito ruim, pois indica os seres entregues a seu próprio julgamento e a seus próprios instintos, na escuridão, sem nenhum apoio espiritual. Projeto adiado, vocação tardia.

VI. O Enamorado

Diferentes denominações: l'Amore, Amoureux, Lamoureux, l'Amoureux.

Outras posições ocupadas no tarô: número VII na lista mais antiga dos trunfos e número VIII na ordem B.

Etimologia e significados do termo *amoureux*: surgido em francês em 1220; vem do latim vulgar *amorosus*, que, por sua vez, origina-se do occitão *amor* e do latim *amor*. Amor como nome próprio é um dos nomes usados por Cupido.

Tarô de Marselha anônimo,
o Enamorado, 1850, BnF.

Tarô de Conver reeditado por Camoin,
Marselha, 1890-1899, BnF.

◆◆◆ *Sobre o Enamorado*

Desde a época romana, vê-se em vasos e afrescos a ilustração de um casal de apaixonados, muitas vezes na presença de uma terceira pessoa e de um Cupido. Nos primeiros tarôs italianos, trata-se simplesmente da representação de um casal que se une sob a proteção benevolente de Cupido. Isso é ainda mais evidente no primeiro Tarô de Visconti, que nessa carta talvez represente o casamento de Bianca Maria Visconti com Francesco Sforza. De maneira mais ampla, a ilustração pode referir-se aos filhos de Vênus em *De sphaera* [Da Esfera] e outros tratados semelhantes: nessas representações astrológicas das atividades humanas sob a proteção dos planetas, há casais com Vênus e Cupido nos ares.

No entanto, a iconografia que vemos em seguida no chamado Tarô de Marselha nos apresenta uma alegoria diferente. Nesse caso, um rapaz, ainda com o Cupido no alto da carta, parece indeciso entre duas mulheres. Talvez essa imagem seja inspirada na parábola de Pródico, contada por Xenofonte em suas memórias a respeito de Sócrates: "Ao atingir a puberdade, idade concebida pela natureza para que o indivíduo possa escolher o rumo que deseja tomar (*portanto, essa história se refere a um rapaz, como vemos na carta*), Hércules retirou-se na solidão. Sentado, viu à sua frente dois caminhos, o da volúpia e o da virtude, e refletiu longamente sobre qual deles deveria percorrer. [...] Eis que de repente a ele se unem, à esquerda e à direita, caídas dos ares e mais altas do que os mortais, a Virtude e sua inimiga, a Volúpia. O vício e a virtude se aproximam dele e o puxam pelas vestes, tentando atraí-lo, cada um de seu lado". A esse relato de Pródico, pode-se aplicar a antiga citação: "Estando no meio, não sei a que lado me dirigir". Essa parábola foi muito popular na Idade Média e no Renascimento, em especial nos tratados sobre educação, nos quais os estudantes eram exortados a escolher o bom caminho. As histórias de debates *entre a Volúpia e a Virtude* se difundiram na literatura popular, na qual a Volúpia é comparada a Maria Madalena, a *belle Hélène** e a Cleópatra e subjugou Atlas, África, Índia, Sardanápalo e os filósofos antigos. A Virtude lhe objeta que Afrodite foi a causa da queda do Império Parta, de Sodoma, de Corinto... enquanto ela própria está na origem da glória de Hércules, Alexandre, Virgílio, Aristóteles, Platão... Nessas histórias, o mau caminho que leva à perdição é o da esquerda, e o bom caminho, o da direita. Nos tratados de iconografia, a Virtude costuma ser representada com uma coroa de louros e cara de poucos amigos. Já o Vício tende a adotar o aspecto de uma donzela encantadora e com uma coroa de flores, para melhor enganar o incauto. Desse modo, é possível reconhecer na carta de tarô qual das mulheres leva nosso estudante para o bom caminho: a que está à nossa esquerda (mas à direita do rapaz, portanto, no rumo correto). E reconhecemos a tentadora à nossa direita, portanto, à esquerda do janota (a vereda da perdição), para o qual, apesar de tudo, a questão não parece muito evidente. Vale dizer que Cupido influi em suas dúvidas e é malvisto na época. Os autores o designam como um deus cruel, enganador, inconstante, capaz de transformar os pobres apaixonados em tochas ardentes e de fazê-los perder completamente a moderação.

Talvez essa também seja a mensagem dessa carta, que a princípio tem todas as chances de ser interpretada negativamente. No já mencionado jogo dos anos 1420, Cupido é o trunfo mais baixo. Em *A Nau dos Insensatos* (1494), sua descrição chega a ser pitoresca e eloquente: "Eu, Vênus do traseiro de palha, não sou a última no mingau de loucos; atraio muitos deles e faço de tolos quem eu quiser [...] Tenho um filho cego: nenhum amante vê o que ele faz; meu filho é uma criança, não um homem: e como crianças sonham os amantes. [...] Tão cegos são os amantes, que acreditam passar despercebidos. Essa é a mais poderosa erva dos loucos, o gorro que por mais tempo adere à pele".

---

* Referência à canção de gesta francesa *La Belle Hélène de Constantinople* [A Bela Helena de Constantinopla], de meados do século XIV. (N. da T.)

♦♦♦ *Significados divinatórios*

1781, Court de Gébelin: nº VI, o Matrimônio

"Um rapaz e uma moça trocam promessas solenes: um padre os benze, o Amor se manifesta em seus traços. [...] É possível ver nas obras antigas de Boissard um monumento da mesma natureza, que ilustra a união conjugal; porém, ele é composto apenas de três personagens. O Amado e a Amada que trocam promessas, e o Amor entre ambos, que serve como testemunha e padre. Esse quadro é intitulado *Fidei Simulacrum*, o Quadro da fé conjugal: os personagens são designados por estes belos nomes: Verdade, Honra e Amor. É inútil dizer que, nesse caso, a verdade designa mais a mulher do que o homem, não apenas porque essa palavra é do gênero feminino, mas também porque a fidelidade constante é mais essencial na mulher."

1783, Alliette: nº 13, o Matrimônio

"Esse hieróglifo é um daqueles sobre os quais os egípcios mais se estenderam. Disseram que o Matrimônio é uma vontade absoluta do Criador e quem comprometer o acordo ou mudar o curso de sua evolução não viverá neste mundo nem no outro... Significa *Matrimônio*."

1909, Papus: 6, o Enamorado

Sentido espiritual: a criação. Sentido moral ou alquímico: o deus universal. Sentido físico (que também pode ser utilizado para a adivinhação): a liberdade. Sentido divinatório: amor.

1927, Oswald Wirth: VI, o Enamorado

Sentimento, livre-arbítrio, provação, dupla influência de Vênus ou, mais exatamente, de Ishtar, estrela guerreira da manhã, depois amorosa como astro do poente.

PARA O BEM. Determinismo voluntário, escolha, votos, aspirações, desejos. Exame, deliberações, responsabilidade. Afeições, simpatias.

PARA O MAL. Provação, dúvida, irresolução. Tentação perigosa, risco de se deixar seduzir, má conduta, libertinagem, fraqueza, falta de heroísmo.

1949, Paul Marteau: lâmina VI, o Enamorado

SENTIDO ELEMENTAR. Representa a motivação do desejo, que incita o homem a se unir com o universal, na harmonia ou no desequilíbrio, conforme ele se sacrifique por ele ou queira absorvê-lo em benefício próprio.

SENTIDO CONCRETO. A intervenção da polaridade sexual do ser humano em toda atividade que ele é convocado a manifestar, sua ação no discernimento que ele é obrigado a efetuar para conduzir sua vida.

MENTAL (a inteligência). Amor pelas belas formas nas artes plásticas.

ANÍMICO (as paixões emotivas). A devoção e os sacrifícios.

FÍSICO (o lado utilitário da vida). Os desejos, o amor, o sacrifício pelo país, bem como todo sentimento forte no plano físico. Carta de união, de matrimônio. Em alguns casos, infidelidade ou uma escolha a ser feita.

INVERTIDA. Desordem, cisão (em vez de fusão), ruptura, divórcio.

VII. O Carro

Diferentes denominações: lo Caro triumfale, Carro Triomphale, il Carro, le Chariot.

Outras posições ocupadas no tarô: número VIII na lista mais antiga dos trunfos, número X na ordem A e número VIII no Tarô de Jacques Viéville.

Etimologia e significados do termo *chariot*: surgido em francês em 1268; *cheriot*, de *charrier* [carregar, transportar], que vem de *char* [carro], do latim *carrus*, cujo sentido inicial é "veículo de quatro rodas". A definição do termo *chariot* é a de um veículo de quatro rodas utilizado para o transporte de cargas. Nesse sentido, pode parecer curioso que o vocábulo francês escolhido para nomear essa carta evoque mais uma pequena charrete do que um verdadeiro carro de guerra. Como no caso do Louco, talvez se trate de uma tradução malsucedida do termo italiano.

Tarô de Besançon anônimo,
o Carro, 1794, BnF.

Tarô de Viéville, o Carro,
Paris, 1650, BnF.

◆◆◆ *Sobre o Carro*

Court de Gébelin e os adeptos de sua teoria viam nele a imagem do deus rei Osíris em seu carro triunfal, embora no Egito antigo não pareça ter havido imagens semelhantes vistas de frente. Certo é que o uso da imagem do herói triunfante, em pé em um carro, é tão antigo quanto os carros de guerra – quer se trate de Osíris, quer de Marte ou de qualquer outro vencedor. Sêneca já fazia alusão a ele: "Quando o vencedor se erguia em seu magnífico carro". Por certo, também pensamos no vitorioso César desfilando por Roma, com um escravo que segura a coroa de louros sobre sua cabeça. Na época em que o tarô surgiu, era comum ver Marte representado dessa forma. Posteriormente, esse imaginário foi retomado na arte clássica francesa, que muitas vezes representou o Sol em seu carro, em Versalhes por exemplo. Sem dúvida, essa imagem também pode referir-se aos já mencionados *trionfi*, ou seja, aos carros carnavalescos, portadores de múltiplas representações e que deram origem ao primeiro nome de nosso jogo. Por outro lado, nem sempre os tarôs italianos antigos mostram uma imagem de guerreiro vencedor na carta do Carro: às vezes, são mulheres que aparecem em pé no veículo. Dito isso, é a imagem do guerreiro que prevalecerá em seguida: nesse caso, temos claramente um príncipe com uma coroa e um bastão de comando. De resto, no tarô parisiense anônimo, reproduzido na página 101, é provável que se trate de Alexandre, o Grande, o guerreiro dos guerreiros, representado nesse curioso carro puxado por pássaros, segundo a famosa lenda da Idade Média, conhecida como a alegoria do orgulho: "Quando Alexandre, o Grande, em sua viagem triunfal pelo Oriente, chegou ao fim da terra, quis ter certeza de que ali o céu e a terra se tocavam de fato. Para tanto, mandou prender em fios dois pássaros enormes da região, atrelou-os a um jugo e amarrou-os a um cesto. Alexandre subiu no cesto segurando uma lança, na ponta da qual estava preso um pedaço de carne de cavalo. Estendeu-a como isca na frente da cabeça dos grifos, que abriram suas asas e alçaram voo rumo ao céu. Na metade do caminho, eis que surgiu um homem-pássaro. Com terríveis ameaças, ele conjurou o Rei a renunciar a seu projeto. Embora a contragosto, Alexandre abaixou sua lança. Os grifos mudaram seu percurso e desceram planando sobre a terra".[196]

Também se nota a armadura, que pode parecer curiosa com suas ombreiras decoradas com dois rostos. No entanto, esse tipo de decoração em armaduras é encontrado a partir do Renascimento, em uma época em que elas se tornaram mais um objeto de cerimônia do que de guerra e em que as lanças inimigas tinham menor probabilidade de se prenderem em ornamentos inúteis e perigosos. Quanto ao escudo, nos tarôs ele costuma trazer o nome do gravador do jogo: assim, o Tarô de Pierre Isnard o inscreve com clareza. Infelizmente, na maioria dos casos tivemos de nos contentar com as iniciais, cujos nomes não conseguimos descobrir, como "VT" (T de Tourcaty?) no Tarô de Nicolas Conver. Alguns autores veem nesse carro uma alegoria da alma, tal como descrita por Platão: um carro puxado por dois cavalos e dirigido por um condutor, sendo que os cavalos representam os desejos antagônicos do homem e o condutor personifica a razão.[197] Mas com isso já estaríamos entrando no campo das interpretações.

Ligado ao triunfo, o significado mais positivo dessa carta pode ser considerado com tudo o que esse termo subentende. De resto, é assim que os autores posteriores também consideram essa carta, exceto Alliette. Talvez incomodado com os congestionamentos em Paris, que sua descrição evoca muito bem, ele parecia não gostar muito dela...

---

196 Van Rijnberk, *op. cit.*, p. 122.
197 Para essa teoria sobre o Carro, ver o *blog* de Christophe Poncet: http://www.3x7.org/fr/3-platon.

◆◆◆ *Significados divinatórios*

1781, Court de Gébelin: nº VII, Osíris triunfante

"Osíris avança em seguida; aparece na forma de um rei triunfante, com o cetro na mão e a coroa na cabeça: está em seu carro de guerra, puxado por dois cavalos brancos. Todos sabem que Osíris era a grande divindade dos egípcios, bem como de todos os povos sabeus, e que o Sol era o símbolo físico da divindade suprema invisível, mas que se manifesta nessa obra-prima da natureza. Ele havia sido perdido durante o inverno e reapareceu na primavera com um novo brilho, depois de vencer todos que guerrearam contra ele."

1783, Alliette: nº 21, o Carro

"Significa barulho, altercação, discordância, desordem: os pequenos, talvez irritados com os carros, dizem em uníssono que não é bom nem agradável ser enlameado como cães e esmagado como pulgas."

1909, Papus: 7, o Carro

Sentido espiritual: espírito e forma. Sentido moral ou alquímico: a vitória e o triunfo. Sentido físico (que também pode ser utilizado para a adivinhação): propriedade. Sentido divinatório: triunfo. Proteção providencial.

1927, Oswald Wirth: VII, o Carro

Triunfo, domínio, superioridade, influência de Marte e do Sol.

PARA O BEM. Sucesso legítimo, avanço merecido, talento, capacidades, aptidões postas em prática. Tato para governar, diplomacia aplicada, direção competente, conciliação de antagonismos. Progresso, mobilidade, viagens por terra.

PARA O MAL. Ambições injustificadas, falta de talento, situação usurpada, governo ilegítimo, ditadura, concessões nocivas, oportunismo perigoso, problemas de direção, preocupações, exaustão, atividade febril e sem descanso.

1949, Paul Marteau: lâmina VII, o Carro

SENTIDO ELEMENTAR. A perigosa travessia do homem na matéria para alcançar a espiritualidade mediante o exercício de seus poderes e do controle de suas paixões.

SENTIDO CONCRETO. As correntes materiais que carregam o homem e o obrigam a estar sempre em movimento.

MENTAL (a inteligência). Realização, mas sem gestação nem inspiração; em outros termos, uma formatação.

ANÍMICO (as paixões emotivas). Afeição manifesta, protetora, benéfica e prestativa.

FÍSICO (o lado utilitário da vida). Grande atividade, rapidez nas ações. Boa saúde, força, hiperatividade. Do ponto de vista financeiro: gasto ou ganho, movimentação de fundos. Também significa uma novidade, uma conquista. Propaganda pela palavra e, dependendo do lugar, boa-nova ou calúnia.

INVERTIDA. Carta ruim; indica desordens em todas as coisas devido a uma atividade ruim, cujos efeitos dificilmente são remediados. Possível acidente. Má notícia.

VIII. A Justiça

Diferentes denominações: la Justicia, Ciusticia, Yustice, Iustice, la Justice.

Outras posições ocupadas no tarô: número XX na lista mais antiga dos trunfos, número XX na ordem B e número VII no Tarô de Jacques Viéville.

Etimologia e significados do termo *justice*: termo do final do século XI, proveniente do latim *justitia*, da família de *jus*, *juris*, "direito", e que significa justa apreciação e respeito pelos direitos e pelo mérito de cada um.

Tarô de Arnoux-Amphoux,
a Justiça, 1801, BnF.

Tarô de Carolina Beltramo, a Justiça,
Turim, 1870-1882, BnF.

◆◆◆ *Sobre a Justiça*

Para o Padre da Igreja Gregório, o Grande (cerca de 540-604), o primeiro a estabelecer uma classificação precisa das virtudes e dos vícios no Ocidente, as quatro virtudes cardeais – prudência, justiça, força e temperança – constituem os fundamentos sólidos do edifício espiritual. Santo Tomás de Aquino retoma a fórmula de São Gregório e explica que as virtudes cardeais são, ao mesmo tempo, o eixo e a base a partir dos quais se articula a existência humana: "Eis por que chamamos apropriadamente de cardeais as virtudes em torno das quais, de certo modo, gira a vida moral e nas quais ela se funda". De fato, essas quatro virtudes já haviam sido elencadas na *República* de Platão. Posteriormente, os Padres da Igreja as integraram ao dogma e às representações cristãs e a elas acrescentaram três virtudes teologais: a fé, a esperança e a caridade. Essas virtudes fizeram um grande sucesso nas representações artísticas do Ocidente medieval e do Renascimento. Personificadas em forma de figuras femininas, cada uma delas provida de atributos iconográficos específicos, elas constituem uma base de ensinamento destinada a guiar o fiel rumo à salvação. Desse modo, se por um lado as representações das virtudes e dos vícios, feitas por Giotto (1303-1305) na capela Scrovegni, em Pádua, permaneceram célebres, por outro, essas figuras alegóricas femininas, que deveriam lembrar ao fiel o comportamento a ser adotado, também aparecem desde a arte românica. Nos manuscritos, as quatro figuras femininas costumam emoldurar figuras do governo, no sentido próprio: ao mesmo tempo, parecem apoiá-las e lembrar-lhes que nenhuma autoridade é exercida sem elas. Tratados sobre as virtudes foram escritos para a edificação dos homens do poder; essas virtudes são encontradas nas alegorias do Bom Governo.

Em sua representação tanto na arte quanto no tarô, a Justiça herdou atributos da divindade grega Têmis: o gládio e a balança que, segundo Aristóteles, são as duas maneiras de considerar a justiça. O gládio representa sua força distributiva, e a balança, sua missão equilibrante. Esses atributos são mais célebres com a figura do arcanjo São Miguel, anjo que conduz a alma dos mortos e é encarregado de pesá-las antes de recompensá-las ou puni-las de acordo com seus atos. Portanto, na maioria das vezes é ilustrado com uma balança na mão esquerda e uma espada flamejante na direita.

No tarô, a figura da Justiça muda bem pouco, exceto no que se refere à ordem dos trunfos: embora sempre seja nomeada do mesmo modo e representada com os mesmos atributos, aparece no XXº lugar em alguns baralhos, talvez para acompanhar a carta do Juízo Final. Provavelmente, esse trunfo não é visto como uma carta ruim. Tal como outras virtudes, seria um convite a reproduzir o que ela é. Com efeito, a interpretação antiga da sentença "não importa o que você faça, espere para sofrer as consequências" seria, antes, sustentada pela Casa de Deus nos significados de épocas remotas.

◆◆◆ *Significados divinatórios*

1781, Court de Gébelin: nºˢ VIII, XI, XII, XIIII, as quatro Virtudes cardeais

Nº VIII, a Justiça. "É uma rainha, Astreia sentada em seu trono, segurando um punhal com uma mão e uma balança com a outra."

1783, Alliette: nº 9, a Justiça

"Significa equidade. Exemplo: C. B. A., ou seja, Júpiter em A, a Justiça em B e uma figura qualquer em C... Com Júpiter em A, B fará justiça à figura C. Se, ao contrário, tivermos A. B. C., será C a fazer justiça a A."

Vale lembrar que, para Alliette, o tarô é lido da direita para a esquerda.

Note-se que o problema nesse exemplo de Alliette é o fato de Júpiter, no Tarô de Besançon (ou o Papa do Tarô de Marselha), ser a única carta não citada em nenhum lugar de seu sistema. Ao que tudo indica, ela não aparece nele (ver nossa tabela de equivalências entre o Tarô de Marselha e o de Etteilla).

1909, Papus: 8, a Justiça

Sentido espiritual: equilíbrio universal. Sentido moral ou alquímico: repartição. Sentido físico (que também pode ser utilizado para a adivinhação): justiça. Sentido divinatório: justiça.

1927, Oswald Wirth: VIII, Justiça

Ordem, regularidade, método, equilíbrio, influência plácida da Lua.

PARA O BEM. Estabilidade, conservadorismo, organização, funcionamento normal. Lei, disciplina, lógica, coordenação, adaptação às necessidades, opiniões moderadas, senso prático, razão, administração, economia, obediência.

PARA O MAL. Comportamento burguês, submissão aos costumes, falta de iniciativa, subordinação aos textos, preponderância do funcionalismo público, burocracia. Guarda, contestações legais, processos, chicanas, exploração por pessoas da lei.

1949, Paul Marteau: lâmina VIII, a Justiça

SENTIDO ELEMENTAR. O julgamento imposto ao homem por sua consciência profunda para apreciar o equilíbrio e o desequilíbrio criados por seus atos, com suas consequências felizes ou infelizes.

SENTIDO CONCRETO. Julgamento das atividades desenvolvidas pelo homem para o bem ou para o mal ao longo de sua travessia na matéria, indicada pela lâmina anterior.

MENTAL (a inteligência). Clareza de julgamento, conselhos para avaliar com retidão, saber encontrar o ponto de equilíbrio e apreciar as eventualidades.

ANÍMICO (as paixões emotivas). Insensibilidade, contribuição estrita do que é devido, possibilidade de romper o vínculo afetivo, divórcio, separação. Essa lâmina é um princípio de rigor.

FÍSICO (o lado utilitário da vida). Processo, reabilitação, justiça feita. Equilíbrio de saúde, mas com excesso, em consequência da imobilidade da lâmina.

INVERTIDA. Perda, condenação injusta, processo com condenação. Grande desordem, pessoas vítimas de trapaceiros.

VIIII. O Eremita

Diferentes denominações: il Gobbo, Tempo, il Vecchio, Vielart, l'Hermite, Le Sage, le Chercheur de vérité, le Capucin.

Outras posições ocupadas no tarô: número XI na lista mais antiga dos trunfos, número XI na ordem B e número XI no Tarô de Jacques Viéville.

Etimologia e significados do termo *ermite*: termo surgido na língua francesa no século XII, proveniente do latim cristão *eremita*, por sua vez oriundo do grego *erêmitês*, que significa "do deserto" ou "que vive na solidão" e deriva de *erêmos*, "deserto".

Tarô Lionês Anônimo do Século XV, o Eremita, BnF.

Tarô de J. Jerger, o Capuchinho, 1820-1845, BnF.

◆◆◆ *Sobre o Eremita*

Quando observamos as antigas denominações atribuídas a essa carta, vemos que ela não assumiu de imediato o nome de eremita, com o significado a ele referente de sábio que se retira em uma solidão voluntária. Originariamente, essa carta era nomeada *il Gobbo* (o corcunda), depois recebeu o nome de *il Vecchio* (o velho), designação encontrada na França, no Tarô de Jacques Viéville, com *le Vielart*, ou ainda *Tempo*. Percebe-se que, no início, seu significado referia-se, antes, aos efeitos devastadores do tempo sobre o homem, ou seja, à velhice e às tantas provações que a acompanham, como a deformação do corpo representada pelo termo *Gobbo*, "corcunda". De resto, os primeiros tarôs italianos exibem um homem idoso com uma ampulheta, representação tradicional do tempo, muitas vezes encontrada nas obras do Renascimento e geralmente nos traços do deus Saturno. Em resumo, essa figura mostra tanto o terrível deus que devora seus filhos quanto as consequências de sua obra e, nos dois casos, o homem idoso com a ampulheta, algumas vezes munido de muletas ou de um cajado que o auxiliam em sua marcha. Em alguns tratados astrológicos já mencionados, os Filhos de Saturno são exibidos com os traços de homens acometidos por males relativos não apenas à velhice, mas também à guerra e à miséria. No Tarô de Mantegna, a figura do *Misero* que inicia o jogo também poderia ser relacionada tanto ao Eremita do tarô quanto ao Louco.

Posteriormente, os mais antigos tarôs franceses fizeram desse personagem um eremita ou *hermite*, como se escrevia na França de Luís XIV. De resto, o *Dictionnaire universel* [Dicionário Universal] de Furetière (1690) define o eremita como um "homem devoto, que se retirou na solidão para melhor se dedicar à contemplação e se desvencilhar das questões mundanas". Portanto, depois do homem vítima do tempo, vemos o homem sábio que se retira do mundo, sempre idoso e com um cajado, mas carregando um lampião. Esse lampião e esse eremita poderiam muito bem ser uma alusão a Diógenes de Sinope, filósofo grego do século IV a. C., que escandalizava por seu modo de vida marcado pela indigência. Dizem que ele percorria as cidades com seu lampião, clamando "Procuro um homem!", e subentendia um homem digno desse nome. Na arte, ele costuma ser representado com um lampião, um cajado e um cão: atributos significativos da errância, também encontrados com o Louco no tarô. Cabe notar que um tarô italiano do Renascimento exibe claramente Diógenes, desta vez em seu célebre tonel, na cena não menos famosa em que, ao receber a visita de Alexandre, o filósofo declara: "Saia da frente do meu Sol!" – o maior conquistador da Antiguidade recebe uma bela lição de humildade ao ouvir que faz sombra a alguém. Entretanto, o Diógenes desse tarô aparece na carta que simboliza o Sol.

De maneira mais ampla, essa carta poderia representar qualquer figura de homem religioso solitário em peregrinação, uma vez que o cajado costuma ser o atributo dos peregrinos. As imagens de monges ou peregrinos segurando um cajado aparecem com frequência em iluminuras de manuscritos e gravuras da Idade Média. De resto, em algumas cartas, o eremita é nomeado "le Capucin" [o Capuchinho], talvez em referência ao capuz usado pelo idoso, bem como pelos monges dessa Ordem. Quanto aos mais antigos tarôs franceses, como o de Catelin Geofroy (1557) ou o tarô parisiense anônimo (século XVII), vemos claramente um monge com um terço ou um cinto de corda. Nota-se que a barba é um sinal flagrante de eremitismo. A vida dos padres do deserto, que se retiravam no Monte Atos, um dos primeiros lugares cristãos consagrados ao retiro, implicava uma regra que proibia o acesso ao monte a "todo animal fêmea, a toda mulher, a todo eunuco e a todo rosto liso". Nesse caso, "rosto liso" significava não os indivíduos pré-púberes, mas os homens barbeados. Desse modo, deixar crescer a barba e os cabelos marcava o abandono do corpo e a ruptura com o mundo profano.

O primeiro significado da carta, o de homem vítima dos efeitos devastadores do tempo, foi esquecido pelos autores que escreveram sobre o tarô. Eles acabaram privilegiando o do sábio. Assim, o sentido talvez negativo dado a esse trunfo pelos criadores italianos do jogo logo cedeu o lugar a um significado mais "espiritual".

◆◆◆ *Significados divinatórios*

1781, Court de Gébelin: nº VIIII ou IX, o Sábio ou o Homem que busca a Verdade e a Justiça

"O nº IX representa um filósofo venerável em longo manto e com um capuz nos ombros: ele caminha encurvado sobre seu cajado e segura um lampião com a mão esquerda. É o sábio que busca a justiça e a virtude. Portanto, de acordo com essa pintura egípcia, imaginou-se a história de Diógenes que, com o lampião na mão, procura um homem em plena luz do meio-dia. [...] Os fabricantes de cartas fizeram desse sábio um eremita. Sua interpretação foi correta, pois os filósofos gostam de viver retirados e não se adaptam à frivolidade do século. Heráclides passou por louco aos olhos de seus caros concidadãos. De resto, no Oriente, entregar-se às ciências especulativas ou tornar-se *hermético* é quase a mesma coisa. Nesse sentido, os eremitas egípcios não ficavam atrás dos indianos nem dos talapões* de Sião: eram ou são igualmente druidas."

1783, Alliette: nº 18, o Eremita

"Entres os egípcios, só se vestia *la capuce* [o capuz], como dizem os provençais, quando se chegava ao primeiro grau da ciência e da sabedoria humana. De certo modo, esses filósofos eram forçados por seus contemporâneos e discípulos a usá-lo, para que, segundo a concepção popular, os corpúsculos do sublime não se exaltassem com tanta liberdade. Atualmente, essa lâmina significa 'hipócrita', 'traidor'."

1909, Papus: 9, o Eremita

Sentido espiritual: os gênios protetores. Sentido moral ou alquímico: a iniciação. Sentido físico (que também pode ser utilizado para a adivinhação): a prudência. Sentido divinatório: prudência.

1927, Oswald Wirth: IX, o Eremita

Prudência, reserva, restrição, influência de Saturno.

PARA O BEM. Isolamento, concentração, silêncio, aprofundamento, meditação, estudo. Austeridade, continência, sobriedade, discrição. Médico experiente, ocultista que cala sobre seus segredos.

PARA O MAL. Timidez, misantropia, mutismo, circunspecção exagerada, falta de sociabilidade, temperamento insociável. Avareza, pobreza, celibato, castidade. Conspirador tenebroso.

1949, Paul Marteau: lâmina VIIII, o Eremita

SENTIDO ELEMENTAR. O homem em busca da verdade na calma e na paciência.

SENTIDO CONCRETO. A denominação "o Eremita" lhe foi dada como representação do retiro em si mesmo para examinar o resultado das atividades sancionadas pela Justiça.

MENTAL (a inteligência). Luz que ajuda a iluminar e resolver um problema qualquer. Esclarecimento que virá espontaneamente.

ANÍMICO (as paixões emotivas). Contribuição de uma solução. Coordenação, aproximação de afinidades. Também significa prudência, não com a ideia de temor, mas para construir algo melhor.

FÍSICO (o lado utilitário da vida). Segredo que será revelado, luz que se fará sobre os projetos ainda ocultos.

INVERTIDA. Obscuridade, concepção errônea da situação, dificuldade para avançar contra a corrente.

---

* Monges budistas. (N. da T.)

X. A Roda da Fortuna

Diferentes denominações: La Rotta, la Ruota, la Roue de Fortune.

Outras posições ocupadas no tarô: número X na lista mais antiga dos trunfos, número XI (?) na ordem A; se não, sempre em X.

Etimologia e significados da expressão *roue de fortune*: *roue* vem do latim *rota*. *Fortune* vem de *fortuna*, termo latino que significa "destino, acaso, sorte ou má sorte" e que, no plural (é interessante notar), designa os bens, as riquezas. Surgido no século XII em francês, esse vocábulo designa a potência (em referência à divindade antiga) que supostamente distribuiria a felicidade ou a infelicidade sem regra aparente.

Tarô Parisiense Anônimo, a Roda da Fortuna, século XVII, BnF.

Tarô de Rochus Schar, a Roda da Fortuna, 1750, BnF.

◆◆◆ *Sobre a Roda da Fortuna*

Haveria muito que dizer sobre essa alegoria que, vale lembrar, teve muito êxito na cultura e na iconografia ocidentais desde o início da Idade Média. Suas representações são incontáveis. Na Idade Média, a roda cíclica do destino é associada a uma figura de mulher que a move, e o resultado é este conjunto iconográfico específico: a roda da fortuna. A mais antiga de que se tem conhecimento surgiu em um manuscrito redigido no final do século XI. Em um compêndio coletivo de tratados de Boécio (*Institutio Arithmetica* [Fundamentos de Aritmética]), Isidoro de Sevilha, o Venerável Beda e Gerbert d'Aurillac, um poema de 16 versos sobre a Fortuna acompanha dois desenhos. Em um deles, o personagem no topo da roda é coroado, e inscrições comentam a imagem: *regnabo, regno, regnavi, sum sine regno* – "reinarei, reino, reinei, estou sem reino". Essas palavras, que acompanham cada um dos quatro personagens presos à roda, aparecem em muitas representações desse artefato que simboliza a impermanência humana.

Por si só, a roda e seu significado remontam a uma época bem mais distante. Na Antiguidade grega, o filósofo Anacreonte (cerca de 550 – cerca de 470 a.C.) escreveu: "A vida humana gira de maneira instável como os raios da roda de um carro". Também é possível vê-la na roda de fiar das Parcas,* na qual o fio da vida humana é enrolado, desenrolado, tecido e cortado pelas irmãs do destino, sendo que tanto a roda do carro quanto a roda de fiar representam símbolos evidentes do caráter cíclico da vida. A Fortuna, por sua vez, divindade romana do destino ou da sorte, comparada à deusa grega Tique, foi recuperada como figura alegórica da contingência, do acaso e do jogo pelo Ocidente cristão, talvez graças à obra de Boécio (480-524), para o qual a fortuna não se opõe à Providência divina, mas dela é dissociada. A roda por ela acionada é simplesmente o tempo da história profana, da ascensão e da queda dos poderes laicos, o tempo circular e vazio de sentido. Talvez seja com esse significado que a encontramos no tarô, a princípio representado exatamente como nos manuscritos medievais, com uma mulher cega que move uma roda. Nos tarôs posteriores, a mulher e as figuras humanas desaparecem e, aos poucos, cedem o lugar aos animais. Inicialmente, alguns atributos animalescos começam a aparecer nos homens ao redor da roda, como orelhas de burro e caudas; depois, os animais os substituem. Os escolhidos, uma mistura de cães, macacos e coelhos, são alegorias da estupidez humana, que se vê como dona do destino ao alcançar o topo de alguma coisa, mas que não percebe que é apenas o joguete inconsciente de uma roda sobre a qual não tem nenhum domínio.

Atualmente, tendemos a associar à Roda da Fortuna um significado mais positivo: a sorte, a fortuna no sentido de oportunidade. Para os autores antigos, não havia dúvida de que essa carta oferecia, antes, uma ocasião para refletir sobre o infortúnio humano; ao que tudo indica, seu significado era negativo. Como bem diz o texto dos *Carmina Burana* (século XIII) "O Fortuna", retomado na célebre cantata de Carl Orff: "Ó Fortuna, [és] como a lua de estado variável, sempre cresces ou decresces. Vida detestável! Agora endureces e depois curas para brincar com a mente; a pobreza, o poder, [a Fortuna] dissolve como o gelo. Sorte imensa e vazia, tu, roda giratória [causas] mau estado [...]".**

---

* Na mitologia romana, eram três irmãs (Nona, Décima e Morta), responsáveis pelo destino dos mortais. Correspondem às Moiras na mitologia grega. (N. da T.)

** ABRANTES, Miguel Carvalho. *A Carmina Burana de Carl Orff: tradução do latim para o português*. S. l., versão eBook Kindle, 2018. (N. da T.)

◆◆◆ *Significados divinatórios*

1781, Court de Gébelin: nº X, a Roda da Fortuna
"Aqui, personagens humanos sob a forma de macacos, cães e coelhos se elevam alternadamente nessa roda à qual estão presos: diríamos que se trata de uma sátira contra a fortuna e contra aqueles que ela eleva rapidamente e, com a mesma rapidez, faz recair."

1781, conde de Mellet: a Fortuna ou o Lamed
Significa regra, lei, ciência.

1783, Alliette: nº 20, a Roda da Fortuna
"Significa *aumento* e *fortuna*. Vale notar, porém, que nem sempre que ela aparece na tiragem é para nós; por fim, é preciso consultar onde está colocada."

1909, Papus: 10, a Roda da Fortuna
Sentido espiritual: o reino de Deus. Sentido moral ou alquímico: a ordem. Sentido físico (que também pode ser utilizado para a adivinhação): a fortuna. Sentido divinatório: fortuna. Destino.

1927, Oswald Wirth: X, a Roda da Fortuna
Alternativas do destino, instabilidade, influências da Lua e de Mercúrio.

PARA O BEM. Sagacidade, presença de espírito que não deixa escapar as boas ocasiões; iniciativa bem-sucedida; adivinhação de ordem prática; sorte; sucesso fortuito, como ganhar na loteria. Espontaneidade, aptidões inventivas, vivacidade, bom humor.

PARA O MAL. Descuido, especulação, jogo, abandono ao acaso, insegurança. Falta de seriedade, negligência, caráter boêmio. Situação instável, reviravoltas, ganhos e perdas. Aventuras, riscos, fortuna menor.

1949, Paul Marteau: lâmina X, a Roda da Fortuna
SENTIDO ELEMENTAR: O homem nas ações do presente, que têm sua origem nas obras periódicas do passado e preparam as do futuro, às quais o Divino dará uma conclusão benéfica, sejam quais forem suas vicissitudes.

SENTIDO CONCRETO. Ciclo cujo retorno à origem leva consigo a experiência adquirida durante seu percurso, uma experiência que se traduzirá por circunstâncias favoráveis ou nefastas.

MENTAL (a inteligência). Lógica, a roda que evoca um equilíbrio e uma regularidade. Julgamento sensato, equilibrado.

ANÍMICO (as paixões emotivas). Contribuição, animação e fortalecimento dos sentimentos.

FÍSICO (o lado utilitário da vida). Sejam quais forem os acontecimentos que se apresentam à vida do consulente, eles não são estáveis; orientam-se para uma evolução, uma mudança necessariamente feliz, pois a carta não é retrógrada. Segurança na dúvida. Saúde: boa circulação. Para um casamento: atividade de realização.

INVERTIDA. A transformação se fará com dificuldade, mas ocorrerá de todo modo. Não é maléfica, mas atrasa por mudanças de rumo.

XI. A Força

Diferentes denominações: la Fortezza, la Force.

Outras posições ocupadas no tarô: número IX na lista mais antiga dos trunfos, nas ordens A e B e no Tarô de Jacques Viéville, e em XI apenas na ordem C.

Etimologia e significados do termo *force*: surgido na língua francesa no século XI, vem do latim *fortia*, de *fortis*: "forte".

Tarô de Ferdinando Gumppemberg, a Força, Milão, 1830, BnF.

Grand Etteilla, a Força, 1850-1875, BnF.

✦✦✦ Sobre a Força

O sentido do termo "força" variou pouco ao longo de sua etimologia e é inequívoco. Incorpora outra virtude cardeal, que confere poder sobre si mesmo, sobre o mundo e os outros e que muitas vezes é associado ao vigor físico. Nas cartas de tarô, as alegorias da Força são representadas por uma mulher que ora destrói uma coluna, ora domina um leão. Em ambos os casos, ela faz referência aos heróis míticos mais fortes que existem. No Antigo Testamento, é Sansão quem vence o leão ou destrói as colunas do templo dos filisteus. Na mitologia greco-romana, Hércules vence o leão de Neméia com as mãos nuas, e é ele que encontramos excepcionalmente no Tarô de Visconti. As representações de figuras humanas que seguram com as duas mãos a boca de um grande leão são antigas: no local onde se situava Troia, foi encontrado um fragmento de cerâmica do século VII a.C. com a representação de uma cena semelhante. Na Idade Média também há registros dessa figura de Sansão abrindo a boca de um leão, por exemplo em uma peça tirolesa de bronze do século XII, na qual ele aparece agachado sobre o animal e com a inscrição "Os braços de Sansão domaram a boca do leão". Posteriormente, uma figura feminina alegórica foi representada na mesma posição com a fera.

Uma das raras alusões textuais à Força é muito eloquente. Em 1295, a *Somme du roi Saint Louis* [Compêndio do Rei São Luís] descreve essa figura: "Esta deve ser uma mulher em pé, segurando um leão... O nome da mulher é Força". Por que um leão? Porque para as pessoas da Idade Média esse era o animal mais forte e mais poderoso da Criação; nenhuma outra fera poderia substituí-lo. Quem consegue vencer o leão é capaz de vencer as maiores forças da natureza. Alguns autores quiseram ver no animal representado nas cartas do tarô um grande cão, mas a imagem é inequívoca: todas as representações antigas da Força exibem um leão. Por extensão, algumas obras de arte do final de Idade Média que representam mulheres e leões ou às vezes mulheres com uma coluna são alegorias da Castidade: permanecer casto significa vencer mais uma vez as grandes forças da natureza ou, em outros termos, permanecer senhor da nossa própria natureza. Além de dominar a própria força, vencer o leão significa apropriar-se dela.

Como diz Jesus no Evangelho apócrifo de São Tomé: "Bem-aventurado o leão que se torna homem quando consumido pelo homem; maldito o homem que o leão consome, e o leão torna-se homem".

No Tarô de Carlos VI, uma auréola preta de formato curioso é representada ao redor da cabeça da Força (e das outras duas virtudes; ver neste livro a Justiça, página 65). Esse era um meio de diferenciar as figuras de santos ou santas e as alegóricas quando estavam presentes nas mesmas imagens. Os santos traziam auréolas redondas. Quanto ao chapéu, considerado um símbolo do infinito por autores contemporâneos, mencionamos na seção sobre o Mago que a descoberta da lemniscata na história da matemática remonta a 1655 e que ela ganhou mais notoriedade com o matemático Jacques Bernoulli, em 1694. O tarô já existia nessa data.

Tal como o nome da carta, os significados divinatórios variam pouco: poder, força, força moral. Sem dúvida, desde sua origem, esse trunfo é considerado positivo.

◆◆◆ *Significados divinatórios*

1781, Court de Gébelin: n⁰ˢ VIII. XI. XII. XIIII, as quatro Virtudes cardeais

Nº XI, a Força. "Trata-se de uma mulher que domina um leão e abre sua boca com a mesma facilidade com a qual abriria a de seu cão de caça; traz na cabeça um chapéu de palha."

1783, Alliette: nº 11, a Força

"Caso se tenha C. B. A., sendo A quem faz a pergunta, B a Força e C um rival de quem pergunta, este será vencido. Na situação B. C. A., diante das ameaças de A, C buscará a força B e vencerá A. Esse verdadeiro hieróglifo, os dois anteriores e os seguintes chegam a nós vindos diretamente dos egípcios, se não levarmos em conta o fato de que passaram pelas mãos dos gregos, dos árabes, dos primeiros povos ingleses, dos espanhóis, bem como dos romanos, dos alemães etc. Sofreram alterações e, de modo geral, quase todos os números foram transpostos, o que evidentemente demonstro e provo na obra inteira. Significa *a Força*."

1909, Papus: 11, a Força

Sentido espiritual: a força divina. Sentido moral ou alquímico: a força moral. Sentido físico (que também pode ser utilizado para a adivinhação): a força humana. Sentido divinatório: força.

1927, Oswald Wirth: XI, a Força

Virtude, coragem, força anímica, influência de Júpiter e Marte.

PARA O BEM. Energia moral, calma, intrepidez, mente que domina a matéria. Inteligência que doma a brutalidade. Sujeição das paixões. Êxito industrial.

PARA O MAL. Cólera, impaciência, ardor desmedido, insensibilidade, crueza, luta, guerra, conquista violenta, operação cirúrgica, veemência, discórdia, incêndio.

1949, Paul Marteau: lâmina XI, a Força

SENTIDO ELEMENTAR. Entre os poderes do homem, a Força representa o que é fruto de seus esforços e que ele pode exercer plenamente em todos os planos quando o coloca em harmonia com as leis divinas.

SENTIDO CONCRETO. Poder pessoal sobre a matéria.

MENTAL (a inteligência). Confere um grande poder para separar o verdadeiro do falso, o útil do inútil, e uma clareza precisa no julgamento.

ANÍMICO (as paixões emotivas). Dominação das paixões, poder de conquista. Proteção afetuosa.

FÍSICO (o lado utilitário da vida). Vontade de vencer os acontecimentos e domínio da situação quando se está do lado certo. Poder de comando em toda questão material.

INVERTIDA. O homem já não é mestre de sua força; ele é brutal, desordenado ou então se deixa levar e não a utiliza. Os acontecimentos ou as pessoas o abaterão, sua força será aniquilada, e ele será vítima de forças superiores.

XII. O Pendurado

Diferentes denominações: il Traditore, lo Impichato, le Pandut, le Pendu.

Outras posições ocupadas no tarô: sempre número XII, seja qual for o tarô.

Etimologia e significados do termo *pendu*: termo surgido no século XIII, derivado do latim *pendere*. O que nos interessa aqui é menos sua etimologia em francês do que o fato de a carta ter mudado de nome: as antigas denominações italianas designam *il Traditore*, ou seja, "o traidor".

Tarô conhecido como de Carlos VI, o Pendurado, norte da Itália, século XV, BnF.

Tarô de Gassmann, o Pendurado, Suíça, 1850-1870, BnF.

❖❖❖ *Sobre o Pendurado*

As antigas denominações italianas designam essa carta ora com *il Tradittore*, "o Traidor", ora com *lo Impichato*, "o Pendurado". E com razão: ser pendurado pelo pé era uma punição imposta aos traidores na Itália urbana do final da Idade Média. Tratava-se de uma pena simbólica, chamada de "pintura infamante" ou "pintura de infâmia". Geralmente o indivíduo culpado era representado de cabeça para baixo, pendurado pelo pé e acompanhado por inscrições em verso ou em prosa, que indicavam sua identidade e os crimes pelos quais fora estigmatizado. A partir do final do século XV, em toda a Europa as imagens infamantes passaram a ser acompanhadas pela execução *in effigie*, "execução em efígie". A de Sigismondo Malatesta é célebre. Foi condenado em 1462 por heresia, crime de lesa-majestade contra o papa e alta traição: seu retrato foi queimado em uma grande fogueira, montada na escadaria de São Pedro. Que ninguém se engane: o caráter simbólico da punição não suprimia sua gravidade. O indivíduo fadado à exposição pública não apenas era banido da cidade, mas sua lembrança também estava destinada a desaparecer.

Ora, a *fama*, o renome público, é de vital importância na Idade Média. Ela condiciona toda a vida de um indivíduo na senhoria, na cidade, na paróquia e na família. É garantia na compra, no contrato e no testemunho. Perder a própria *fama* significa tornar-se para sempre um pária, um cidadão de categoria inferior, um "mal-afamado". Assim, o crime denunciado por exposição refere-se particularmente às pessoas culpadas de malversação, falso juramento, traição e maus costumes. As raras apresentações artísticas de pendurados pelo pé dizem respeito a usurários e idólatras, supliciados desse modo no inferno, pois a idolatria era vista como a mais hedionda traição, na qual se renega e, portanto, trai o próprio Deus. No tímpano da abadia de Sainte-Foy de Conques, vê-se um usurário pendurado pelos pés pelos demônios; na célebre representação do inferno de Giovanni da Modena, quem aparece desse modo são os idólatras. No plano das figurações religiosas, diferentemente, às vezes se encontram as de mártires dos primeiros cristãos condenados a serem pendurados por um pé, mas já com o objetivo comprovado de humilhar a vítima até o fim. Eusébio narra que as mulheres eram penduradas "de modo que suas partes íntimas fossem expostas, para que se demonstrasse à santa religião de Cristo o máximo desprezo possível", ou ainda que "os mártires eram simplesmente suspensos por um pé, enquanto em outros se acrescentava a fumaça de um combustível úmido com maus odores, como o dos excrementos de animais, para aumentar seu sofrimento". É essa interpretação de pureza ou de sacrifício que os autores modernos do tarô preferem conservar. No entanto, talvez esse não seja o principal sentido que os criadores desse jogo quiseram dar com essa figura do *Traditore*.

A bem da verdade, em meio ao imenso arsenal preparado pela humanidade para causar sofrimento ao próximo, esse tipo de suplício quase não existiu na realidade. Em julho de 1557, três soldados de Bapaume, acusados de terem tentado entregar o local aos franceses, foram levados ao tribunal e pendurados pelos pés em três estradas diferentes que conduziam a Arras, enquanto suas cabeças foram expostas nas muralhas da cidade. Contudo, ainda que esses infelizes tenham realmente sofrido essa punição, nesse caso ainda se trata do sistema do suplício por representação, que se generalizou no final da Idade Média. Mesmo condenado a morrer, o culpado era destinado a uma exposição infamante após sua morte, ora de sua cabeça, ora de seu corpo supliciado ainda com vida na roda ou calcinado. Já o enforcamento era a pena de morte mais praticada nessa época e se unia a esse sistema de execução infamante por exposição – pois o enforcamento era a pena dos plebeus (enquanto os nobres eram decapitados) ou dos criminosos particularmente desprezados. De fato, os pendurados apodreciam na forca, sem sepultura cristã. Portanto, além do esquecimento, eram fadados à danação eterna.

Isso significa que o enforcamento se destinava à abjeção e que, no que diz respeito às representações no tarô, talvez inicialmente elas estivessem longe do que os autores contemporâneos diriam sobre o Pendurado, transformando-o em Prudência ou aclamando-o como mártir: não, ele não é um mártir que se sacrifica, é um ignóbil traidor, a escória da humanidade.

◆◆◆ *Significados divinatórios*

1781, Court de Gébelin: nºs VIII.XI.XII.XIIII, as quatro Virtudes cardeais

Nº XII, a Prudência. "A Prudência pertence às quatro virtudes cardeais. Poderiam os egípcios tê-la esquecido nessa pintura da vida humana? Entretanto, não a encontramos nesse jogo. Em seu lugar, vemos no nº XII, entre a Força e a Temperança, um homem pendurado pelos pés. Mas o que faz esse pendurado aí? É obra de um fabricante de cartas infeliz e presunçoso que, por não compreender a beleza da alegoria contida nesse quadro, encarregou-se de corrigi-lo e, por conseguinte, desfigurá-lo por completo. Portanto, o título dessa carta era "O homem com o pé suspenso", *pede suspendo*. Como o fabricante de cartas não sabia o que isso queria dizer, fez um homem suspenso pelos pés. Mais tarde se questionou a presença de um pendurado nesse jogo, e não faltou quem respondesse que essa seria a justa punição do inventor do jogo por nele ter representado uma Papisa."

1783, Alliette: nº 12, a Prudência

"Anulai inteiramente o horrendo nome do pendurado, dado a essa preciosa virtude pela ignorância mais exagerada. De onde quer que venha essa carta Prudência na tiragem, é sensato agir com cautela, pois é de conhecimento geral que o preconceito e a ignorância transformam nossos atos mais louváveis em crimes quando não percebem o rumo que tomamos para conduzir o homem rude a uma vida honesta e útil à sociedade. Significa *Prudência*."

1909, Papus: 12, o Pendurado

Sentido espiritual: realização. Sentido moral ou alquímico: sacrifício moral. Sentido físico (que também pode ser utilizado para a adivinhação): o sacrifício físico. Sentido divinatório: provação. Sacrifício.

1927, Oswald Wirth: XII, o Pendurado

Abnegação, sacrifício consentido, influência da Lua e de Vênus.

PARA O BEM. Desinteresse, altruísmo, abnegação, submissão ao dever, patriotismo, sonho generoso, apostolado, filantropia, dedicação. Ideias de futuro difundidas. Sementes.

PARA O MAL. Boas decisões não executadas; projetos não realizados; planos bem concebidos, mas que permanecem na teoria; promessas não cumpridas; amor não compartilhado; bons sentimentos explorados; bom-mocismo; incapacidade de realizar os próprios projetos. Perdas.

1949, Paul Marteau: lâmina XII, o Pendurado

SENTIDO ELEMENTAR. O homem inverte sua ação para orientá-la ao aspecto espiritual, com um sentimento de expectativa, de abnegação.

SENTIDO CONCRETO. Uma pausa como preparação para uma transição, uma transformação, uma passagem do concreto ao abstrato e, por conseguinte, um estado de não afetividade, uma pausa do poder de ação.

MENTAL (a inteligência). Possibilidades muito diversas; evocação do passado, do presente e do futuro diante de decisões a serem tomadas, que geram hesitação. Essa lâmina indica coisas que não amadureceram o suficiente; ela não apresenta uma conclusão.

ANÍMICO (as paixões emotivas). Falta de determinação, indecisão na escolha afetiva.

FÍSICO (o lado utilitário da vida). Abandono de algo, renúncia, projeto duvidoso. Incapacidade momentânea de agir. Caso se comece uma atividade, ela permanecerá paralisada e só poderá ser realizada com ajuda externa.

INVERTIDA. Sucesso possível, mas instável, em um projeto de ordem sentimental, sem distração nem prazer. Hesitação e projeto oculto.

XIII. A Morte

Diferentes denominações: la Morte, la Mort.

Outras posições ocupadas no tarô: sempre número XIII, seja qual for o tarô.

Etimologia e significados do termo *mort*: do latim *mors, mortis*. Por significar "a Grande Ceifadeira", não apresenta um sentido etimológico especial, mas se pode dizer que os primeiros autores que escreveram sobre o tarô não hesitaram em nomeá-la. Por isso, na seção "significados divinatórios", exposta abaixo, ela é denominada "Morte". Os autores contemporâneos, diferentemente, designam-na com a expressão "arcano XIII".

Tarô de Lequart, a Morte, Paris, 1890, BnF.

Tarô Piemontês, a Morte, 1830, BnF.

◆◆◆ Sobre a Morte

No século XIII, cinco poemas evocam uma conversa entre três mortos e três vivos. Citam três jovens senhores, mais tarde três reis, que se encaminham a um cemitério. De repente, três mortos aparecem. Os cadáveres iniciam uma conversa moralizadora e didática com os vivos, cujo tema se resume ao seguinte: "Outrora fomos homens como vós; logo sereis como nós agora". Já na Antiguidade romana havia textos que convidavam o leitor a considerar a frágil brevidade da vida. Assim, em *Satíricon*, de Petrônio, é possível ler: "Ó miséria! Ó piedade! O homem nada é! Quão frágil é a trama de sua existência! Tal será junto a Plutão vosso estado e o meu: vivamos, pois, enquanto a idade nos convida a aproveitar..." No Ocidente cristão, essa admoestação se expande de modo considerável na literatura e na iconografia, exortando quem medita não a aproveitar a vida, mas a se preparar para o seu fim não apenas inelutável, mas também pronto a se abater sobre ele a qualquer momento. As ilustrações da narrativa acima, a "Lenda dos três mortos e dos três vivos", multiplicam-se: inicialmente, os três mortos são representados como homens magros, depois como esqueletos completamente descarnados, "ossos secos", de acordo com a descrição do livro de Ezequiel (XXXVII, 4). Vários autores, a maioria desconhecida, compuseram poemas em línguas diversas (latim, francês, espanhol etc.), chamados de "danças da morte" ou "danças macabras", nas quais um morto, ou a Morte, convida os vivos de todas as classes sociais (até mesmo reis e papas) a irem com ele ou ela para participar de sua dança e a acompanharem no além. Em pouco tempo, é o esqueleto, e não mais um cadáver em particular, a aparecer para representar a ideia abstrata da morte: ele personifica a Morte, menos como uma simples alegoria do que como um agente sobrenatural que substituiu os anjos, santos ou demônios para executar as ordens de Deus. Ele não tarda a triunfar, esmagando suas vítimas sem que elas percebam. Esse triunfo da Morte é extraordinário nas obras de arte a partir do final do século XIV e talvez tenha inspirado os autores do tarô. Para compreender o efeito impressionante dessa Morte triunfal, o leitor pode digitar em um *site* de busca a expressão "triunfo da Morte" e deixar-se surpreender por uma enorme quantidade de obras antigas assustadoras, repletas de esqueletos que chegam para recolher cadáveres. Isso porque a grande peste negra dos anos 1340, que matou mais de um quarto da população do Ocidente cristão, ainda está presente com sua marca traumática e seu caráter endêmico. *O Triunfo da Morte*, de Pieter Bruegel, o Velho, é um quadro particularmente impressionante, repleto de esqueletos que tentam levar o maior número de vivos à morte, de todas as maneiras possíveis.

De forma mais leve, por assim dizer, o triunfo do esqueleto psicopompo (ou seja, que acompanha as almas até o além) pode ser explicado pelo sucesso crescente do estudo da anatomia no Renascimento: os artistas aproveitaram para ilustrar os mortos com a máxima autenticidade possível, constituindo um movimento realista que atingiria seu apogeu com *Les Écorchés* [Os Esfolados] de Fragonard. Assim, a representação da Morte por meio de um esqueleto é relativamente recente. Na Antiguidade, eram Hermes, Anúbis ou Mercúrio que acompanhavam os defuntos no além. Isso mostra que alguns tarôs "egípcios" puderam resvalar no anacronismo ridículo ao evocarem uma ceifadeira esquelética, cercada de hieróglifos, escrita de uma civilização que praticava a mumificação e cujas almas eram escoltadas pelo deus com cabeça de chacal.

Na era cristã, cabia aos santos, aos anjos da guarda ou aos demônios enfrentarem-se ao redor da alma do moribundo no momento da passagem para o além; vencia o mais forte. Quanto aos cadáveres, por um bom tempo eles foram representados como figuras adormecidas, como as famosas estátuas de defuntos que ainda hoje podem ser admiradas nas igrejas medievais.

A foice é um instrumento agrícola, cujo uso remonta a tempos imemoriais. Em contrapartida, sua associação com o esqueleto também é recente. Nas imagens antigas, inicialmente o esqueleto é provido de muitas ferramentas diferentes: enxada, tesoura, lâmina, gaita, espada. Com frequência, o instrumento caracteriza a profissão da pessoa que a Morte quer levar consigo. Em seguida, a foice aparece com o esqueleto, em especial na obra de Petrarca, e esse poderoso instrumento, que tem uma pesada carga simbólica, reforça ainda mais o alcance dessa alegoria da morte. Com efeito, a foice provém originariamente da Bíblia. Já no Antigo Testamento o profeta Joel atribui a Deus Pai uma foice ou foicinha, com a qual ele ceifará os pagãos (IV, 11-13). Mateus (XIII, 39) atribui a foice aos anjos, ceifadores das ervas daninhas que são os filhos do Maligno. No Apocalipse (XIV, 14-16), o filho do homem aparece sentado em uma nuvem, com uma foice afiada na mão. A mitologia grega não fica atrás ao evocar Cronos (equivalente de Saturno), figura alegórica do Tempo que devora seus filhos e ceifa tudo que se apresenta à sua frente. Entre os poetas latinos, o atributo da foice valeu a Saturno a denominação de *Falciger*: "aquele que carrega a foice".

A essa pesada carga simbólica acrescenta-se o número 13, outrora considerado tão maléfico que, segundo a superstição, quando havia 13 pessoas à mesa, uma delas morreria ao longo do ano. Provavelmente essa consideração se baseava no fato de que os participantes da Santa Ceia eram 13.

As imagens do tarô refletem simplesmente as tradições que acabamos de evocar: não se vê nenhum acréscimo posterior nas cartas. Mas o que mais haveria de ser acrescentado a tal imagem? De resto, os primeiros autores do tarô tiveram certa dificuldade para lhe dar um sentido um pouco mais positivo. Em todo caso, talvez a ideia de transformação não fizesse parte do imaginário do século XV no que se refere a essa representação: "Preparai-vos para o inelutável que se abaterá brutalmente sobre vós" – é bem provável que essa tenha sido a primeira ideia por ela transmitida.

❖❖❖ *Significados divinatórios*

1781, Court de Gébelin: nº XIII, a Morte

"O nº XIII representa a Morte: ela ceifa os humanos, os reis e as rainhas, os grandes e os pequenos; nada resiste à sua foice letal. Não é de surpreender que seja colocada nesse número; o 13 sempre foi visto como de mau agouro. [...] Vale acrescentar que tampouco surpreende o fato de os egípcios terem inserido a Morte em um jogo que deveria despertar apenas ideias agradáveis: tratava-se de um jogo de guerra; portanto, a Morte não poderia ficar de fora. Desse modo, o xadrez termina com o xeque-mate, melhor dizendo, *Sha mat*, a morte do rei."

1781, conde de Mellet

"A Morte ou o Thet indica a ação de varrer: com efeito, a Morte é uma varredora terrível."

1783, Alliette: nº 17, a Morte

"Vale notar que a vinda da morte é necessária; porém, não se deve fazer confusão. Significa a morte, ou quase, na lâmina seguinte, o que na maioria das vezes representa um desconhecido, um projeto, um processo ou apenas uma *visitinha de cortesia*, o que nesse caso é ainda melhor."

1909, Papus: 13, a Morte

Sentido espiritual: a imortalidade pela mudança. Sentido moral ou alquímico: a morte e o renascimento. Sentido físico (que também pode ser utilizado para a adivinhação): a transmutação das forças. Sentido divinatório: morte.

1927, Oswald Wirth: XIII, a Morte

Fatalidade inelutável, fim necessário, desencantamento, influência ativa de Saturno.

PARA O BEM. Aprofundamento, penetração intelectual, metafísica, desilusão, discernimento severo, sabedoria desiludida, indiferença, resignação.

PARA O MAL. Prazo fatal; fracasso inevitável, não provocado pela vítima. Desânimo, pessimismo, conversão absoluta, suspensão com o intuito de recomeçar em modo diametralmente oposto.

1949, Paul Marteau: lâmina XIII, a Morte

SENTIDO ELEMENTAR. As mudanças de estados de consciência do homem que acompanham a passagem de um ciclo concluído no ingresso em outro ciclo de natureza diferente.

SENTIDO CONCRETO. Essa lâmina não é designada pelo nome, uma vez que sua imagem representa a morte de modo clássico. Como esta não existe, não pode ser nomeada. Seu verdadeiro sentido é a transmutação.

MENTAL (a inteligência). Renovação das ideias, totalmente ou em parte, pois algo intervirá e transformará tudo, como um fenômeno de catálise, em que um corpo novo modifica por completo a ação dos corpos presentes.

ANÍMICO (as paixões emotivas). Distanciamento; dispersão na afeição; extirpação de um sentimento, de uma esperança.

FÍSICO (o lado utilitário da vida). A morte, a pausa de alguma coisa, a imobilidade. Nos negócios, transformação completa.

INVERTIDA. Estagnação do ponto de vista da saúde; a morte pode ser evitada, mas a doença é incurável. Dependendo do que a circunda, significa morte, cujos efeitos continuam além dela, nas ações ruins.

XIIII. Temperança

Diferentes denominações: Temperanz, Temperantia, la Temperanzi, Lemperance, Atrempance, Tempérance.

Outras posições ocupadas no tarô: número VI na lista mais antiga dos trunfos, número VII na ordem A e número VI na ordem B.

Etimologia e significados do termo *tempérance*: surgido em francês antigo na forma *temprance*, do latim *temperancia*, que designa a virtude cardeal e significa "moderação nos prazeres dos sentidos".

Tarô de Nicolas Conver, Temperança,
Marselha, 1809-1833, BnF.

Tarô de Grimaud, Temperança,
Paris, 1930, BnF.

❖❖❖ *Sobre a Temperança*

Tal como no caso das outras virtudes cardeais, a temperança apareceu em *A República*. Platão explica que ela controla a propensão à concupiscência. Sua etimologia é inequívoca: desde sua origem, o substantivo "temperança" se define pela moderação do prazer sensual. Na *Suma Teológica*, Santo Tomás de Aquino escreve: "A Temperança implica moderação, que consiste principalmente na moderação das paixões que tendem aos bens dos sentidos. [...] Por conseguinte, a pessoa que se modera desse modo obriga-se a resistir à atração das paixões e dos prazeres, em particular de ordem sensual, quando eles se tornam excessivos". De resto, em *Sermones de ludo cum aliis* [Sermões sobre o Jogo de Dados] (primeiro texto a citar a ordem dos trunfos), a Temperança vem depois do Enamorado na qualidade de virtude que ensina a moderar o ardor das paixões. Como no caso das outras virtudes, ela fez um enorme sucesso nas representações iconográficas, que do mesmo modo emolduravam figuras de santos ou homens de poder ou eram exibidas em igrejas para guiar os homens no caminho correto. Por outro lado, podemos nos perguntar de onde vem essa representação particular de mulher que transfere um líquido de um vaso a outro e, sobretudo, por que ela é representada como um anjo, diferentemente das outras duas virtudes do tarô. A imagem de uma mulher transvasando um líquido é uma alegoria muito usual na Idade Média para simbolizar a virtude da Temperança. Como se diz coloquialmente, ela coloca água em seu vinho, ou seja, modera suas pretensões. Essa imagem pode ter sua origem no relato evangélico das Bodas de Caná: por ordem de Jesus, uma servente verte água de uma talha em uma ânfora, onde a água é transformada em vinho. Esse milagre, representado pela imagem da servente vertendo água, encontra-se representado em ânforas que servem à missa já nos primeiros séculos do cristianismo. Contudo, nesse caso, sem o sentido da Temperança: ela não transforma água em vinho, mas atenua o vinho com a água. Portanto, as representações das Bodas de Caná puderam servir para representá-la, mas não estão na origem dessa alegoria. A deusa mitológica Hebe também costumava ser representada derramando o líquido de uma talha em uma taça, mas era a divindade que, por assim dizer, cuidava do "conforto doméstico" dos deuses do Olimpo, ou seja, servia-lhes o néctar e a ambrosia. Assim, tal como para as Bodas de Caná, essa figura pôde inspirar as representações de nossa virtude com seus vasos, mas não está em sua origem.

Na realidade, essa alegoria é claramente associada à origem e à moderação dos prazeres sensuais: atenua o vinho com a água, e esse é seu significado de base. Sua representação pode ter sido criada de acordo com esse sentido, sem figura mítica para inspirá-la, e talvez isso também tenha inspirado a figura angelical do tarô: os anjos são as criaturas mais puras da Criação, as mais distantes que existem da concupiscência terrestre. Algumas obras muito representativas mostram alegorias em que um anjo vence um leão, como a estátua na basílica Santa Croce, em Florença: o anjo reflete, apoiado tranquilamente no animal feroz que, obediente, está deitado a seus pés. Nesse caso, o que domina o leão não é a força física, mas a pureza.

♦♦♦ *Significados divinatórios*

1781, Court de Gébelin: nºs VIII. XI. XII. XIIII, as quatro Virtudes cardeais

Nº XIIII, a Temperança. "Trata-se de uma mulher alada que faz a água passar de um vaso a outro para atenuar o líquido nele contido."

1783, Alliette: nº 10, a Temperança

"Significa ou anuncia que é preciso *moderar-se* no que se refere ao tema indicado na lâmina seguinte, tanto no aspecto físico quanto no moral, uma vez que, em ambos os casos, os extremos são contrários à razão humana e mesmo à lei que nos é ensinada pela sábia natureza nos movimentos gerais."

1909, Papus: 14, a Temperança

Sentido espiritual: reversibilidade. Sentido moral ou alquímico: a harmonia das misturas. Sentido físico (que também pode ser utilizado para a adivinhação): a temperança. Sentido divinatório: temperança. Economia.

1927, Oswald Wirth: XIV, a Temperança

Serenidade, frieza, adaptação, influência de Mercúrio e da Lua.

PARA O BEM. Caráter conciliador, filosofia prática, despreocupação feliz, aceitação dos acontecimentos, flexibilidade, indivíduo que sabe ceder às circunstâncias, sociabilidade, educabilidade, transformação adaptativa.

PARA O MAL. Indiferença, falta de personalidade, plasticidade passiva, inconstância, humor instável. Tendência a se deixar levar pelo fluxo das coisas; submissão à moda e aos preconceitos. Resultados não conformes com as aspirações; fluxo não influenciado; as coisas seguem seu curso.

1949, Paul Marteau: lâmina XIIII, Temperança

SENTIDO ELEMENTAR. O trabalho de adaptação antes de uma nova atividade; trabalho de modelagem que o homem realiza para readaptar, em uma área mais extensa, as energias materiais às energias espirituais.

SENTIDO CONCRETO. Age como conciliadora em todas as coisas.

MENTAL (a inteligência). Traz para o julgamento o espírito de conciliação, a ausência de paixão; dá o sentido profundo das coisas, como se representasse um princípio eterno, uma personalidade psíquica que não impõe uma ideia de rigidez, uma vez que é plástica, ou seja, móvel, adaptável às circunstâncias.

ANÍMICO (as paixões emotivas). Os seres se unem por afinidade; sob a influência dessa lâmina, são felizes, mas não evoluem nem se libertam um do outro.

FÍSICO (o lado utilitário da vida). Nos negócios, conciliação; pesam-se os prós e os contras; preparam-se acordos, mas não se sabe se a empreitada será coroada pelo sucesso. Reflexão, decisão que não é tomada de imediato.

INVERTIDA. Perturbação, desacordo, mas as tergiversações e hesitações serão anuladas.

XV. O Diabo

Diferentes denominações: Diavolo, Plutone, Dyable, le Diable.

Outras posições ocupadas no tarô: número XIV na lista mais antiga dos trunfos e na ordem B.

Etimologia e significados do termo *diable*: do latim *diabolus*, que por sua vez vem do grego. Os tradutores do Antigo Testamento em grego utilizaram o termo *diabolos*, "aquele que divide". O nome hebraico desse chefe dos demônios é "Satanás", que significa "adversário, acusador". "Lúcifer" ou "Fósforo" significa "aquele que traz a luz"; é um sinônimo do diabo, porém, mais precisamente, no sentido de príncipe das luzes, arcanjo amado de Deus que liderou os anjos revoltados, caídos, exilados do céu e lançados com todos aqueles que os seguiram no "lago de fogo e enxofre", primeira evocação do inferno cristão segundo Mateus. "Belzebu" significa "senhor das pestilências" ou "senhor da casa alta", ou seja, do inferno subterrâneo, do reino dos mortos. Provavelmente por essa razão, às vezes ele é chamado de Plutão em algumas evocações do tarô. Talvez o nome "Belzebu" seja uma deformação pejorativa de Ba'al Zebub, deus filisteu mencionado no Antigo Testamento.

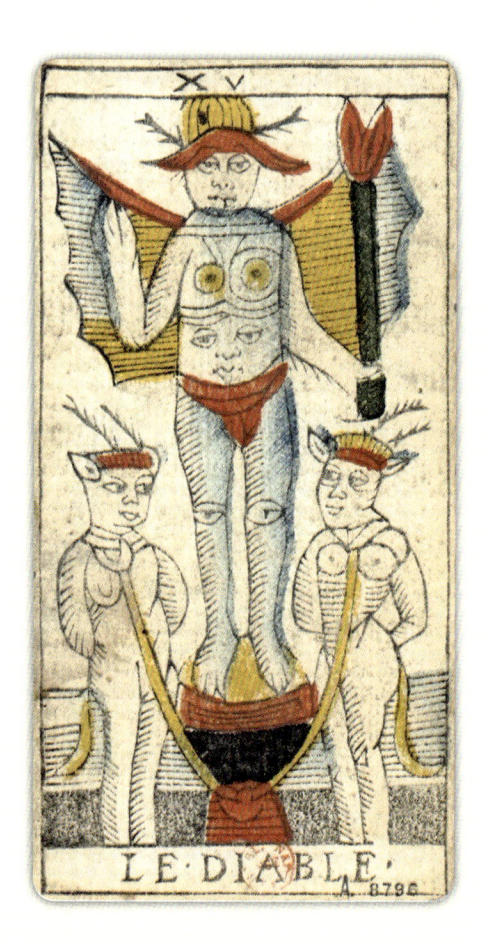

Tarô de Jean Payen, o Diabo,
Avignon, 1743, BnF.

Tarô Suíço de Gassmann, o Diabo,
Marselha, 1850-1870, BnF.

◆◆◆ *Sobre o Diabo*

O diabo é definido como a personificação do mal de acordo com o dogma cristão. No entanto, seu papel na Bíblia não é bem determinado. A serpente do Gênesis não é claramente designada como o próprio Satanás, e o anátema parece ser lançado à serpente como tal: "[...] maldita és entre todos os animais domésticos e o és entre todos os animais selváticos; rastejarás sobre o teu ventre e comerás pó todos os dias da tua vida. Porei inimizade entre ti e a mulher, entre a tua descendência e o seu descendente. Este te ferirá a cabeça, e tu lhe ferirás o calcanhar". (Gênesis, III, 14-15). As outras manifestações demoníacas no Antigo Testamento se inspiram sobretudo em demônios orientais, talvez devido ao contato com os babilônios. Há demônios que devastam o mundo físico e matam os homens, como Asmodeus no *Livro de Tobias* (III, 7-8). Com o cristianismo, o diabo se torna o rei do mundo terrestre e de suas tentações. Também é visto tentando Jesus no deserto ao colocar a seus pés todas as riquezas do mundo (Mateus, IV, 1-11). Inicialmente, a Idade Média o representa na forma de serpente, depois de dragão, em referência ao dragão do Apocalipse. Em seguida, a representação do diabo assume uma forma antropomórfica e animalesca, talvez sob a influência das mitologias pagãs, tanto romanas quanto bárbaras. É delas que vem o homem com chifres, pés de cabra e outros atributos da bestialidade. Nesse sentido, assemelha-se a Pã, divindade grega com pés fendidos que traz em seu cortejo sátiros devassos, ou a Charu, deus etrusco dos Infernos, com asas de morcego, dentes fiados e garras encurvadas. O diabo é representado dessa forma a partir do século X nos manuscritos alemães e, posteriormente, nos anglo-saxões. É assim que aparece no tarô. Com o tempo, esse caráter animalesco se acentua, com a ideia de que o diabo já não é o mal posto no mundo pela natureza (como os demônios da Babilônia, que causam destruição), mas aquele que sai do coração do homem e de suas paixões egoístas. O cristianismo lhe deu a paternidade das práticas divinatórias e de todos que as exercem: magos, adivinhos, pitonisas, necromantes, feiticeiros. Diz a lenda que Caim, Platão, Alexandre, o Grande, Rômulo e Remo, o mago Merlin, a fada Melusina e Lutero foram criados por demônios íncubos (demônios machos).

No final da Idade Média, o diabo, já transformado em modelo de horror, é quem recebe em sua tenebrosa morada os pecadores que não se arrependeram. Curiosamente, esse lugar seria mais adequado do que o plano divino para a punição dos malvados. A partir do Renascimento, o diabo já não é odioso nem disforme. Talvez sob a influência do retorno da arte aos cânones antigos, ele se torna um atleta, um fauno ou uma alegoria. Os séculos XVII e XVIII quase não o representam mais. Provavelmente para se opor com maior eficácia à influência da Reforma, a Igreja prefere mostrar modelos de santidade a serem seguidos em vez de demônios risonhos a serem temidos. No século XIX, o diabo se torna um herói romântico que retoma seu lugar de revoltado contra Deus: é o Fausto de Goethe. Um cronista do século XIX[198] chega a se questionar sobre a legitimidade de tal representação: "É o pálido rapaz cabisbaixo e de cabelos pretos, cuja volúpia se desfaz em tristeza. Ele sonha, abandonado em um leito de nuvens; diríamos que também sofre por não mais acreditar. Seria um progresso da arte? O mal tem de nos parecer tão belo?".

Vale notar que, nas representações artísticas dos vícios, a corda em torno do pescoço é uma alegoria da infidelidade, no sentido religioso do termo, o do infiel oposto a quem crê. Desse modo, na Cappella degli Scrovegni, em Pádua, Giotto pintou uma figura masculina, o Infiel, segurando um ídolo de traços femininos. Este coloca uma corda em seu pescoço, podendo simbolizar a idolatria, de modo que ele viraria as costas para a verdade.

---

198 A. M. Renée, em *La Chronique française, revue de la littérature et des sciences*, Paris, nº 1, junho de 1837.

Está claro que o Diabo do tarô permaneceu semelhante ao diabo dos cristãos da Idade Média: o tentador animalesco. De resto, podemos nos indagar sobre esse papel e essa imagem, que continuaram inalteradas. Os primeiros comentadores do tarô não se saíram bem ao tratar dessa representação tradicional.

◆◆◆ Significados divinatórios

1781, Court de Gébelin: nº XV, Tifão

"O nº XV representa um célebre personagem egípcio, Tifão, irmão de Osíris e Ísis, o Príncipe mau, o grande Demônio do Inferno: tem asas de morcego, pés e mãos de harpia; na cabeça, horríveis chifres de cervo. Fizeram-no tão feio e tão diabo quanto possível. A seus pés encontram-se dois diabretes de orelhas longas, cauda comprida e mãos atadas atrás das costas. Uma corda ao redor do pescoço os prende ao pedestal de Tifão, que não larga os que lhe pertencem; ele gosta dos que são seus."

1781, conde de Mellet

"O Tifão ou o Zain anuncia a inconstância, o erro, a fé violada, o crime."

1783, Alliette: nº 14, o Diabo

"Pelo termo 'diabo' ou 'demônios', os egípcios não entendiam os espíritos infernais, acorrentados no abismo, mas um homem cuja ciência ultrapassava em muito a dos outros; enfim, quem tudo soubesse por dom divino ou por um estudo prolongado. Assim eram os brâmanes, os gimnofistas, os druidas etc. Essa lâmina significa *força maior em tudo o que diz respeito às coisas da vida humana.*"

1909, Papus: 15, o Diabo

Sentido espiritual: o destino. Sentido moral ou alquímico: a serpente mágica (o agente mágico). Sentido físico (que também pode ser utilizado para a adivinhação): a vida física. Sentido divinatório: força maior. Doença.

1927, Oswald Wirth: XV, o Diabo

Desordem, paixão, cio, conjunção entre Marte e Vênus.

PARA O BEM. Atração sexual, desejos passionais, ação mágica, magnetismo, taumaturgia fluida, poder oculto, exercício de influências misteriosas. Atividade que torna inacessível ao encantamento.

PARA O MAL. Perturbação, agitação exacerbada, concupiscência, lubricidade, complicação, tolices, intrigas, emprego de meios ilícitos, feitiço, fascínio sofrido, submissão aos sentidos, fraqueza que dá lugar às influências incômodas, egoísmo.

1949, Paul Marteau: lâmina XV, o Diabo

SENTIDO ELEMENTAR. Representa uma forma da atividade humana, o amálgama da matéria, da qual o homem se tornará escravo depois de obter um sucesso efêmero. Ele pode libertar-se dessa escravidão pelos poderes do conhecimento, de acordo com seus objetivos egoístas, ou pode conhecer uma evolução material.

SENTIDO CONCRETO. O homem que age na matéria por meio de sua própria força, sem apoio espiritual, de modo que se submete à tentação de transgredir a moral cósmica e de ceder a seus instintos. Portanto, a lâmina significa sucesso na matéria por meio do esforço direto e dos conselhos da razão ou do abandono à fatalidade.

MENTAL (a inteligência). Grande atividade egoísta, sem preocupação de justiça, uma vez que essa lâmina não tem significado prático no plano espiritual.

ANÍMICO (as paixões emotivas). Pluralidade, diversidade, inconstância, pois o indivíduo busca em todos os sentidos e traz tudo para si, sem se preocupar com os outros. Depravação.

FÍSICO (o lado utilitário da vida). Grande influência nesse plano, particularmente no campo material, na realização concreta. Grande ascendência sobre os outros. Entretanto, trata-se de uma carta deficiente no campo físico quando significa o triunfo obtido por meios escusos. No âmbito afetivo, é a conquista de um ser físico por meio de processos condenáveis e inescrupulosos, que acarretam a destruição de outros seres, mas obtêm o sucesso como resultado. Contudo, é uma carta que anuncia a punição e que o triunfo será momentâneo e seguido de seu devido castigo. Quanto às doenças, indica uma grande instabilidade nervosa.

INVERTIDA. Sua ação tem uma base muito ruim, com efeitos dos mais maléficos. Desordem, inversão, negócios suspeitos ou sem saída.

XVI. A Casa de Deus

Diferentes denominações: la Casa del diavolo, la Sagitta, Foco, la Casa di Plutone, la Foudre, la Maison-Dieu.

Outras posições ocupadas no tarô: número XV na lista mais antiga dos trunfos e na ordem B.

Etimologia e significados do nome *Maison-Dieu*: *maison* vem do latim *mansio*, que significa "morada, local de residência". Esse termo também designa o número de pessoas de uma mesma casa, ou seja, de uma mesma família. É sinônimo de *hôtel* (*hostel*), que tem os mesmos sentidos, ao mesmo tempo, de morada e linhagem: "Para recolocar o reino nas mãos da Casa de Anjou (*hostel d'Anjou*) e da Coroa francesa da qual proviera, ela adotou o rei Luís III", lê-se em um dicionário etimológico. No entanto, nos dicionários antigos, *hôtel* é definido sobretudo como "residência, alojamento, habitação" e *hôtel-Dieu* ou *domus dei* como o principal hospital em várias cidades, uma vez que esse termo era sinônimo de *maison-Dieu* [casa de Deus]. Assim, apenas a denominação francesa tradicional dessa carta interessa: podemos nos perguntar por que essa torre fulminada traz o nome de um hospital. Seria o destino dos infelizes, atingidos pelo raio? O termo *Maison-Dieu* aparece apenas nos Tarôs de Marselha. Antes se encontravam muitas outras denominações, igualmente interessantes para a melhor compreensão do sentido dessa carta. De resto, talvez se possa dizer que essa é a carta com mais nomes diferentes. O Raio (*la Foudre*) é a designação mais frequente nos outros tarôs, seguido pelo Fogo (*Foco*), pela Flecha (*Sagitta*) e, o que é interessante por mais de uma razão, pela Casa do Diabo (*la Casa del diavolo*) e pela Casa de Plutão (*la Casa di Plutone*).

Tarô Parisiense Anônimo, o Raio, século XVII, BnF.

Tarô Bolonhês, a Casa de Deus, século XVII, BnF.

◆◆◆ *Sobre a Casa de Deus*

As antigas denominações dessa carta remetem ao inferno, à morada subterrânea dos mortos condenados. A casa do diabo ou de Plutão (outro nome dado ao diabo) designa claramente o local onde ele reside. É o inferno que vemos no tarô parisiense anônimo. Talvez o fabricante de cartas francês, que em seguida inscreveu a menção *Maison-Dieu* [Casa de Deus], visse o hospital também como um lugar infernal (e, no século XVII, era mesmo!). Em todos os casos, as interpretações ligadas a essa carta são negativas, quer ela seja designada como uma morada infernal qualquer, quer como o raio ou o fogo, ou seja, a punição divina que pulveriza a terra do alto do céu. O raio como calamidade natural se torna uma alegoria da destruição desejada por Deus para punir a maldade e o orgulho dos homens. Também podemos ver nessa carta uma referência à Torre de Babel, cujos construtores foram dispersados por Deus como punição pela vaidade de terem querido construir uma torre tão alta quanto o céu (Gênesis, XI, 1-9). No entanto, a destruição da torre não é mencionada no relato bíblico e, nas obras que a representam, é vista mais como construção inacabada do que como derrubada pelo raio. Pode-se ver nessa representação uma alusão a Sodoma e Gomorra, arrasadas pelo enxofre e pelo fogo vindos do céu como punição à depravação de seus habitantes. Porém, é bem mais provável que essa torre remeta à destruição da Babilônia, tal como relatado no Apocalipse (XVII, 5), "a mãe das meretrizes e das abominações da terra", muitas vezes representada sendo invadida por demônios e depois destruída – ou seja, mais uma vez, um dos lugares mais abomináveis que existem. Se Deus reside em algum lugar, certamente não é ali, e novamente podemos nos perguntar a respeito da denominação francesa de *Maison-Dieu* para a *Casa del diavolo*.

Nesse ponto, estamos longe da visão tranquila e, por assim dizer, edulcorada, presente no Tarô de Marselha, no qual o raio quase lembra uma pluma. Na realidade, quando observamos os mais antigos Tarôs de Marselha, notamos que se trata de fogo (o mesmo desenho é colorido de amarelo). Nos manuscritos medievais, a devastação da Babilônia costumava ser representada com uma torre destruída e bolhas coloridas ilustrando o granizo, uma vez que este e o raio eram os dois símbolos privilegiados para figurar toda espécie de força brutal e destruidora que vem do céu. E essa força atinge não apenas Babilônia ou Sodoma: ai dos insensatos! Como diz Sebastian Brant em *A Nau dos Insensatos* (1494): "Quem tem muita certeza de obter sua salvação, de deter sua sorte sem que ela lhe escape, um dia será atingido por um trovão. O martelo do raio vos espreita no telhado, pois a boa fortuna é caracterizada pela inconstância". No que se refere ao tarô, as interpretações permanecerão por um bom tempo marcadas pela advertência "tome cuidado!".

♦♦♦ *Significados divinatórios*

1781, Court de Gébelin: nº XVI, Casa de Deus ou Castelo de Pluto

"Desta vez, temos uma lição contra a avareza. Esse quadro representa uma torre, chamada de Casa de Deus, ou seja, a casa por excelência. Trata-se de uma torre repleta de ouro; é o castelo de Pluto, que desaba e esmaga seus adoradores sob os destroços. Nesse conjunto, pode-se desconhecer a história do príncipe egípcio Rampsinitos, evocado por Heródoto. Depois de mandar construir uma grande torre de pedra para guardar seus tesouros e da qual era o único a ter a chave, o príncipe percebe que eles diminuem a olhos vistos. [...] Os ladrões eram os dois filhos do arquiteto empregado por Rampsinitos. Roubaram o príncipe e se jogaram do alto da torre: assim são representados aqui."

1783, Alliette: nº 19, a Casa de Deus

"Como essa Casa se assemelha à recém-derrubada Torre de Montgommery ou ao Petit Châtelet, em vias de demolição, é justo não a transformar, como fazem os ignorantes, no Templo do Eterno e proceder como os egípcios, que nunca a nomearam 'Casa de Deus', e sim 'Casa dos castigos de Deus'. Significa *prisão, miséria*."

1909, Papus: 16, a Casa de Deus

Sentido espiritual: destruição por antagonismo. Sentido moral ou alquímico: equilíbrio material rompido. Sentido físico (que também pode ser utilizado para a adivinhação): ruína. Catástrofe. Sentido divinatório: ruína. Decepção.

1927, Oswald Wirth: XVI, a Casa de Deus

Explosão, desmoronamento, queda, influência da Lua e de Marte.

PARA O BEM. Parto, crise salutar, desconfiança de si mesmo, temor que leva a evitar iniciativas temerárias. Benefício extraído dos erros alheios. Bom senso, ponderação, timidez conveniente. Apego às observâncias de piedade, materialismo religioso.

PARA O MAL. Doença, erro punido, catástrofe provocada por imprudência, maternidade clandestina, escândalo, hipocrisia desmascarada. Excesso, abuso, monopolização, presunção, orgulho. Iniciativas quiméricas, alquimia falaciosa.

1949, Paul Marteau: lâmina XVI, a Casa de Deus

SENTIDO ELEMENTAR. As construções efêmeras e fecundas do homem, sempre destruídas, sempre retomadas; dolorosas porque destroem suas ambições, benévolas porque aumentam incessantemente as riquezas de seu saber.

SENTIDO CONCRETO. A denominação dessa lâmina, "a Casa de Deus", vem do fato de Deus, por ser onipresente, também estar no edifício estabelecido pelo homem; porém, como Ele não intervém e o homem está na obscuridade, suas construções são imperfeitas e destinadas à destruição.

MENTAL (a inteligência). Indicação do perigo de perseverar em certo caminho, com uma ideia fixa, e advertência para evitar as consequências, sob pena de choque e aniquilação.

ANÍMICO (as paixões emotivas). Dominação de seres, sem caridade nem amor, que age sobre outros seres com despotismo e, cedo ou tarde, será expulsa da afeição.

FÍSICO (o lado utilitário da vida). Projeto bruscamente interrompido. Reviravolta, choque inesperado, aviso para se ter cuidado nos negócios. Do ponto de vista da saúde, indicação de que se está passando dos limites das próprias forças vitais e correndo o risco de sofrer uma doença grave. Restabelecimento após um duro período de enfermidade.

INVERTIDA. Grande cataclismo, confusão completa.

XVII. A Estrela

Diferentes denominações: la Stella, la Stelle, Lestoille, l'Étoile.

Outras posições ocupadas no tarô: número XVI na lista mais antiga dos trunfos e na ordem B.

Etimologia e significados do termo *étoile*: vocábulo do final do século XI, do latim *stella*. Interessante nesse caso não é tanto a etimologia, que não apresenta grandes ambiguidades, e sim o fato de a carta ser quase sempre nomeada *l'Étoile*, no singular, enquanto representa várias estrelas e tem como figura principal uma mulher vertendo água.

Tarô de Dodal, a Estrela, Lyon, 1701-1715, BnF.

Tarô de Oswald Wirth, as Estrelas, 1889, BnF.

◆◆◆ *Sobre a Estrela*

Essa carta aparentemente simples pode levantar diversas problemáticas quando se tenta explicá-la. Qual seria a Estrela aqui nomeada e por que ela é associada à figura feminina que verte água no chão? Seria possível fazer alguma aproximação com a astrologia? Nesse âmbito, sabe-se que, na época desses tarôs, o signo de Aquário costumava ser representado por uma figura feminina ou masculina que vertia água com um ou dois vasos. Porém, na astrologia, Aquário é associado ora a Saturno, ora a Juno, esposa de Júpiter, em outros tratados. Devemos, então, ver na maior estrela representada na carta o imponente planeta dos anéis? Pois nesse período Saturno era considerado o planeta mais importante (vale lembrar que na época os planetas eram representados na forma de estrelas). Contudo, é pouco provável que ele seja a Estrela aqui designada, dada a figura principal dessa carta, ou seja, a mulher nua que verte água. Que figura é essa? É encontrada com todo tipo de representação alegórica de rios, riachos ou nascentes: desde a Antiguidade, os cursos de água são representados pela água vertida de um cântaro por um personagem indiferentemente figurado por um ancião, um homem maduro, uma mulher jovem ou uma náiade. São inúmeros os exemplos nos manuscritos decorados com iluminuras, sobretudo no que se refere à representação dos quatro rios do paraíso terrestre. O Apocalipse cita anjos vertendo o conteúdo de uma taça no mar, nos rios e nas nascentes. Em um manuscrito latino do Apocalipse, do final do século XIII, uma miniatura representa o sexto anjo esvaziando sua taça no Eufrates seco. Não é impossível que o décimo sétimo arcano tenha sido inspirado em uma imagem semelhante.

Uma fonte particular pode atrair a atenção: a Fonte de Castália, do nome de uma ninfa que, para escapar do assédio de Apolo, metamorfoseou-se em Fonte do Parnaso. Foi ilustrada vertendo água de seu cântaro, e o mais interessante é que às vezes aparece na forma de uma árvore: em algumas imagens cristãs, a Fonte de Castália representa o centro do mundo, onde se ergue a Árvore da Vida. Quanto à própria ninfa, ela pode representar uma pureza bem ilustrada pela carta: prefere transformar-se a ceder ao assédio do deus solar. O problema é que, sozinha, não é suficiente para explicar a carta: é uma ninfa, não um planeta.

Poderíamos falar em Vênus? A associação é mais provável, quer se trate da estrela, quer da mulher: a carta pode mostrar Vênus, ou seja, a Estrela do Pastor, que costumava ser representada como uma mulher nua, embora os vasos não sejam os atributos habituais da deusa do Amor. No Tarô de Visconti,[199] vemos uma jovem vestida de azul, segurando uma estrela de oito pontas. Nela é possível notar a referência a Vênus, planeta mais conhecido na época e astro mais luminoso, além do Sol e da Lua. Com eles, Vênus formava o que se chamava de "grande tríade". Entre os *Sete planetas* de Baccio Baldini (cerca de 1460), é mencionado como segue: "Vênus é um signo feminino, colocado no terceiro céu, frio, úmido e temperado, e tem as seguintes qualidades: gosta dos belos trajes ornados em ouro e prata, das canções, da alegria e dos jogos, e é sensual. Fala com delicadeza, tem olhos bonitos e um rosto e um corpo encantadores". Isso pode explicar de maneira mais simples por que essa carta afável e feminina se chama "a Estrela", e não "as Estrelas"...

Essa visão delicada e reconfortante é compartilhada pela maioria dos autores de tarô.

---

199 Ver as ilustrações na seção "Astrologia e Tarô" (Capítulo IV).

◆◆◆ *Significados divinatórios*

1781, Court de Gébelin: nº XVII, a Canícula

"Temos aqui sob os olhos um quadro não menos alegórico e absolutamente egípcio. Intitula-se a Estrela. De fato, nele vemos uma Estrela brilhante, em torno da qual há outras sete menores. A parte inferior do quadro é ocupada por uma mulher apoiada no joelho e segurando dois vasos virados, dos quais fluem dois rios [...] é o egipcianismo puro. Essa estrela por excelência é a Canícula ou Sirius [...] as sete estrelas que a circundam e parecem acompanhá-la são os planetas: de certo modo, ela é sua rainha. [...] A mulher que se encontra embaixo e se mostra muito concentrada em derramar a água de seus vasos é a soberana Ísis, a cuja generosidade se atribuem as cheias do Nilo, que começam com o nascer da Canícula. [...] Por fim, a flor e a borboleta nela pousada eram o emblema da regeneração e da ressurreição."

1783, Alliette: nº 4, a Estrela

"A Estrela significa *despojamento*."

1909, Papus: 17, a Estrela

Sentido espiritual: as forças divinas naturais. Sentido moral ou alquímico: a natureza. Sentido físico (que também pode ser utilizado para a adivinhação): fecundidade. Sentido divinatório: esperança.

1927, Oswald Wirth: XVII, as Estrelas

Idealismo prático, esperança, beleza, influência do Sol e de Vênus.

PARA O BEM. Inocência, abandono às influências saudáveis, naturismo, confiança no destino, florescimento estético, sensibilidade poética, pressentimentos. Bondade, compaixão.

PARA O MAL. Devassidão, impudor, conduta leviana. Falta de espontaneidade, constrangimento artificial e anti-higiênico. Quimeras, romantismo, espírito desviado da vida prática.

1949, Paul Marteau: lâmina XVII, a Estrela

SENTIDO ELEMENTAR. A luz celestial que faz o homem entrever uma aurora de paz, de esperança e de beleza, para sustentá-lo em seu árduo trabalho, confortando-o em suas fraquezas e guiando-o em meio às vicissitudes, sem nunca lhe faltar, rumo à participação das harmonias cósmicas.

SENTIDO CONCRETO. Representação da força iluminadora e redentora, simbolizada pelas estrelas, que trazem uma clareza vinda do infinito.

MENTAL (a inteligência). Um auxílio que traz uma força a ser utilizada, mas que não é direta, pois é preciso saber servir-se dela. É a inspiração do que se deve fazer.

ANÍMICO (as paixões emotivas). Dá correntes de equilíbrio e brilho.

FÍSICO (o lado utilitário da vida). A satisfação, o amor pela humanidade em sua beleza, o destino dos sentimentos que animam o ser. Realização das coisas na ordem e na harmonia.

INVERTIDA. Harmonia interrompida em seu destino, harmonia física sem duração.

XVIII. A Lua

Diferentes denominações: la Luna, la Lune.

Outras posições ocupadas no tarô: número XVII na lista mais antiga dos trunfos e na ordem B.

Etimologia e significados do termo *lune*: surgido na língua francesa no século XI, proveniente do latim *luna*.

Tarô de Pierre Isnard,
a Lua, 1743, BnF.

Tarô de Grimaud,
a Lua, Paris, 1891, BnF.

◆◆◆ *Sobre a Lua*

Embora às vezes tenhamos dificuldade para identificar o que vemos em algumas cartas (como na anterior), neste caso, a representação do astro noturno é inequívoca. O conjunto heterogêneo que a circunda – o lagostim, o tanque, as torres, os cães – pode parecer curioso, mas paradoxalmente poderia ser um pouco mais fácil de explicar do que a ilustração da Estrela. Para começar, a associação com a lagosta é evidente: por muito tempo, o signo de Câncer foi representado dessa forma (tanto quanto pelo caranguejo), e na astrologia a associação da Lua e de Câncer é tradicional – talvez porque ao astro noturno que cresce e decresce eram associados os animais marinhos que caminham tanto para a frente quanto para trás. Esse conjunto aparece nas representações alegóricas da inconstância: figuras femininas que seguram, ao mesmo tempo, uma lua e um lagostim. Isso porque a Lua corresponde a todas as coisas nas quais não podemos confiar. Nos tratados de astrologia, o Mago que engana o mundo com seus truques de prestidigitação encontra-se entre os Filhos da Lua, cercado de personagens de modesta condição, que lutam contra as tempestades marítimas. A Lua influencia as marés e, de modo mais amplo, a vida dos homens, dos animais e das plantas, os ritmos naturais, a transformação dos elementos, o tempo que passa, a memória, as ilusões, os sonhos, a inconstância e a feitiçaria. Desse modo, atribui-se a ela uma influência sobre o estado mental do homem: originariamente, "lunático" significava "acometido por loucura". Entre os gregos e os romanos, a relação entre as figuras aparentes da Lua e algumas doenças era um dogma médico difundido. No Novo Testamento, com frequência os epiléticos são chamados de "lunáticos" (ver em Mateus, IV, 24 e XVII, 15). Antigamente se falava em *coup de lune* [acesso de loucura] como de um *coup de soleil* [leve embriaguez]. No Salmo 121, lê-se sobre o homem abençoado por Deus: "De dia não te molestará o Sol, nem de noite, a Lua". Se a Lua tem toda essa influência é porque, segundo a teoria das esferas de Aristóteles, retomada por Ptolomeu, ela é a estrela mediana entre a Terra e o céu. Com efeito, de acordo com essa teoria, no centro do universo encontra-se a Terra, depois vêm a Lua, o Sol, Vênus, Marte, Júpiter, Saturno e, por fim, a esfera das estrelas fixas. O mundo lunar ainda é composto pelos quatro elementos: Água, Ar, Terra e Fogo; é imperfeito e corruptível. Em contrapartida, além da Lua, o mundo etéreo é o domínio da perfeição.

Os cães também são associados à Lua desde a Antiguidade: na mitologia grega, Hécate, deusa da Lua, das Trevas e da Noite, podia assumir a forma de um cão ou de um jumento. Na Grécia antiga, associava-se sobretudo o cão a Ártemis, a divina caçadora lunar. Eurípedes escreveu: "Serás o cão magnífico de Hécate, a portadora da luz". Note-se de passagem essa confusão entre Hécate e Ártemis, que é bastante comum. Muitas mitologias associaram o cão aos Infernos, ao reino subterrâneo. Tradicionalmente, ele é relacionado à terra, à água e à lua; é psicopompo (Anúbis, Cérbero etc.), guia do homem na noite da morte após ter sido seu companheiro no dia da vida. Portanto, as duas torres também podem ser consideradas desse ponto de vista: portas monumentais que lembram que a Lua, Ártemis-Hécate, é ao mesmo tempo porta do céu e porta dos Infernos.

A influência lunar se fez sentir nos autores de tarô. A essa carta eles associaram muitos desses aspectos tradicionais mais negativos.

♦♦♦ *Significados divinatórios*

1781, Court de Gébelin: nº XVIII, a Lua

"A Lua que se move após o Sol também é acompanhada por lágrimas de ouro e de pérolas para marcar que contribui com sua parte para as vantagens da terra. [...] Todos os anos, as lágrimas de Ísis aumentavam as águas do Nilo, que assim tornava férteis os campos do Egito. Na parte inferior desse quadro, vê-se um lagostim ou um [signo de] Câncer, ora para marcar a marcha retrógrada da Lua, ora para indicar que a inundação chega quando o Sol e a Lua saem do signo de Câncer. [...] O meio do quadro é ocupado por duas torres, uma em cada extremidade, para designar as duas famosas colunas de Hércules, aquém e além das quais esses dois grandes astros jamais passaram. Entre as duas colunas estão dois cães que parecem latir contra a Lua e observá-la: ideia perfeitamente egípcia. Esse povo único pelas alegorias comparava os trópicos a dois palácios guardados, cada um por um cão."

1783, Alliette: nº 3, a Lua

"A Lua significa *coup de langue* [calúnia] (no sentido de "maledicência")."

1909, Papus: 18, a Lua

Sentido espiritual: distribuição hierárquica (luz). Sentido moral ou alquímico: as forças ocultas. Sentido físico (que também pode ser utilizado para a adivinhação): os inimigos ocultos. Sentido divinatório: inimigos ocultos. Perigo.

1927, Oswald Wirth: XVIII, a Lua

Imaginação, aparência, ilusões, influência ativa da Lua.

PARA O BEM. Objetividade, mundo sensível, experimentação, trabalho, conquista penosa da verdade. Instrução pela dor; tarefa imposta; trabalho árduo e maçante, mas necessário. Vidência passiva, lucidez. Navegação.

PARA O MAL. Erro dos sentidos, falsas suposições, ciladas, armadilhas, decepções, teorias enganadoras, saber fantástico, visionarismo, adulações, ameaças, chantagem, desorientações, viagem, caprichos, fanatismo.

1949, Paul Marteau: lâmina XVIII, a Lua

SENTIDO ELEMENTAR. A Lua representa os sonhos quiméricos do homem, criados na obscuridade, sob a influência das fermentações de sua alma, sob a pressão obsessiva dos desejos pantanosos, mas que o libertam de seus tormentos pessoais assim que ele sente sua inconsistência.

SENTIDO CONCRETO. A quimera, pois a Lua, por refletir o Sol como luz e não iluminar por si mesma, oferece uma ilusão, uma miragem. Ela não oferece uma realidade, mas manifesta uma vida emprestada. Não tem vida própria e faz aparecer uma não existência.

MENTAL (a inteligência). Em caso de negociações, mentiras. Em caso de um trabalho pessoal, erro. Miragem em todos os níveis.

ANÍMICO (as paixões emotivas). Sentimentos perturbados, passionais, sem outro resultado além da desordem. Ciúme, hipocondria, ideias quiméricas.

FÍSICO (o lado utilitário da vida). Obscurecimento total. Estado de consciência perturbada e ativa. Escândalo, difamação, delação, segredo revelado. Se a pergunta se referir à saúde, haverá desordem no sistema linfático; é necessário sair do ambiente sem higiene e colocar-se em local seco, ao sol.

INVERTIDA. O instinto, causa da miragem, acentua seus efeitos pela situação, no alto, do pântano. Estado de consciência perturbada, mas que permanece latente, sem agir.

XVIIII. O Sol

Diferentes denominações: il Sole, le Soleil.

Outras posições ocupadas no tarô: número XVIII na lista mais antiga dos trunfos e na ordem B.

Etimologia e significados do termo *soleil*: surgido no fim do século X, proveniente do latim *sol, solis*, que designa ao mesmo tempo o sol, o meio-dia, a vida pública e o grande homem.

Tarô de Bernard Schaer,
o Sol, 1784, BnF.

Tarô de Suzanne Bernardin,
o Sol, Marselha, 1839, BnF.

❖❖❖ *Sobre o Sol*

Pode-se notar de imediato que essa carta deixou muitos autores perplexos, pois, como a Estrela, é de uma falsa simplicidade. Um sol, um muro, duas crianças ou dois jovens: simples, mas por que essas associações? Tradicionalmente, em astrologia o Sol governa o signo de Leão.

No entanto, vimos que outros tratados astrológicos fizeram outras associações. As *Astronômicas*, texto de astrologia antiga, redescoberto pelos humanistas em 1417, associam Apolo e "os amáveis Gêmeos". Pois, como para a Lua, não se pode duvidar do signo do zodíaco aqui representado. Em contrapartida, parece que o Sol, os Gêmeos e o muro são uma representação encontrada apenas no Tarô de Marselha. Nos tarôs mais antigos, o Sol é ilustrado com as mais diversas alegorias. Assim, no Tarô de Visconti vemos um menino nu e alado, em pé sobre uma nuvem e segurando o Sol com os braços erguidos: a visão medieval do cosmos estabelece uma relação muito próxima entre o círculo dos anjos e as esferas planetárias. Santo Tomás de Aquino, por exemplo, diz que os anjos da segunda hierarquia, ou seja, as Virtudes, movem os céus e as estrelas pela vontade de Deus. No Tarô de Carlos VI, uma estranha fiandeira estica seu fio sob o sol: alusão ao fio da vida? Pois o sol é tradicionalmente associado à vida, como a lua à morte. Seria necessária uma obra inteira para inventariar todos os símbolos e as representações ligadas ao astro dos dias, principal motor da vida na terra. Quando consideramos os filhos dos planetas nos tratados astrológicos mencionados, vemos o Imperador que, com os outros Filhos do Sol, exercita-se em jogos de habilidade, faz música, conversa com outros homens de poder. O Sol é o astro ligado à força.

Paremos aqui na lista de significados: símbolo masculino, pai, divindade que revigora... Vemos que o Sol e a Lua não são elementos astronômicos, mas símbolos plenos: o pai, a mãe, o céu, a terra. Também podem representar estados após a morte: o inferno para a Lua, o paraíso para o Sol. Plutarco dizia que a Lua era a morada dos homens após a morte. Além disso, como já vimos, após residirem no éter da Lua, as almas morriam uma segunda vez. O espírito se separava da alma e renascia para subir ao Sol, a fim de nele se reunir com a divindade. Essa ideia de representar estados após a morte é ainda mais interessante nessa espécie de esquema ascensional, que supostamente era proposto pelo conjunto dos trunfos do tarô: após a Morte e o Inferno, que pudemos ver representados pelos arcanos XII, XIII, XV e XVI, o homem sobe ao céu. É o que faz Dante em *A Divina Comédia* (1472): depois de visitar o Inferno, Dante e Virgílio reveem do lado de fora as estrelas e continuam sua ascensão rumo ao Purgatório e, em seguida, ao Paraíso.

Os autores do tarô também reproduzem aqui as representações tradicionais: após a sombria Lua, para eles essa carta é claramente positiva. De resto, os desenhos das pequenas "gotas" coloridas, encontradas na maioria dos tarôs (na posição correta ou invertida, dependendo dos baralhos), podem simbolizar o maná terrestre: assim era representada nas antigas imagens a substância que Deus fazia cair do céu para nutrir os filhos de Israel no deserto. De modo mais amplo, essas "gotas" também designam tudo o que provém do céu para trazer algo ao mundo.

♦♦♦ *Significados divinatórios*

1781, Court de Gébelin: nº XIX, o Sol

"O Sol é representado aqui como o Pai físico dos humanos e da natureza inteira: ele ilumina os homens na sociedade, governa suas cidades; de seus raios destila lágrimas de ouro e pérolas. Assim se designavam as felizes influências desse astro."

1781, conde de Mellet

"Nesse sentido, o Sol correspondendo a Gimel (Gêmeos) significa retribuição, felicidade."

1783, Alliette: nº 2, o Sol

"O Sol: esse hieróglifo significa *esclarecimento*."

1909, Papus: 19, o Sol

Sentido espiritual: a verdadeira luz. Sentido moral ou alquímico: o ouro filosófico. Sentido físico (que também pode ser utilizado para a adivinhação): a verdade fecunda. Sentido divinatório: felicidade material. Casamento fecundo.

1927, Oswald Wirth: XIX, o Sol

Luz, razão, concórdia, influência do Sol.

PARA O BEM. Discernimento límpido, clareza de julgamento e de expressão, talento literário ou artístico. Pacificação, harmonia, bom entendimento, felicidade conjugal. Fraternidade, predomínio da inteligência e dos bons sentimentos. Reputação, glória, celebridade.

PARA O MAL. Ofuscamento, vaidade, afetação, cabotinismo, amor-próprio, suscetibilidade. Artista incompreendido. Miséria dissimulada sob uma aparência de brilho, blefe, aparato falacioso, fachada simuladora e cenário de prestígio.

1949, Paul Marteau: lâmina XVIIII, o Sol

SENTIDO ELEMENTAR. A luz sempre presente no homem, manifestada na atividade do dia, velada nas meditações noturnas e que lhe permite elevar na clareza e na harmonia suas construções materiais, afetivas ou espirituais.

SENTIDO CONCRETO. Irradiação, pois o Sol que lança seus raios no mundo dá vitalidade e harmonia.

MENTAL (a inteligência). Superioridade intelectual. Sabedoria nos textos, difusão harmoniosa sobre a massa, propagação do pensamento de grande alcance.

ANÍMICO (as paixões emotivas). Afeição nobre, dedicação altruísta. Essa lâmina aplica-se apenas aos grandes sentimentos.

FÍSICO (o lado utilitário da vida). A saúde, a beleza física. Elemento de triunfo e sucesso em uma situação em que o indivíduo possa encontrar-se.

INVERTIDA. Grande adversidade, sorte contrária, tentativas no escuro.

XX. O Julgamento

Diferentes denominações: l'Angelo, lo Angelo, Angelo, Leiugement, le Jugement.

Outras posições ocupadas no tarô: número XVIIII na lista mais antiga dos trunfos e na ordem B, número XXI na ordem A.

Etimologia e significados do termo *jugement*: do latim *judicare*, que significa "julgar, condenar".

Tarô de Bernard Schaer,
o Julgamento, 1784, BnF.

Tarô de Viéville, o Julgamento,
Paris, cerca de 1650, BnF.

◆◆◆ *Sobre o Julgamento*

Por mais que nossos amigos Court de Gébelin e Alliette tenham negado essa evidência e alguns ocultistas depois deles tenham falado na ressurreição de Osíris, estamos diante do Juízo Final bíblico, cujas representações são numerosas desde a Idade Média. Seja qual for o tarô considerado, essa iconografia não varia; vemos sempre a mesma coisa: no céu, um anjo toca uma trombeta, e na terra, os mortos se levantam do túmulo. Essa imagem é claramente inspirada em muitas representações do Juízo Final; as mais antigas remontam ao ano mil, aproximadamente, e atingem sua perfeição nos tímpanos das catedrais. Um exemplo mais antigo teria sido catalogado: um baixo-relevo em marfim do ano 800, em Tours. Em contrapartida, nos tarôs omitiu-se o Cristo, e os dois anjos que costumavam aparecer à sua esquerda e à sua direita foram substituídos por um único anjo central (embora haja dois em algumas cartas). Em todas as imagens, os mortos saem nus de seus túmulos. Essa ilustração provém dos textos dos Padres da Igreja. Desse modo, Inocêncio III escreveu em seu assustador opúsculo sobre o desprezo do mundo: "O homem sai nu do ventre materno e nu retorna à terra". O Livro de Jó já dizia: "Nu saí do ventre de minha mãe e nu voltarei".

Na realidade, essa iconografia do anjo que toca a trombeta e dos mortos que se erguem mistura vários textos bíblicos. Há uma alusão evidente ao Apocalipse de São João, mas em relação a duas passagens diferentes, colocadas na mesma imagem. Por um lado, os sete anjos sopram as sete trombetas para fazer chover na terra as sete pragas do Apocalipse e, assim, punir os pecadores: "Então, os sete anjos que tinham as trombetas prepararam-se para tocar. O primeiro anjo tocou a trombeta, e houve saraiva e fogo misturados com sangue, que foram atirados à terra. Foi, então, queimada a terça parte da terra, e das árvores, e também toda erva verde" (Apocalipse, VIII, 6-7). Podemos nos perguntar eventualmente se esse tipo de passagem bíblica não teria influenciado a iconografia da Casa de Deus. Por outro lado, os mortos se levantam de seu túmulo diante de Cristo em majestade, mas apenas no capítulo XX do Apocalipse (XX, 12-15): "Vi também os mortos, os grandes e os pequenos, postos em pé diante do trono. Então, se abriram livros. Ainda outro livro, o Livro da Vida, foi aberto. E os mortos foram julgados, segundo as suas obras, conforme o que se achava escrito nos livros. Deu o mar os mortos que nele estavam. A morte e o além entregaram os mortos que neles havia. E foram julgados, um por um, segundo as suas obras. Então, a morte e o inferno foram lançados para dentro do lago de fogo. Esta é a segunda morte, o lago de fogo. E, se alguém não foi achado inscrito no Livro da Vida, esse foi lançado para dentro do lago de fogo". É justamente dessa cena que se trata na carta do tarô: pode-se notar que ela é chamada de "Julgamento", e não de "Ressurreição": "E foram julgados, um por um, segundo as suas obras".

♦♦♦ *Significados divinatórios*

1781, Court de Gébelin: nº XX, quadro erroneamente nomeado "o Juízo Final"

"Esse quadro representa um Anjo tocando uma trombeta: logo vemos sair da terra um ancião, uma mulher e uma criança nus. Os fabricantes de cartas que haviam perdido o valor desses quadros e, mais ainda, seu conjunto, viram aqui o Juízo Final; e, para torná-lo mais apreciável, inseriram algo como túmulos. Tirai esses túmulos, e esse quadro também serve para designar a Criação, ocorrida no tempo, no início dos tempos, indicada pelo nº XXI."

1783, Alliette: nº 16, o Julgamento

"C. B. A.: o Julgamento em C diz que nada julgais; B. C. A.: o que julgais de B é verdadeiro, o que julgais de A é falso. Significa *Julgamento*."

1909, Papus: 20, o Julgamento

Sentido espiritual: proteção pelas forças divinas. Sentido moral ou alquímico: renascimento moral. Sentido físico (que também pode ser utilizado para a adivinhação): mudança de situação. Sentido divinatório: mudança de posição.

1927, Oswald Wirth: XX, o Julgamento

Inspiração, sopro redentor, influência da Lua e de Mercúrio.

PARA O BEM. Entusiasmo, exaltação anímica, espiritualidade. Profetismo, santidade, teurgia, medicina milagrosa. Ressurreição do passado, renovação, nascimento. Propaganda, apostolado.

PARA O MAL. Êxtase espiritual, embriaguez mental, iluminismo. Energúmeno que exalta as multidões; evocador que exterioriza os fantasmas; grito, barulho, confusão, agitação sem nenhum efeito.

1949, Paul Marteau: lâmina XX, o Julgamento

SENTIDO ELEMENTAR. O homem, despertado de seu sono na matéria por sua parte divina, que o obriga a examinar sua alma em sua nudez e a julgá-la.

SENTIDO CONCRETO. A denominação "Julgamento" lhe foi dada não no sentido de justiça, mas no de comparação e avaliação do ser humano por seu próprio intelecto.

MENTAL (a inteligência). O apelo do homem a um estado superior, suas tendências e seus desejos de elevação.

ANÍMICO (as paixões emotivas). Sem ascendência anímica.

FÍSICO (o lado utilitário da vida). Boa carta. Trabalho de biblioteca, de compilação, de classificação. Estabilidade em um bom ou mau negócio. Saúde e equilíbrio.

INVERTIDA. Engano sobre si mesmo e sobre todas as coisas, provas resultantes de um julgamento errôneo.

XXI. O Mundo

Diferentes denominações: il Mondo, Lemonde, le Monde.

Outras posições ocupadas no tarô: número XXI na lista mais antiga dos trunfos e número XX na ordem A.

Etimologia e significados do termo *monde*: vocábulo surgido no século XII, proveniente do latim *mundus*. Embora no início *mundus* designasse o globo terrestre, o significado evoluiu posteriormente. Aqui, *monde* não designa o planeta Terra, mas o Universo como sistema organizado.

Tarô conhecido como de Carlos VI, o Mundo, norte da Itália, século XV, BnF.

Tarô de Nicolas Conver, o Mundo, Marselha, 1809-1833, BnF.

◆◆◆ *Sobre o Mundo*

Portanto, essa carta não representa nosso planeta, como poderia representar os outros astros que acabamos de ver – Vênus, Lua, Sol. Ela contém todos os atributos para designar o conjunto do Universo e até a divindade. Na realidade, essa carta, também aparentemente simples, é uma mistura de duas coisas. Primeiro, nela vemos com clareza os atributos da divindade, tal como aparecem nos Cristos em majestade desde o início da Idade Média: Jesus triunfante ocupa seu lugar nessa forma oval, a *mandorla*, que em italiano significa "amêndoa". A *mandorla* é encontrada por toda parte na Idade Média, emoldurando Cristo, mas também milhares de imagens de santos, santas e da Virgem, aos quais chegava a ser reservada. Talvez provenha da Índia, onde também é vista emoldurando imagens de divindades hindus. Posteriormente, teria emigrado para o Ocidente. Na época helenística, há imagens de Mitra representado como um jovem nu em uma guirlanda oval, na qual aparecem os 12 signos do zodíaco, e às vezes cercado pelos quatro ventos (que também são encontrados em alguns tarôs no lugar das quatro figuras, como no Tarô Parisiense anônimo aqui apresentado). No Império Romano, o culto a Mitra era muito difundido. Como outros cultos orientais, ele convivia com o cristianismo primitivo: desse modo, sua imagem pôde ser reutilizada para representar Cristo. É cercado por quatro figuras: o anjo ou homem, a águia, o leão e o boi, que costumam ser associados aos quatro evangelistas, mas na realidade aparecem na Bíblia a partir de Ezequiel (I, 10-28) e, na visão do profeta, estão relacionados à própria manifestação da divindade: "A forma de seus rostos era como o de homem; à direita, os quatro tinham rosto de leão; à esquerda, rosto de boi; e também rosto de águia, todos os quatro". As quatro faces cercam o trono de Deus.

Em seguida, o que faz a figura feminina em meio aos mais elevados atributos da divindade, normalmente reservados às representações de Deus? Isso quase poderia configurar uma blasfêmia. Seria ela o que chamamos de "o Mundo"? Em manuscritos medievais antigos, há imagens que representam um globo contendo todas as esferas (portanto, o mundo, no sentido de Universo), encimado pelo Cristo na *mandorla*. De resto, esta é a forma como os tarôs italianos costumam representar o mundo: como uma esfera. Ora ela é carregada por anjos, como no Tarô de Visconti, ora é encimada por uma figura feminina alegórica, que, de fato, poderia representar o mundo. Portanto, nessa carta do tarô, ela representaria o Cristo na *mandorla*. Dois símbolos normalmente separados se fundiram: o mundo (a esfera, a mulher) e seu criador (a *mandorla*, as quatro figuras). Na realidade, pesquisando um pouco mais e de maneira mais simplificada, notamos que no Renascimento certas blasfêmias já não eram tão temidas. Nas representações alegóricas, cada vez mais se colocava na *mandorla* todo tipo de figura que se desejasse ver celebrada ou exaltada, por assim dizer. Por exemplo, há "Triunfos de Vênus" ilustrados desse modo, com uma Vênus na *mandorla*, diante da qual se ajoelham tímidos apaixonados. No entanto, aqui provavelmente se trata mais de uma alegoria da Glória, que aos poucos suplanta o Cristo triunfal.[200] Os antigos dicionários iconológicos descrevem da seguinte forma como representar o triunfo absoluto sobre qualquer coisa: por meio de uma figura feminina alegórica, que usa uma coroa e/ou um cetro e é colocada como Cristo acima do globo do mundo. Na verdade, a mulher na *mandorla* ou acima do globo do Tarô de Carlos VI não é o mundo: ela substituiu Deus para representar a glória. O mundo é dela.

Talvez seja isso que se obtém após vencer o jogo dos triunfos...

---

200 De resto, ele já não era representado dessa forma nas igrejas das épocas clássica e barroca.

◆◆◆ *Significados divinatórios*

1781, Court de Gébelin: nº XXI, quadro erroneamente nomeado de "o Mundo"

"Esse quadro, que os fabricantes de cartas nomearam 'o Mundo' porque o consideraram a origem de tudo, representa o tempo. [...] No centro está a Deusa do Tempo, com seu véu que esvoaça e lhe serve de cinto ou peplo, como chamavam os antigos. Ela parece correr como o tempo e em um círculo que representa as revoluções temporais, bem como o ovo de onde tudo sai no tempo. Nos quatro cantos do quadro estão os emblemas das quatro estações. [...] A águia representa a primavera, na qual reaparecem os pássaros. O leão é o verão ou o calor intenso do Sol. O boi, o outono, quando se lavra e semeia a terra. O jovem, o inverno, quando as pessoas se reúnem em sociedade.

1783, Alliette: nº 5, o Mundo

"O Mundo significa *viagem*."

1909, Papus: 21 ou 22, o Mundo

Sentido espiritual: o absoluto. Sentido moral ou alquímico: realização da Grande Obra. Sentido físico (que também pode ser utilizado para a adivinhação): triunfo certo. Sentido divinatório: sucesso garantido.

1927, Oswald Wirth: XXI, o Mundo

Realização, recompensa, apoteose, influência de Júpiter e do Sol.

PARA O BEM. Fortuna importante, sucesso completo, coroamento de uma obra, realização. Intervenção decisiva. Circunstâncias muito favoráveis, ambiente propício. Integridade absoluta. Absorção contemplativa. Êxtase.

PARA O MAL. Enorme obstáculo, ambiente hostil, tudo contra si. Mundanidade, dispersão, distração, falta de aplicação e de concentração. Grande revés da fortuna, ruína, desconsideração social.

1949, Paul Marteau: lâmina XXI, o Mundo

SENTIDO ELEMENTAR. Representa o homem que se equilibrou apoiando-se nos princípios cósmicos: a sabedoria e a espiritualidade, a força geradora e a força diretriz, e que exerce seu poder sobre a natureza na harmonia das leis universais.

SENTIDO CONCRETO. Por encontrar-se no topo dos arcanos maiores, ela concretiza harmoniosamente os esforços da evolução indicada pelas lâminas anteriores.

MENTAL (a inteligência). Grande força nesse plano. Tendência à perfeição. Domínio mental e psíquico.

ANÍMICO (as paixões emotivas). Conserva sua força nesse plano e significa elevação do espírito, sentimento de amor altruísta, ou seja, nem egoísta, nem sensual (pois o ser representado na lâmina é andrógino). Amor pela humanidade. Tendência à perfeição. Inspiração entre os artistas.

FÍSICO (o lado utilitário da vida). Nesse plano ao qual não está muito adaptada, ela perde uma parte considerável de sua força. Aquisições ricas. Negócios sólidos e esplêndidos. Sucesso e mundanidades. Boa saúde.

INVERTIDA. Ciladas, obstáculos, fracassos. Negação de um triunfo, de sentimentos. Sacrifício do amor.

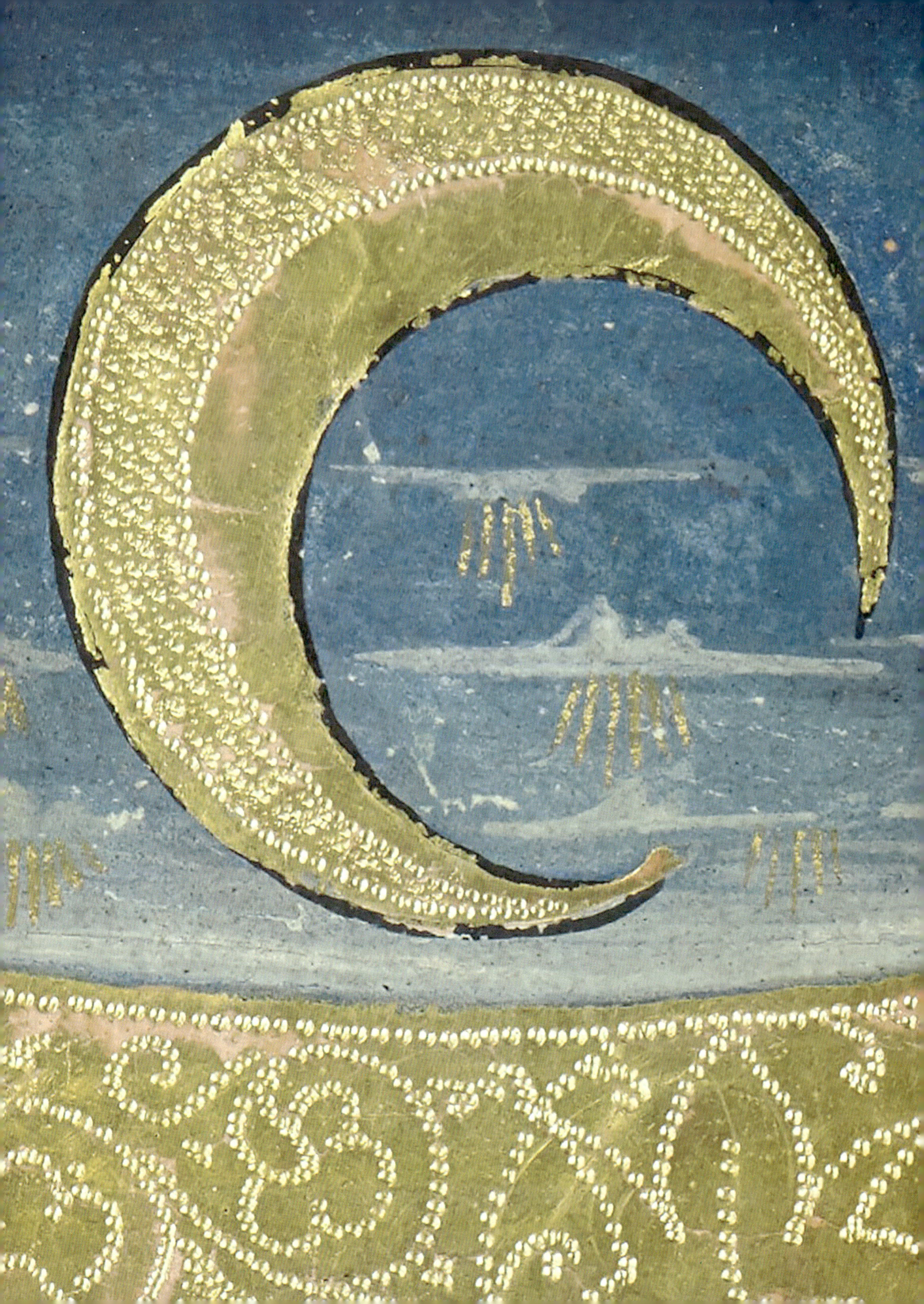

Conclusão

Tarô conhecido como de Carlos VI, a Lua, norte da Itália, século XV, BnF (detalhe).

Abandono aqui o belo e antigo estilo do "nós" para concluir com um pensamento mais pessoal. Ao lerem este livro, alguns de vocês devem ter se perguntado sobre minha metodologia. Não deixei de revelar minha incredulidade a respeito de muitas coisas relacionadas ao tarô. No entanto, pratico o tarô desde 2009. Isso significa que não escrevi este livro de história como uma racionalista que tenta eviscerar o "irracional" a qualquer preço.

Quando adquiri meu primeiro tarô, fiz a mim mesma três perguntas simultâneas: como utilizá-lo, de onde ele vem e como foi constituído? Um reflexo automático de alguém apaixonado por história. E comecei a pesquisar sem nenhuma teoria elaborada *a priori*: é algo próprio da pesquisa histórica como disciplina e me parece uma base muito saudável para começar um questionamento. Começa-se por estabelecer um tema. Nesse caso, meu tema era: de onde vêm essas cartas? Elas têm um significado? Em seguida, procuram-se apenas as informações mais confiáveis sobre esse tema. Com elas são elaboradas teorias, e não o contrário. Esse é o melhor meio de abrir o campo das possibilidades, em vez de reduzi-lo a um fio estreito, no qual tentamos nos segurar para ir a todo custo rumo à nossa ideia inicial. Essa foi uma das poucas certezas que serviram de base à escrita deste livro. Desse modo, não parti com a ideia inicial de que eu tinha nas mãos um jogo concebido por sábios, mas apenas com a seguinte pergunta: que jogo é esse que tenho nas mãos? Aceitei assumir o risco de talvez encontrar como resposta: isso não importa nem um pouco.

Comecei pelos livros, é claro. Descobri obras de historiadores que sabiam bem mais sobre o tarô do que muitos tarólogos, mas que, em sua maioria, demonstravam um desprezo incontestável pelo Tarô Divinatório. Paralelamente a isso, encontrei em muitos livros sobre o tema inúmeras ideias prontas: "O tarô foi ensinado por mestres a seus discípulos", "trata-se de um sistema perfeito, que vem de tempos imemoriais"... No entanto, descobri que essas duas abordagens não eram nada incompatíveis. Para dar um exemplo bastante conhecido, pode-se muito bem conceber que o homem "descende do macaco" e, ao mesmo tempo, foi criado por Deus. Creio que desvendar certos arcanos da história do tarô nada tira de seu mistério.

Talvez alguns leitores tenham ficado surpresos ao ver que nem sempre os arcanos trazem os mesmos números, ou ainda que há não apenas um Tarô de Marselha, mas dezenas de baralhos; ou que o "Tarô de Marselha" é um conceito recente, elaborado principalmente por Paul Marteau não antes de 1930. Em todo caso, é o que os historiadores encontraram, e estou de acordo com eles, pois quis ver as cartas antigas sempre com essa vontade de saber mais sobre elas: se existe mesmo um Tarô de Marselha arquetípico que serve de base a todo o sistema, que tarô é esse? Onde está? Não encontrei nenhum, ou melhor, encontrei centenas. E fiquei muito feliz ao contemplar essa grande quantidade de imagens diferentes, de Eremitas em azul ou preto, de Imperadores de frente ou de lado, de Temperanças de cabelos azuis ou amarelos, de Pendurados por um pé ou dois...

Essas descobertas me encantaram. Para mim, elas mais enriquecem do que empobrecem a prática do tarô. Com elas, imagino que nenhum iniciado criou um Tarô de Marselha primitivo, que o jogo não é fundamentado por nenhum esquema de base, existente em algum lugar em uma época original. Acho até difícil conceber essa ideia depois de ter descoberto, além dessa grande quantidade de jogos, os textos dos primeiros ocultistas. Sobre alguns deles, cabe perguntar até que ponto eram iniciados em alguma coisa. No entanto, é deles que tudo provém. Penso que nenhum mestre ensinou um saber primordial ligado a esse jogo estranho e fascinante e que isso não me impede absolutamente de utilizá-lo e gostar do que ele traz em si.

Seria necessário passar por uma "iniciação" para alcançar uma verdade? Essa era a principal ideia dos primeiros autores que escreveram sobre o tarô. Os séculos XVIII e XIX viveram a paixão das sociedades secretas. Mas hoje experimentamos com frequência cada vez maior a busca por conhecimentos primordiais no fundo de nós mesmos, por meio da meditação, da criação e de tantas outras coisas. Cada pessoa que pratica o tarô sabe muito bem que pode viver experiências interessantes sem necessariamente passar por um ocultismo exacerbado ou por uma iniciação elaborada. Admiramos o saber ancestral diante de uma estátua de Buda, modelada por um artesão tailandês, diante de uma pintura aborígene, desenhada por um habitante das áreas remotas da Austrália; deixamo-nos transportar por sua simplicidade, por sua profundidade. Por que, então, tirar de nossos ancestrais as mesmas faculdades de conceber por si próprios coisas belas e interessantes, inspirando-se no que os circundava? Poderia um modesto artesão, fabricante de cartas, ou ainda um servidor de príncipe italiano em seu gabinete ter elaborado esses conjuntos de cartas tão ricos sem estimular nossa curiosidade e nossa sede de caminhar rumo ao esclarecimento?

Quando comecei a trabalhar com a história do tarô, deixei de lado algumas de minhas ideias preconcebidas sobre esse jogo, mas prefiro a descoberta associada à desilusão ao inverso. Para mim, isso não retira absolutamente a força dos símbolos veiculados por essas cartas.

Observo a Roda da Fortuna criada por nossos ancestrais para refletirem sobre a impermanência das coisas. Creio que ela seja autossuficiente para me transmitir sua beleza e sua profundidade.

Nada sei sobre ela. Simplesmente gosto dela e a contemplo.

Petrarca, *Des remèdes de fortune* [Dos Remédios da Fortuna] (manuscrito francês), Rouen, 1503, BnF.

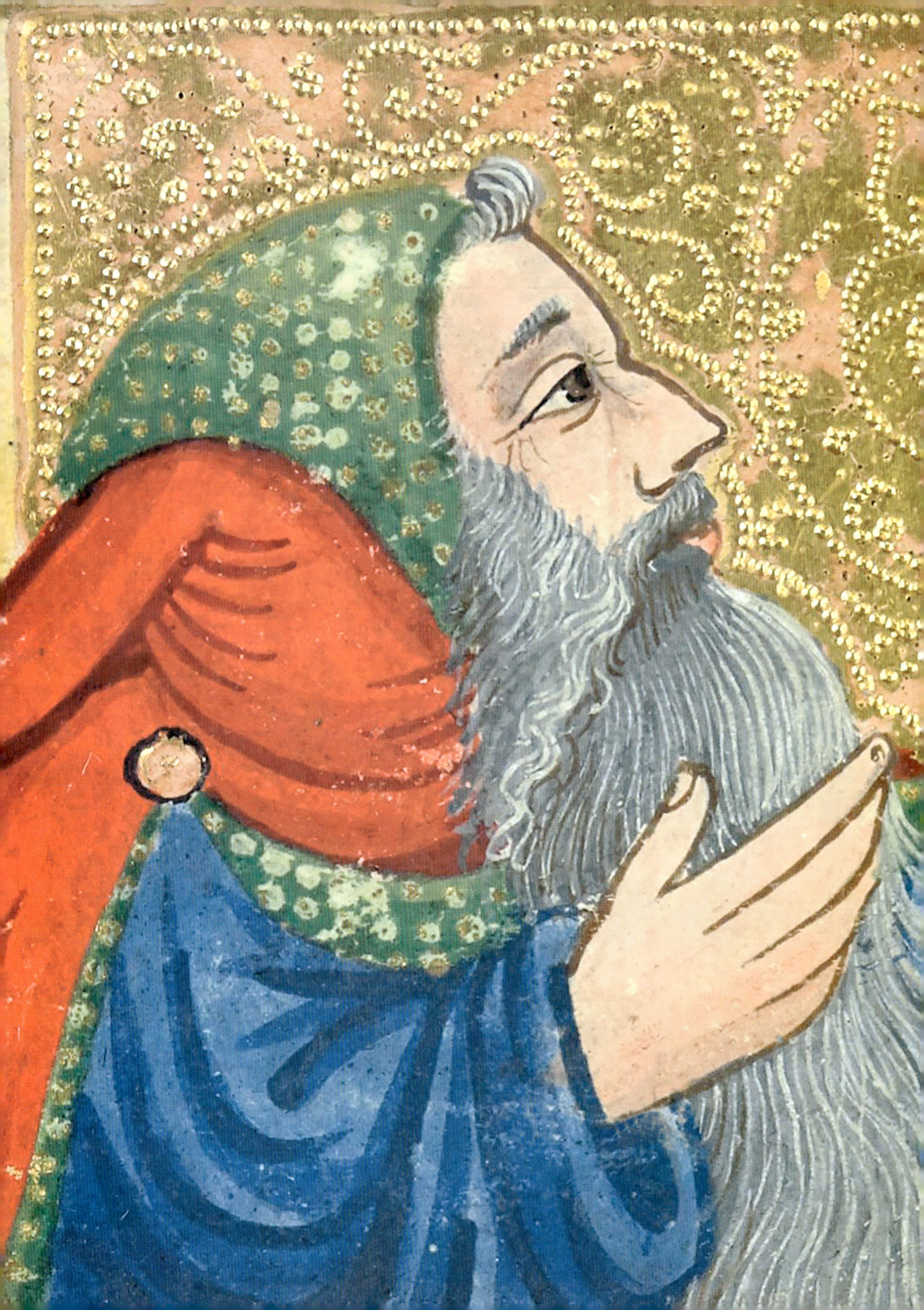

Mais informações...

Tarô conhecido como de Carlos VI, o Eremita, norte da Itália, século XV, BnF (detalhe).

Apêndice A: O tarô de Etteilla segundo seu livro de 1783

Neste apêndice apresentaremos os significados a serem atribuídos às cartas segundo as instruções de Etteilla: o número a ser colocado na carta, o nome da carta correspondente, seguido do significado a ser anotado no alto da carta e daquele a ser anotado em sua parte inferior, para a carta invertida. Acrescento em itálico o nome da carta no Tarô de Marselha, quando ele é diferente daquele dado por Etteilla. No que se refere às 21 primeiras cartas, o livro não menciona significados divinatórios para a carta invertida.

Em Gallica é possível encontrar uma reprodução excepcional do Tarô de Etteilla, datado de 1788, sob a forma de estampas gravadas e intituladas *Livre de Thot*: http://gallica.bnf.fr/ark:/12148/btv1b10545802x.

- Nº 1: *o Papa*. O caos. Significa o consulente.
- Nº 2: o Sol. Significa esclarecimento.
- Nº 3: a Lua. Significa calúnia.
- Nº 4: a Estrela. Significa despojamento.
- Nº 5: o Mundo. Significa viagem.
- Nº 6: a Imperatriz. Significa que há males que vêm para bem.
- Nº 7: o Imperador. Significa apoio.
- Nº 8: a Papisa. Significa a consulente.
- Nº 9: a Justiça. Significa equidade.
- Nº 10: a Temperança. Significa que é preciso ter moderação.
- Nº 11: a Força. Significa a força.
- Nº 12: *o Pendurado*. A Prudência. Significa a prudência.
- Nº 13: *o Enamorado*. O Casamento. Significa casamento.
- Nº 14: o Diabo. Significa força maior.
- Nº 15: o Mago. Significa doenças.
- Nº 16: o Julgamento. Significa julgamento.

Nº 17: a Morte. Significa a morte, um projeto ou um processo.
Nº 18: o Eremita. Significa um hipócrita, um traidor.
Nº 19: a Casa de Deus. Significa prisão, miséria.
Nº 20: a Roda da Fortuna. Significa aumento e fortuna.
Nº 21: o Carro. Significa barulho, altercação, divergência.
Nº 22: o Rei de Bastões. Significa um homem. Invertida: homem bom, mas severo.
Nº 23: a Dama de Bastões. Significa uma mulher. Invertida: mulher econômica e virtuosa.
Nº 24: o Cavaleiro de Bastões. Significa partida. Invertida: desunião.
Nº 25: o Valete de Bastões. Significa bom estrangeiro. Invertida: notícia falsa.
Nº 26: o 10 de Bastões. Significa traição. Invertida: barras.
Nº 27: o 9 de Bastões. Significa atraso. Invertida: traves.
Nº 28: o 8 de Bastões. Significa passeio no campo. Invertida: disputas internas.
Nº 29: o 7 de Bastões. Significa falatório. Invertida: indecisão.
Nº 30: o 6 de Bastões. Significa doméstico. Invertida: espera.
Nº 31: o 5 de Bastões. Significa ouro. Invertida: processo.
Nº 32: o 4 de Bastões. Significa sociedade. Invertida: florescimento.
Nº 33: o 3 de Bastões. Significa empreendimento. Invertida: sofrimento perto de acabar.
Nº 34: o 2 de Bastões. Significa tristeza. Invertida: surpresa.
Nº 35: o 1 de Bastões. Significa nascimento. Invertida: desconfiar da primeira vitória.
Nº 36: o Rei de Copas. Significa um homem louro. Invertida: homem importante, mas no lugar errado.
Nº 37: a Dama de Copas. Significa mulher loura. Invertida: mulher importante, mas conspiradora.
Nº 38: o Cavaleiro de Copas. Significa chegada. Invertida: mais espírito do que consciência.
Nº 39: o Valete de Copas. Significa rapaz louro. Invertida: é um adulador.
Nº 40: o 10 de Copas. Significa a cidade onde se está. Invertida: prestes a perder.
Nº 41: o 9 de Copas. Significa vitória. Invertida: sinceridade.
Nº 42: o 8 de Copas. Significa moça loura. Invertida: festas, alegria.
Nº 43: o 7 de Copas. Significa o pensamento. Invertida: projeto.
Nº 44: o 6 de Copas. Significa o passado. Invertida: o futuro.
Nº 45: o 5 de Copas. Significa herança. Invertida: falsos projetos.
Nº 46: o 4 de Copas. Significa tédio. Invertida: nova amizade.
Nº 47: o 3 de Copas. Significa sucesso. Invertida: resolução de questões.
Nº 48: o 2 de Copas. Significa amor. Invertida: desejo.
Nº 49: o 1 de Copas. Significa mesa. Invertida: mudança.
Nº 50: o Rei de Espadas: Significa homem de toga. Invertida: homem mau.
Nº 51: a Dama de Espadas. Significa viuvez. Invertida: mulher má.[201]
Nº 52: o Cavaleiro de Espadas. Significa militar, homem da nobreza. Invertida: presunçoso.[202]
Nº 53: o Valete de Espadas. Significa um espião. Invertida: imprevisto.
Nº 54: o 10 de Espadas. Significa pranto. Invertida: acontecimento desagradável que trará benefício.

---

201 Raramente as cartas são descritas com mais de uma ou duas palavras. Nesse caso, Etteilla desenvolveu uma descrição que vale a pena ser citada por seu caráter pitoresco: "Mulher má, colérica, briguenta, carola, um diabo em casa".

202 Mesma observação para o cavaleiro: "É um presunçoso que só profere sarcasmos trazidos das casas de jogos clandestinos e dos salões para fumantes, enfim, dos lugares por ele frequentados, pois, dada sua natureza antifibológica (incompetente), é um ignorante". {Perguntei à autora sobre o significado do termo "antiphibologique", que não encontrei em nenhum lugar. Ela me disse que Alliette escrevia mal e inventava palavras; assim, sugeriu que eu deixasse o termo "antifibológica" e propusesse o significado "incompetente" entre parênteses.}

Nº 55: o 9 de Espadas. Significa eclesiástico. Invertida: desconfiar ou desconfiança justificada.
Nº 56: o 8 de Espadas. Significa doença conhecida como "de N". Invertida: traição passada.
Nº 57: o 7 de Espadas. Significa esperança. Invertida: conselhos prudentes.
Nº 58: o 6 de Espadas. Significa enviado, mandatário. Invertida: declaração de amor.
Nº 59: o 5 de Espadas. Significa perda. Invertida: luto.
Nº 60: o 4 de Espadas. Significa solidão. Invertida: economia.
Nº 61: o 3 de Espadas. Significa religiosa. Invertida: efeito perdido.
Nº 62: o 2 de Espadas. Significa amizade. Invertida: amigos inúteis, amigos falsos ou parentes pouco úteis.
Nº 63: o 1 de Espadas. Significa amor louco.[203] Invertida: gravidez.
Nº 64: o Rei de Denários. Significa homem moreno. Invertida: homem velho e depravado.
Nº 65: a Dama de Denários. Significa mulher morena. Invertida: mal certo.
Nº 66: o Cavaleiro de Denários. Significa homem útil. Invertida: homem corajoso sem emprego.
Nº 67: o Valete de Denários. Significa rapaz moreno. Invertida: pródigo.
Nº 68: o 10 de Denários. Significa a casa. Invertida: loteria.
Nº 69: o 9 de Denários. Significa efeito. Invertida: logro.
Nº 70: o 8 de Denários. Significa moça morena. Invertida: usura.
Nº 71: o 7 de Denários. Significa dinheiro. Invertida: preocupações.
Nº 72: o 6 de Denários. Significa o presente. Invertida: ambição.
Nº 73: o 5 de Denários. Significa amante (homem ou mulher). Invertida: falta de ordem.
Nº 74: o 4 de Denários. Significa um presente. Invertida: fechamento.
Nº 75: o 3 de Denários. Significa nobreza. Invertida: criança.
Nº 76: o 2 de Denários. Significa constrangimento. Invertida: carta.
Nº 77: o 1 de Denários. Significa contentamento absoluto. Invertida: bolsa de dinheiro.
Nº 78 ou nº 0: o Louco. Significa a loucura.

---

203 Nota de rodapé de Etteilla a respeito dessa carta (citada textualmente!): "Amor louco: para moderá-lo, deve-se lavrar a terra 18 horas por dia; o remédio é egípcio".

Apêndice B: Referências dos principais tarôs

Nesta lista encontramos as referências dos principais tarôs históricos conhecidos: local, data de criação, cartas restantes, onde localizar o baralho atualmente digitalizado e comprar uma cópia. Para facilitar a leitura, todo endereço na internet que dá acesso direto a uma fonte digitalizada, a um tarô ou livro antigo foi marcado com o símbolo §. As simples menções a *websites* são marcadas com ¨. Essa lista não é exaustiva: por exemplo, o Tarô de Visconti-Sforza, disponível no *site* da biblioteca onde é conservado, também pode ser consultado em inúmeros *sites*, *blogs* e bases privadas de dados. Apenas o *link* com o principal local de conservação é mencionado aqui (ou, na falta dele, outro *link*). No que se refere aos *sites*, *blogs* e às bases privadas de dados, há no Apêndice D uma lista dos que me pareceram os mais apropriados para a consulta sobre a história do tarô. Na maioria deles, esses baralhos são digitalizados.

◆◆◆ *Os antigos tarôs italianos*

– **O tarô conhecido como de "Visconti di Modrone" ou "de Cary-Yale"** (do nome de seu último proprietário particular). **Milão, 1441**. Restam 67 cartas de prováveis 89, pois esse baralho comporta trunfos suplementares (Fé, Esperança e Caridade), bem como figuras suplementares (criadas e cavaleiras). Conservado na Biblioteca Beinecke da Universidade de Yale (Estados Unidos). Pode ser consultado na base de dados digital dessa universidade. ♣ http://brbl-dl.library.yale.edu/vufind/Record/3432566. Também disponível em vários *sites* privados. Para aquisição há dois fac-símiles editados por US Games Systems e Il Meneghello.

– O Tarô "Brambilla" ou "de Brera-Brambilla" (do nome do último proprietário). Milão, antes de 1447. Também pintado para o duque Filippo Maria Visconti. Restam dois trunfos, o Imperador e a Roda da Fortuna, sete figuras e quase todas as cartas numeradas (falta o Quatro de Denários); ao todo, são 48 cartas. Atualmente conservado na pinacoteca de Brera, em Milão, pode ser consultado em vários *sites* privados. Ver em especial: ♣ http://tarotwheel.net/links/historical%20decks.html.

- **O Tarô "Visconti-Sforza"** ou "de Pierpont Morgan-Bergamo". **Milão, cerca de 1452.** Pintado para Francesco Sforza, que se tornou duque de Milão em 1450. O lema dos Sforza *A bon droyt* [legitimamente], presente em algumas cartas, permitiu identificar o baralho. Esse tarô é célebre por ser o mais completo dentre os antigos jogos conhecidos: restam 72 cartas, conservadas em vários lugares diferentes. Faltam apenas o Diabo, a Casa de Deus, o Três de Espadas e o Cavaleiro de Denários. O principal local de conservação é a Morgan Library and Museum de Nova York. O baralho digitalizado pode ser consultado na base de dados digital dessa biblioteca, no endereço: ♣ http://www.themorgan.org/collection/tarot-cards.

    Também disponível em vários *sites* privados. Muitas reconstituições e fac-símiles desse baralho foram postas à venda: ver sobretudo os *sites* das edições US Games Systems e Lo Scarabeo.

- **O tarô conhecido como de Carlos VI** ou Tarô de Gringonneur. **Talvez Florença, século XV.** Nomeado "Tarô de Carlos VI" por ter sido identificado com uma menção de 1392 a um livro contábil de Carlos VI, que cita um pagamento devido a Jacquemin Gringonneur por um jogo de cartas. Conservado na Biblioteca Nacional da França, sua versão digital pode ser consultada na base de dados Gallica e em vários *sites* privados. Restam 16 trunfos e um Valete de Espadas.
    ♣ http://catalogue.bnf.fr/ark:/12148/cb403537867

    Quinze cartas de um baralho semelhante são conservadas no Museo Civico Castello Ursino, em Catânia (Sicília). Uma reconstituição das cartas existentes desse baralho foi feita por Lo Scarabeo (uma vez que as outras cartas foram recriadas pelo editor) e é vendida com o nome de "Tarô Dourado do Renascimento".

- **O Tarô Rothschild. Florença, século XV.** Nove cartas conservadas no Museu do Louvre, em Paris, na coleção Edmond de Rothschild. Versão digital disponível na base de dados RMN (Réunion des musées nationaux):*
    ♦ www.photo.rmn.fr

    Digitar a solicitação: "Tarot Rothschild". Nos resultados aparecerão esse tarô e outro, conhecido como "de Mantegna".

- **O Tarô d'Este** ou "Este-Aragão". **Ferrara (?), 1473.** Dezesseis cartas, conservadas na Biblioteca Beinecke da Universidade de Yale. Versão digital disponível na base de dados dessa universidade:
    ♣ http://brbl-dl.library.yale.edu/vufind/Record/3432692

- **O Tarô Goldschmidt. Itália, século XV.** Nove cartas, conservadas no Deutsches Spielkartenmuseum [Museu Alemão das Cartas de Baralho]. Não encontrei esse baralho *on-line*. Ver meu *site*, no qual digitalizei reproduções desse jogo, encontradas em livros impressos:
    ♦ www.tarot-paris.com – ver o artigo "Un tarot rare" [Um tarô raro].

- **O Tarô Colleoni. Itália, 1490.** Quatro cartas desse baralho magnífico e um pouco misterioso são conservadas no Victoria and Albert Museum de Londres, que o datou de 1490. Com excelente qualidade de digitalização, podem ser consultadas no seguinte endereço:
    ♣ http://collections.vam.ac.uk/item/0761809

---

* Reunião de museus nacionais. (N. da T.)

- **Tarô de "Sola Busca". 1491.** Esse curioso tarô, cujos arcanos menores são ilustrados, é conservado na Pinacoteca de Milão. Sua versão digital pode ser consultada na seguinte base de dados Wiki:
    - ♣ http://www.tarotpedia.com/wiki/Sola-Busca_gallery?fref=gc&dti=1457073457838971
    Existem vários fac-símiles, entre os quais o de Lo Scarabeo, publicado em 1995, e o de Il Meneghello, de 2013.

♦♦♦ *Os primeiros tarôs impressos nos séculos XVI-XVII*

- **A Folha Cary. Milão (?), cerca de 1500.** Conservada na Biblioteca Beinecke da Universidade de Yale. Versão digital disponível na base de dados dessa universidade, no endereço:
    - ♣ http://brbl-dl.library.yale.edu/vufind/Record/3835917

- **A Folha Rosenwald. Florença (?), cerca de 1500.** Conservada na National Gallery of Art de Washington. Versão digital disponível na base de dados desse museu, no endereço:
    - ♣ www.nga.gov/contente/ngaweb/Collection/art-object-page.41321.html
    Um fac-símile foi recentemente editado por Sullivan Hismans; para acessá-lo, ver o *site*:
    - ♦ www.tarotsheetrevival.com

- **A Folha Metropolitan. Veneza ou Ferrara, cerca de 1500.** Uma parte é conservada no Metropolitan Museum de Nova York. Versão digital disponível na base de dados desse museu, no endereço:
    - ♣ www.metmuseum.org/art/collection/search/385140
    Outra parte é conservada no Museu de Belas-Artes de Budapeste:
    - ♣ www.printsanddrawings.hu/search/prints/5044
    Um fac-símile foi editado por Sullivan Hismans com o nome de "Tarô de Budapeste"; ver seu *site*:
    - ♦ www.tarotsheetrevival.com

- **Eremita e Dama de Copas de um baralho de Tarô Lionês. Lyon (?), cerca de 1475-1500.** Restam duas cartas desse tarô, conservado na Biblioteca Nacional da França e um pouco esquecido. Digitalizado em Gallica no seguinte endereço:
    - ♣ http://gallica.bnf.fr/ark:/12148/btv1b10510958d

- **Tarô de Catelin Geofroy. Lyon, 1557.** Considerado o mais antigo tarô francês de que se tem conhecimento, é também o primeiro em que os trunfos são numerados. Conservado no Museu de Artes Aplicadas de Frankfurt. Sua versão digital pode ser consultada na seguinte base privada de dados:
    - ♣ http://cards.old.no/1557-geofroy

- **Tarô Parisiense Anônimo. Paris, primeira metade do século XVII.** Célebre por ter sido o primeiro tarô conhecido, cujos trunfos são numerados e nomeados. Integralmente conservado na Biblioteca Nacional da França. Digitalizado em Gallica, no seguinte endereço:
    - ♣ http://gallica.bnf.fr/ark:/12148/btv1b105109624
    Há um belo fac-símile, editado por André Dimanche e Grimaud:
    - ♦ http://editions-sivilixi.com/la-reedition-du-tarot-de-paris

- **Tarô de Jacques Viéville. Paris, entre 1643 e 1664.** Integralmente conservado na Biblioteca Nacional da França. Digitalizado em Gallica, no seguinte endereço:
    - ♣ http://gallica.bnf.fr/ark:/12148/btv1b10510963k

Também é encontrado em uma reconstituição feita por Jean-Claude Flornoy. Há dois fac-símiles: uma edição antiga e rara de Héron-Boéchat, preciosa sobretudo porque seu catálogo contém uma regra de jogo de tarô do século XVII; outra reedição por Sivilixi:
- ♦ http://editions-sivilixi.com/le-tarot-de-jacques-vieville-editions-sivilixi

– **Tarô de Jean Noblet. Paris, meados do século XVII.** Célebre por ter sido o primeiro tarô, cujo modelo se apresenta em conformidade com o chamado Tarô "de Marselha". Conservado na Biblioteca Nacional da França, faltam-lhe cinco cartas, do Seis ao Dez de Espadas. Digitalizado em Gallica, no seguinte endereço:
- ♣ http://gallica.bnf.fr/ark:/12148/btv1b105109641

Também é encontrado em uma reconstituição feita por Jean-Claude Flornoy. Existe um fac-símile raro, editado por Joseph H. Peterson, disponível nos *sites* de venda *on-line*.

♦♦♦ *Os tarôs de Marselha do século XVIII*

– **Tarô de Dodal. Lyon, 1701-1715.** Tarô igualmente célebre, pois é o terceiro mais antigo Tarô "de Marselha" de que se tem conhecimento; fabricado em Lyon por Jean Dodal, do qual se sabe que exerceu sua profissão de 1701 a 1715. Conservado na Biblioteca Nacional da França, no seguinte endereço:
- ♣ http://gallica.bnf.fr/ark:/12148/btv1b10537343h

Igualmente conservado no British Museum, sua versão digital pode ser encontrada ao se digitar "Jean Dodal" no campo de busca da seguinte página:
- ♦ www.britishmuseum.org/research/collection_online/search.aspx

Por enquanto, existe apenas um fac-símile raro e, portanto, caro e difícil de ser encontrado, editado por Dusserre nos anos 1980. Há também uma reconstituição feita por Jean-Claude Flornoy.

– **Tarô de Pierre Madenié. Dijon, 1709.** Atualmente, o mais antigo Tarô "de Marselha" conhecido e datado. Conservado no Museu Nacional Suíço de Zurique. Ver o *site* de Yves Reynaud para consultar sua versão digital e encontrar seu fac-símile à venda:
- ♣ https://tarot-de-marseille-heritage.com/catalogue_madenie1709.html

– **Tarô de Jean-Pierre Payen. Avignon, 1713.** Por muito tempo conhecido como o mais antigo Tarô "de Marselha", datado antes da descoberta do Tarô de Pierre Madenié, traz no Dois de Denários a menção "IEAN PIERRE PAYEN Ano 1713". Conservado na Biblioteca Beinecke da Universidade de Yale, mas também no Museu Suíço dos Jogos de La Tour-de-Peilz e no Museu Francês das Cartas de Jogo, em Issy-les-Moulineaux.

Recentemente, um belo fac-símile (um pouco retrabalhado) foi editado por Yves Reynaud. Ver seu *site*:
- ♣ https://tarot-de-marseille-heritage.com/catalogue_payen1713.html

Esse fac-símile é necessário sobretudo porque uma reprodução bastante aproximada foi editada com o nome de "Tarô de Nostradamus" por Héron Jeux, nos anos 1990.

– **Tarô de François Chosson. Marselha, 1736.** Seria o mais antigo Tarô "de Marselha" de que se tem conhecimento, fabricado na cidade de mesmo nome. Conservado no Museu Histórico Blumenstein, em Soleura, Suíça.

Ver a digitalização e o fac-símile no *site* de Yves Reynaud:
- ♣ https://tarot-de-marseille-heritage.com/catalogue_chosson1736.html

- **Tarô de Nicolas Conver. Marselha, 1809-1833.** O mais célebre Tarô de Marselha antigo, por muito tempo datado em 1760, pois esse é o ano que aparece no baralho. Essa é a data de fabricação do molde, que não foi feito por Conver, nascido em 1784. Portanto, ele não fabricou esse célebre jogo que traz seu nome. Três baralhos de Conver são conservados na Biblioteca Nacional da França:
    - ♣ http://gallica.bnf.fr/ark:/12148/btv1b10513817z
    - ♣ http://gallica.bnf.fr/ark:/12148/btv1b10537352g
    - ♣ http://gallica.bnf.fr/ark:/12148/btv1b10520316w

    Contudo, também existem outros jogos, conservados no British Museum e no Japão. Há ainda inúmeros fac-símiles e reconstituições desse célebre tarô. Podem-se mencionar os fac-símiles editados por Héron Jeux, Lo Scarabeo e Yves Reynaud.

- **Tarô de François Bourlion. Marselha, 1760.** Esse Tarô de Marselha teve sua data autenticada em 1760.
    - ♣ http://gallica.bnf.fr/ark:/12148/btv1b105373496

    Vale notar que, para encontrar todos os tarôs conhecidos como "de Marselha" em Gallica, é necessário digitar a seguinte busca: "JeuCart tarot Marseille". Em seguida, aparecerão os 19 baralhos desse tipo, conservados na Biblioteca Nacional da França. Para acessar todos os tarôs, basta digitar "JeuCart tarot": essa busca é preferível, pois remete a 215 baralhos, dentre os quais os Tarôs de Jacques Viéville, Jean Noblet e o Grand Etteilla. A busca "JeuCart" é um código específico, atribuído ao grande trabalho de digitalização, realizado pela BnF a partir de seu acervo de cartas antigas e de inúmeros documentos a elas relacionados. Paul Marteau era um dos proprietários desse acervo e o legou à BnF, o que mostra sua importância. Portanto, é prático conhecer essa referência, que remete a um total de 1.876 documentos. Deles provém a maior parte da iconografia deste livro. No que se refere aos Tarôs de Marselha, ainda podemos citar dois que tiveram sua importância, pois inspiraram Paul Marteau quando ele concebeu seu célebre baralho, publicado pela Grimaud, em 1930:

- **Reedição moderna do baralho de Tarô de Nicolas Conver. Marselha, Camoin, 1890-1899.** Provavelmente esse tarô inspirou Paul Marteau quanto às cores.
    - ♣ http://gallica.bnf.fr/ark:/12148/btv1b10543309g

- **Tarô de Lequart. Paris, 1890.**
    Este o teria inspirado pelas gravuras.
    - ♣ http://gallica.bnf.fr/ark:/12148/btv1b10539498w

♦♦♦ *Os tarôs e as cartas divinatórias dos séculos XIX e XX*

Depois dos dois tarôs que o inspiraram, coloco aqui em primeiro lugar o mais célebre deles. Em seguida, a lista retoma os diferentes tarôs e jogos divinatórios por ordem cronológica.

- **Antigo Tarô de Marselha. Paris, Grimaud, 1930.** Não há fac-símile conhecido da edição de 1930 desse famoso tarô, e não é para menos: ele ainda se encontra disponível em qualquer ponto de venda. Ver a edição original, conservada na Biblioteca Nacional da França:
    - ♣ http://gallica.bnf.fr/ark:/12148/btv1b10539685w

    Há edições originais desse tarô em muitos outros lugares, bibliotecas públicas e coleções privadas. O museu particular de Guido Gillabel (Tarot Museum Belgium) possui três edições diferentes de 1930.

- **Tarô de Etteilla, conhecido como "Le livre de Thot" [O Livro de *Thot*]. Paris, 1788.** Talvez a mais antiga reprodução existente desse jogo, que se tornou célebre com o nome de "Grand Etteilla". Ainda hoje é fácil encontrá-lo à venda em uma reprodução de uma edição de 1910.
    - ♣ http://gallica.bnf.fr/ark:/12148/btv1b10545802x

- **Jogo divinatório revolucionário anônimo. Paris, 1791.**
    - ♣ http://gallica.bnf.fr/ark:/12148/btv1b10510967c

- **Le petit oracle des dames [O Pequeno Oráculo das Damas]. Paris, Veuve Gueffier, 1807.** Pequeno oráculo antigo, talvez um dos primeiros a ser divulgado; recentemente publicado em fac-símile pela casa Grimaud.
    - ♣ http://gallica.bnf.fr/ark:/12148/btv1b10520841s

- **Jogo divinatório anônimo. Paris, 1830-1880.**
    - ♣ http://gallica.bnf.fr/ark:/12148/btv1b10529588j

- **Jogo de Mademoiselle Lenormand. Paris, 1835.** Seu fac-símile é vendido regularmente e fácil de ser encontrado.
    - ♣ http://gallica.bnf.fr/ark:/12148/btv1b10509225z

- **Tarô de Oswald Wirth. 1889.** Pelo que sabemos, não existe fac-símile do tarô original. Em contrapartida, esse tarô ainda é vendido em toda parte. É fácil encontrar *Le Tarot des imagiers du Moyen Âge* [O Tarô dos Pintores e Escultores da Idade Média] à venda com o baralho.
    - ♣ http://gallica.bnf.fr/ark:/12148/btv1b105110785

- **Tarô de Rider-Waite, desenhado por Pamela Colman Smith. 1910.** Uma edição de 1937 é conservada na Biblioteca Beinecke da Universidade de Yale. Como cada carta dispõe de seu próprio *link*, é preciso entrar com o endereço abaixo e seguir as etapas até as outras cartas. Sua edição realizada por US Games Systems é fácil de ser encontrada.
    - ♣ http://brbl-dl.library.yale.edu/vufind/Record/3520345

Onde encontrar tarôs "de verdade"?
O *site* de referência dos pesquisadores e colecionadores de cartas de jogo, The International Playing-Card Society, oferece uma lista dos principais museus que conservam cartas:
- ♣ www.cs.man.ac.uk/~daf/i-p-c-s.org/faq/museums.php#france

Desde já, podem-se anotar os seguintes endereços:
- Para a França, o Museu Francês das Cartas de Jogo, em Issy-les-Moulineaux:
    - ♦ www.museecarteajouer.com

- Para a Bélgica, um museu privado, o Tarot Museum Belgium, de Guido Gillabel, cuja rica coleção fará a alegria de todos os apaixonados por tarô:
    - ♦ www.tarotmuseumbelgium.com

Apêndice C: Bibliografia comentada e fontes

Esta obra foi inspirada em muitas outras, citadas em notas de rodapé ao longo do texto. Apresento aqui sobretudo as que foram determinantes para a redação deste livro e menciono para quem desejar saber mais sobre a história do tarô como é possível encontrar a obra em questão. Se nada for indicado, significa que ela é facilmente acessível para compra em livrarias ou *on-line*. As duas primeiras partes citam os estudos e os autores de referência sobre a questão; em seguida, na parte "Fontes", encontram-se todos os livros e autores antigos, a maioria digitalizada, que são citados em referência em nosso texto. Com os tarôs antigos, eles constituem as fontes da história do tarô. Como algumas dessas obras são de nível universitário, para auxiliar a consulta acrescentei um pequeno ♥ aos títulos que me pareceram não apenas indispensáveis, mas também de mais fácil acesso para todo leitor não especializado no assunto.

♦♦♦ *História do tarô e das cartas de jogos*

- Depaulis Thierry, *Le Tarot révélé, une histoire du tarot d'après les documents*, Museu Suíço dos Jogos, La Tour-de-Peilz, 2013. ♥

    Contém as informações mais recentes sobre a história do tarô. Obra fundamental, difícil de ser encontrada, embora haja uma edição recente. Uma reedição seria muito bem-vinda!

- Depaulis Thierry, *Tarot, jeu et magie*, Biblioteca Nacional da França, Paris, 1984. ♥

    Rico catálogo da exposição realizada na Biblioteca Nacional da França, em 1984, sobre o tarô. Digitalizado em Gallica:
    ♣ http://gallica.bnf.fr/ark:/12148/bpt6k6532698n

- Kaplan Stuart R., *La Grande Encyclopédie du tarot*, Tchou, Paris, 1978. ♥
  Livro de referência sobre a história do tarô, expõe 250 jogos e toda a documentação de base. É facilmente encontrado para compra *on-line* por preços ainda acessíveis.

- Van Rijnberk Gérard, *Le Tarot, histoire, iconographie, ésotérisme*, Paul Derain, Lyon, 1947.
  Obra erudita, em especial sobre os arcanos maiores, mas infelizmente indisponível, a não ser por preços proibitivos. Digitalizado apenas na base Gallica intramuros, portanto, é necessário ir à Biblioteca Nacional da França para consultá-lo:
  ♣ http://gallicaintramuros.bnf.fr/ark:/12148/bpt6k3344603z

  No entanto, uma parte também é reproduzida em:

- Alleau René, Larcher Hubert e Le Scouezec Gwen, *Encyclopédie de la divination*, Tchou, Paris, 1965.

- Dummett Michael, *The Game of Tarot, from Ferrara to Salt Lake City*, Duckworth, Londres, 1980.
  É mister citar esse importante livro de referência (600 páginas!) em uma bibliografia sobre a história do tarô, mas está indisponível, pois nunca foi reeditado. É acessível apenas em duas bibliotecas francesas, a Biblioteca Nacional da França e a Biblioteca da Fondation Maison des sciences de l'homme, em Paris. Caso se tenha a sorte de encontrá-lo para compra, é necessário desembolsar no mínimo 200 euros...

- Decker Ronald, Depaulis Thierry e Dummett Michael, *A Wicked Pack of Cards, the Origins of the Occult Tarot*, Bloomsbury Publishing, Londres, 1996.

Bem mais fácil de encontrar à venda do que o título anterior e mais especificamente consagrado à história do Tarô Divinatório na França.

- Decker Ronald e Dummett Michael, *A History of the Occult Tarot*, Duckworth, Londres, 2002.
  Também fácil de encontrar à venda e mais especificamente consagrado à tradição anglo-saxã do Tarô Divinatório.

- D'Allemagne Henry René, *Les Cartes à jouer du XIVe au XXe siècle*, Hachette, Paris, 1906, 2 vol.
  Um volume monumental (cerca de 1.200 páginas!) e uma referência sobre a história das cartas. Sua digitalização por uma biblioteca canadense é especialmente preciosa porque a obra está indisponível. Na impossibilidade de lê-la inteira, pode-se consultá-la por suas inúmeras e magníficas estampas e ilustrações, das quais foram tiradas as imagens das páginas 9, 33 e 36 deste livro.
  ♣ https://archive.org/details/McGillLibray-122623-2081

- Hoffmann Detlef, *Le Monde de la carte à jouer*, Éditions Leipzig, 1972. ♥
  Além do texto à que faz referência, contém uma magnífica iconografia. Escrito por um dos autores mais renomados nessa área. Livro ainda em venda *on-line* por preços acessíveis.

- Seguin Jean-Pierre, *Le Jeu de carte*, Hermann, Paris, 1968. ♥
  Mesma observação para esse título: iconografia muito interessante, autor de referência, livro em venda *on-line* por preços acessíveis.

– Merlin Romain, *Origine des cartes à jouer, recherches nouvelles sur les naïbis, les tarots et sur les autres espèces de cartes*, Paris, 1869. ♥

    Outra referência importante que não deve ser perdida, apesar de sua idade. Vale a pena consultá-la por sua magnífica iconografia. Digitalizado em Gallica:
  ♣ http://gallica.bnf.fr/ark:/12148/bpt6k1232440

– Depaulis Thierry, Seguin Jean-Pierre e Senepart Ingrid, *Cartes à jouer & tarots de Marseille, la donation Camoin*, Édition Alors hors du Temps, Marselha, 2004.

    Catálogo da exposição epônima de 2004 no Museé du Vieux-Marseille. Livro ainda em venda *on-line* por preços acessíveis.

– Lhote Jean-Marie, *Court de Gébelin, le Tarot, présenté et commenté par Jean-Marie Lhôte*, Berg International, Paris, 1983.

    Pena que seja difícil encontrar à venda esse livro, que oferece um fac-símile comentado do texto fundador de Court de Gébelin sobre o tarô.

– Mercier-Faivre Anne-Marie, *Un supplément à l'Encyclopédie : le Monde primitif d'Antoine Court de Gébelin*, Honoré Champion, Paris, 1999.

    Quem se interessar por Court de Gébelin encontrará nessa tese, de maneira quase exaustiva, tudo o que pode saber sobre ele. Dado o caráter científico da obra, é difícil encontrá-la à venda; contudo, o acesso a ela é livre no espaço Haut-de-jardin da Biblioteca Nacional da França (sala H, acessível a todos).

Para quem deseja encontrar outros livros sobre a história do tarô, o *site* The International Playing-Card Society disponibilizou *on-line* uma bibliografia bastante completa:
  ♦ https://i-p-c-s.org/faq/books.php#tarot

♦♦♦ *Outras obras consultadas*

– De Sike Yvonne, *Histoire de la divination: oracles, prophéties, voyances*, Larousse, Paris, 2001. ♥

    Obra excelente, que traz informações sobre esses temas, mas também, de maneira mais ampla, sobre os períodos históricos a eles relacionados, as artes, a filosofia, as mentalidades…

– Lhote Jean-Marie, *Histoire des jeux de société*, Flammarion, Paris, 1993.

    Autor e obra de referência sobre a questão. Infelizmente, o livro é caro e difícil de ser encontrado. É realmente uma pena, pois é magnífico e erudito ao mesmo tempo. Contudo, ainda é possível encontrar o título seguinte, muito interessante e por preços acessíveis.

– Lhote Jean-Marie, *Le Symbolisme des jeux*, Berg International, Paris, 2010 (1976 para a primeira edição).

– Netchine Ève (org.), *Jeux de princes, jeux de vilains*, Biblioteca Nacional da França, Paris, Seuil, 2009. ♥

    Exposição da Biblioteca Nacional da França, magnífica iconografia disponibilizada *on-line* no seguinte endereço:
  ♣ http://expositions.bnf.fr/jeux/tarots/album.htm

- Mollier Pierre (org.), *La Franc-maçonnerie*, Biblioteca Nacional da França, Paris, 2016. ♥
  Essa interessante exposição encontra-se disponível *on-line* no seguinte endereço:
  ♣ http://expositions.bnf.fr/franc-maçonnerie

- Pastoreau Michel, *Une histoire symbolique du Moyen Âge occidental*, Seuil, Paris, 2014 (2004 para a primeira edição). ♥
  Obra fascinante e muito bem escrita, disponível em edição de bolso.

- Le Goff Jacques, *Un Moyen Âge en images*, Hazan, Paris, 2007. ♥
  Quem desejar ler sobre a Idade Média não pode deixar de consultar os livros desse grande historiador.

Ver também:
- Le Goff Jacques (org.), *L'Homme médiéval*, Seuil, Paris, 1989. ♥
- Heers Jacques, *Fêtes des fous et carnavals*, Fayard, Paris, 1983. ♥
- De Mailly Nesle Solange, *L'Astrologie*, Nathan, Paris, 1981.
- Spurek Milan, *L'Astrologie*, Gründ, Paris, 1998.
- Riffard Pierre A., *L'Ésotérisme*, Robert Laffont, Paris, 1990.

♦♦♦ *Dicionários*

- Servier Jean (org.), *Dictionnaire critique de l'ésotérisme*, PUF, Paris, 1998.
  Obra realmente prolífica sobre a questão, ideal para quem se interessa por essa área e deseja basear-se em conhecimentos sólidos, a partir de fontes comprovadas.

- Chevalier Jean e Gheerbrant Alain, *Dictionnaire des symboles*, Robert Laffont, Paris, 1992, edição ampliada (1969 para a primeira edição).

- Grimal Pierre, *Dictionnaire de la mythologie*, PUF, Paris, 1976.

- Le Goff Jacques e Schmitt Jean-Claude (orgs.), *Dictionnaire raisonné de l'Occident médiéval*, Pluriel, Hachette, 2015 (Fayard, 1999 para a primeira edição).

♦♦♦ *Fontes sobre o tarô e a cartomancia*

- Court de Gébelin Antoine, *Monde primitif, analysé et comparé avec le monde moderne*, Paris, 1773-1784, 9 vol. O texto sobre o tarô é encontrado no tomo VIII, pp. 365-410.
  Digitalizado em Gallica. Os *links* de cada volume se encontram no seguinte endereço:
  ♣ http://catalogue.bnf.fr/ark:/12148/cb302807291
  No *site* de Jean-Claude Flornoy, é possível encontrar diretamente o texto transcrito de Court de Gébelin sobre o tarô:
  ♣ http://letarot.com/pages-vrac/pages/Court-de-Gebelin.html

- Etteilla, *Manière de se récréer avec le jeu de cartes nommées tarots*, Paris, Amsterdã, 1783 para o primeiro e o terceiro cadernos, 1785 para o segundo e o quarto.
  Primeiro caderno digitalizado em Gallica:
  ♣ http://gallica.bnf.fr/ark:/12148/bpt6k622723

Segundo caderno não digitalizado por enquanto. Terceiro e quarto cadernos digitalizados e acessíveis apenas em Gallica intramuros (portanto, é necessário ir à BnF): ver as referências abaixo. No entanto, como as digitalizações evoluem rapidamente, a situação não é definitiva.
- ♣ http://gallicaintramuros.bnf.fr/ark:/12148/bpt6k312882c
- ♣ http://gallicaintramuros.bnf.fr/ark:/12148/bpt6k3128878

– *Le Petit Oracle des dames ou récréation du curieux, contenant 75 figures coloriées formant le jeu complet de 52 cartes avec la manière de tirer les cartes, tant avec ce jeu qu'avec les cartes ordinaires*, Veuve Gueffier, Paris, 1807.
- ♣ http://gallica.bnf.fr/ark:/12148/btv1b10520841s

– *Le Petit Etteilla ou l'art de tirer les cartes d'après les plus célèbres cartomanciers, orné de 33 gravures*, Blocquel et Castiaux, Lille, 1826.
- ♣ http://gallica.bnf.fr/ark:/12148/btv1b10527480w

– Levi Éliphas, *Dogme et rituel de la haute magie*, G. Baillière, Paris, 1856.
Ainda editado. [*Dogma e Ritual da Alta Magia*, São Paulo, Pensamento, 21ª ed., 2017.]

– Papus, *Le Tarot des Bohémiens*, G. Carré, Paris, 1889.
Ainda editado por Dangles. No entanto, também há uma versão digital disponível no seguinte endereço:
- ♣ https://archive.org/details/clefabsoluedelas00papuuoft

– Papus, *Le Tarot divinatoire*, Librairie hermétique, Paris, 1909.
Ainda editado por Dangles.

– Falconnier Robert, *Les XXII Lames hermétiques du tarot divinatoire: exactement reconstituées d'après les textes sacrés et selon la tradition des mages de l'ancienne Égypte*, Librairie de l'art indépendant, Paris, 1896.
- ♣ http://gallica.bnf.fr/ark:/12148/bpt6k5525090q

– *Les Sciences mystérieuses: les lignes de la main, l'écriture, la physionomie, l'étude de la tête, les secrets des cartes, étude nouvelle illustrée de plus de cinq cents documents (figures et autographes)*, Deslinières, Paris, 1899.
- ♣ http://gallica.bnf.fr/ark:/12148/bpt6k204009w

– Wirth Oswald, *Le Tarot des imagiers du Moyen Âge*, Le Symbolisme, Paris, 1926-1927.
Encontra-se facilmente uma edição contendo o livro e o baralho, publicada por Tchou.

– Marteau Paul, *Le Tarot de Marseille*, Arts et Métiers graphiques, Paris, 1949.
Ainda em venda *on-line* por preços acessíveis.

– *Le Livre de passe-temps de la fortune des dez*, Genebra, 1510.
Digitalizado pela Biblioteca de Genebra, ver:
- ♣ http://www.e-rara.ch/doi/10.3931/e-rara-6995

– *Le Plaisant Jeu du dodechedron*, N. Bonfons, Paris, 1577.
- ♣ http://gallica.bnf.fr/ark:/12148/bpt6k1510950n

– *Le Ingeniose Sorti composte per Francesco Marcolini da Forlì, intitulate Giardino di Pensieri, novamente ristampate, e in novo et bellissimo ordine riformate*, Veneza, 1550.
    Digitalizado no seguinte endereço:
    ♣ https://archive.org/details/gri_000033125008238095

◆◆◆ *Outras fontes consultadas*

– MILLET-SAINT-PIERRE Jean-Baptiste, "Recherches sur le dernier sorcier et la dernière école de magie" in *Recueil des publications de la Société havraise d'études diverses*, Le Havre, 1857.
    ♣ http://gallica.bnf.fr/ark:/12148/bpt6k55447214

– BECQ DE FOUQUIERES Louis, *Les Jeux des anciens, leur description, leur origine, leurs rapports avec la religion, l'histoire et les moeurs*, C. Reinwald, Paris, 1869.
    ♣ http://gallica.bnf.fr/ark:/12148/bpt6k110685x

– *Horapollon*, Musier, Paris e Amsterdã, 1779.
    ♣ http://gallica.bnf.fr/ark:/12148/bpt6k9612330b

– *Iconologie ou Explication nouvelle de plusieurs images, emblèmes et autres figures hyérogliphiques des vertus, des vices, des arts, des sciences. Tirée des recherches et des figures de César Ripa, desseignées et gravées par Jacques de Bie et moralisées par J. Baudoin*, l'autheur, Paris, 1636.
    ♣ http://gallica.bnf.fr/ark:/12148/bpt6k130641h

– *Philosophie naturelle de trois anciens philosophes renommez*. Contém *Le Livres des figures hiéroglyphiques*, Laurent d'Houry, Paris, 1682.
    ♣ http://gallica.bnf.fr/ark:/12148/bpt6k81627j

– ARTEMIDORO DE ÉFESO, *L'Interprétation des songes* (ou *Onirocriticon*), Jean de Tournes, Lyon, 1546.
    ♣ http://gallica.bnf.fr/ark:/12148/bpt6k8534667

– Manuscrito *Horae ad usum romanum*, conhecido como *Heures de Louis de Laval*, cerca de 1430-1435.
    ♣ http://gallica.bnf.fr/ark:/12148/btv1b52501620s/f48.image

Apêndice D: *Sites*, *blogs* e bases de dados

O universo da *web* é infinito! Há mais publicações *on-line* sobre o tarô do que em livros impressos. Elas se renovaram muito nos últimos anos, com um interesse crescente por esta disciplina particular: a história do tarô. É disso que se trata aqui. Portanto, não indiquei nesta obra todos os *sites* que abordam o tarô, ainda que de maneira brilhante e com textos que apresentam uma roupagem histórica, mas que são recortes de teorias lançadas por seus autores. Por um lado, seria impossível fazer referência a tudo isso e, por outro, não correspondia a meu objeto de estudo. Em contrapartida, indico os *sites* que me pareceram mais consistentes e mais bem documentados para o aprofundamento da leitura e da reflexão sobre a história do tarô. Esses *sites* são interessantes sobretudo porque oferecem não apenas textos, mas também conjuntos iconográficos de excelente qualidade – jogos antigos, obras de arte –, que às vezes são difíceis de encontrar na forma impressa, dadas as restrições ligadas aos direitos autorais para as imagens, mais flexíveis na internet no que se refere às obras antigas. Os raros *sites* em língua francesa são indicados com ♥.

♦♦♦ *Bases de dados, fóruns*

Le Tarot, Associazione Culturale
- www.associazioneletarot.it
  Site italiano de referência sobre a história do tarô. Oferece artigos de qualidade, iconografia farta e detalhada. Artigos em inglês e italiano. Para quem deseja encontrar *links* para outros *sites*, este propõe justamente uma seleção de *links* comentados:
  ¨ www.associazioneletarot.it/links.aspx?id=6

Le Monde des tarots anciens ♥
- www.tarotanciens.canalblog.com

A produção francesa na internet é fraca no que se refere à história do tarô: essa base merece ser citada sobretudo porque é a única de seu gênero em francês, de acordo com o que encontrei. Seu aspecto mais interessante é o fato de ela oferecer uma grande quantidade de documentos artísticos, literários, filosóficos e históricos relacionados ao tarô e classificados por tipologia, arcanos, temas e períodos. Uma mina preciosa, ainda mais interessante por não oferecer teorias pressupostas sobre o tema. Documentos de toda natureza são fornecidos para nutrir a reflexão do leitor, que posteriormente poderá formar sua própria concepção.

Trionfi – Tarot and its History

- http://trionfi.com

    A abundância também está na ordem do dia nesse caso: é um pouco difícil localizar-se nessa impressionante base de dados, que oferece documentos e *links* para muitos outros *sites*. Contudo, é uma das referências mundiais sobre o tema.

Tarotpedia

A base *wiki* do tarô...

- www.tarotpedia.com

The International Playing-Card Society

- www.i-p-c-s.org
- www.i-p-c-s.org/fr ♥

    Site de referência da mais importante organização internacional de pesquisadores, colecionadores, apaixonados por cartas de jogo e por sua história, que engloba a história do tarô. Sua revista *The Playing-Cards* é uma referência.

Tarot History Forum

No que se refere aos fóruns, para a história do tarô, este é a referência:

- http://forum.tarothistory.com/index.php

Tradition des tarots de Marseille ♥

Na França (e em francês!), esse fórum de Laurent Édouard permite encontrar boas conversas sobre a história do tarô.

- www.traditiontarot.com/index.php

No Facebook há o grupo Tarot History:

- www.facebook.com/groups/1457073457838971

♦♦♦ Blogs e sites

Às vezes, alguns *blogs* e *sites* escritos por pesquisadores aficionados oferecem um acesso mais fácil e são ricos em documentação e iconografia. Recomendo particularmente os dois listados abaixo:

The Tarot Wheel

Blog de Joep van Loon. Extraordinário em todos os pontos de vista. Mesmo para quem não domina o inglês, vale a pena visitá-lo: por si só, a observação da iconografia habilmente organizada, entre jogos de diferentes épocas e sua comparação com obras dos mesmos períodos, é instrutiva.

- http://tarotwheel.net

Ver em especial a página na qual ele apresenta a relação dos principais jogos e os *links* para as bases em que estão digitalizados (um pouco o que fizemos acima, mas, nesse caso, *on-line*!):
- http://tarotwheel.net/links/historical%20decks.html

Historical playing cards
Não é necessário falar inglês para consultar esse *site* inestimável, inteiramente feito de imagens: ele propõe uma lista cronológica completa dos principais jogos de cartas antigos. Basta clicar em cada baralho para admirar sua versão totalmente digitalizada.
- http://cards.old.no

Um quadro geral propõe todos os tarôs italianos digitalizados. Ao observá-lo, já é possível comparar os baralhos antes de clicar em cada um para admirá-lo em sua totalidade.
- http://cards.old.no/t

Tarot Heritage – All about tarot history and historic decks
- https://tarot-heritage.com

Para quem deseja outros *links* para bons *sites* consagrados à história do tarô, ver também esta página comentada do mesmo *site*:
- https://tarot-heritage.com/history-4/resources

The World of Playing Cards
- www.wopc.co.uk

Tarot de Marseille Heritage ♥
Site de Yves Reynaud, já citado para os fac-símiles, mas que indico aqui para assinalar também sua galeria comentada de Tarôs de Marselha históricos.
- https://tarot-de-marseille-heritage.com/index.html

Tarot Museum Belgium ♥
O *site* de Guido Gillabel oferece não apenas uma apresentação de seu museu, mas também uma rica iconografia comentada de tarôs, em francês e inglês.
- www.tarotmuseumbelgium.com

Tarot à Paris ♥
Meu *site*, no qual regularmente disponibilizo *on-line* meus artigos sobre a história do tarô, mas também contos, vídeos e uma farta iconografia histórica. Como os direitos autorais restringem em muito a publicação impressa das obras, não pude publicar aqui tudo o que gostaria sobre a imensa iconografia artística, relacionada ao tarô. Inseri um exemplo com *O Ilusionista*, de Hieronymus Bosch, para indicar as inúmeras ligações possíveis entre a arte e o tarô. A iconografia do *site* completa o texto deste livro. Um calendário anuncia os cursos sobre a história do tarô.
- www.tarot-paris.com

Por fim, publico regularmente em minha página no Facebook minhas últimas descobertas históricas: cartas antigas, manuscritos, estampas, obras de arte etc.:
- www.facebook.com/nadolnytarot

AGRADECIMENTOS

A meu querido irmão Serge Nadolny, que me fez descobrir o tarô.

A Florian Parisse, por seu encorajamento e seu auxílio desde o início para que eu praticasse o tarô, estudasse sua história e publicasse a esse respeito.

A Peter Tournier, cujo ensinamento artístico nutriu minha prática, libertou minha confiança e minha criatividade. Também por sua ajuda eficaz e seus conselhos para que eu iniciasse minha atividade.

A Emmanuelle Iger, por sua preciosa ajuda na redação desta obra: ajuda logística, conselhos criativos, releitura, testes de antigas tiragens em meio a risos e bom humor! E por todas as experiências ricas que compartilhamos.

A Valérie, por sua presença e seu apoio incondicionais desde o início da redação desta obra.

A Florence Legrin, por sua releitura e seu encorajamento.

Obrigada a Guido Gillabel por ter me recebido tão bem em seu museu sobre o tarô, por sua ajuda e sua autorização para a publicação de cartas e fotos.

Obrigada a Yves Reynaud por sua autorização para a publicação das reproduções de seus preciosos tarôs históricos.

Enfim, agradeço a mim mesma. Tentem, faz muito bem!

Créditos iconográficos

Biblioteca Nacional da França/gallica.bnf.fr
Páginas 14, 34, 37, 38, 40, 43, 44, 46, 48, 49, 65, 67, 68, 88, 101, 102, 103, 107, 111, 112, 114, 115, 116, 118, 119, 120, 124, 134, 136, 147, 151, 162, 164, 165, 172, 173, 175, 176, 177, 178, 181, 183, 185, 200, 203, 206, 212, 215, 218, 221, 224, 227, 230, 233, 236, 239, 243, 246, 250, 253, 256, 259, 262, 265, 268, 271, 272.

Todas essas imagens são citadas no texto com a menção "BnF".

Metropolitan Museum
Páginas 17, 32, 34, 41, 72.

Beinecke Rare Book & Manuscript Library
Páginas 26, 63, 66, 75, 105, 135, 209.

Photos ©RMN-Grand Palais, Museu do Louvre
Páginas 8, 60, 82, 85, 128.

National Gallery of Art
Páginas 41, 71.

Biblioteca de Genebra
Páginas 22, 23.

British Library
Página 28.

Museu Galo-Romano de Saint-Romain-en-Gal
Página 19.

Rijksmuseum
Página 196.

US Games Systems, Inc.
Páginas 30, 39, 64, 119, 120, 135, 206.

AGM-Urania
Página 191.

Guido Gillabel's Tarot Museum Belgium
Páginas 94, 116, 125, 126, 147, 153, 190, 194, 195.

Tarot de Marseille Heritage, Yves Reynaud
Páginas 107, 109, 110, 114.

Fotos e reproduções pessoais
Páginas 19, 31, 69, 140, 158, 168, 187, 188, 189.

Fotos de capa
Tarô conhecido como de Carlos VI, norte da Itália, século XV, BnF. A Justiça, o Louco, o Pendurado, o Eremita (detalhes).

Fotos de quarta capa
Tarô conhecido como de Carlos VI, o Eremita, norte da Itália, século XV, BnF.
Tarô de Grimaud, o Eremita, Paris, 1930, BnF.
Foto da autora: © Emmanuel Delaloy